#무용키워드

1. AI
2. 가상현실
3. 강강술래
4. 건강과 웰빙
5. 경제적 안정성
6. 고전주의
7. 공간
8. 교육 및 훈련 접근성
9. 국립발레단
10. 국제 무용 축제
11. 궁중무용
12. 권리 보호
13. 규율
14. 그랑 제테
15. 나레이티브
16. 남사당
17. 낭만주의
18. 네오클래시컬 발레
19. 농악
20. 니진스키
21. 다다 마실로
22. 다양성과 포용성
23. 다이내믹 매핑
24. 다이내믹 얼라인먼트
25. 대표성과 다양성 그리고 포함성
26. 댄스 교환 프로그램
27. 댄스리더쉽
28. 댄스 네트워킹
29. 댄스 리트릿
30. 댄스 스칼라십
31. 댄스필름
32. 도리스 험프리
33. 동양사상
34. 동원
35. 동작
36. 듀엣
37. 로마무용
38. 로미오와 줄리엣
39. 루돌프 본 라반
40. 루이 14세
41. 로사스
42. 리레브
43. 리프팅
44. 리허설
45. 마누엣
46. 마르그리트 폰테인
47. 마리아넬라 누네즈
48. 마르그리트 폰테인
49. 마리 슈이나르
50. 마리우스 프티파
51. 마리 탈리오니
52. 마사그라함
53. 매튜 본
54. 머스 커닝엄
55. 멀티미디어 댄스
56. 모더니즘
57. 몰입
58. 몸과 정신의 이분화
59. 몸의 충격
60. 몸짓
61. 무대 디자인
62. 무도병
63. 무브먼트 리서치
64. 무용 감독
65. 무용 갤러리
66. 무용 뉴스레터
67. 무용리뷰
68. 무용 마케팅

69. 무용 시상식
70. 무용 영화화
71. 무용 올림피아드
72. 무용 워크숍
73. 무용 의상
74. 무용이론
75. 무용 저널
76. 무용 전시회
77. 무용축제
78. 무용 치료
79. 무용 콩쿠르
80. 무용 학술대회
81. 무용과
82. 무용교육
83. 무용사
84. 무용수
85. 무용학
86. 무용의 현실
87. 문화적 이야기의 재해석
88. 문화적 적절성과 착취
89. 미니멀리즘
90. 미술속의 춤
91. 미시적과 거시적
92. 미하일 바리시니코프
93. 민속무용
94. 바디 랭귀지
95. 바디 컨디셔닝
96. 바로크 댄스
97. 발레
98. 발레 마스터
99. 발레 미스트레스
100. 발레뤼스
101. 발레리나
102. 백조의 호수
103. 벨리댄스
104. 부토
105. 불새
106. 비트박스 댄스
107. 비평
108. 사이버댄스
109. 사회적 퍼포먼스
110. 살풀이
111. 성 평등
112. 소셜 미디어 콜라보레이션
113. 수피댄스
114. 스팟댄스
115. 승무
116. 신체화
117. 실기기반 연구법
118. 실비 길렘
119. 실시간 퍼포먼스 기술
120. 심리학
121. 아라베스크
122. 아방가르드
123. 아르로바틱
124. 아프리카댄스
125. 안나 파블로바
126.안느 테레사 드 케이르스마커
127. 안무
128. 알렉산더 테크닉
129. 연극적 요소
130. 에너지
131. 에코 콘셔스 댄스
132. 익스프레션
133. 온라인 댄스 커뮤니티
134. 인공지능 안무
135. 이사도라 던컨
136. 인테페이시즘

137. 임프로바이제이션
138. 작품분석
139. 잠자는 숲속의 미녀
140. 장 조루즈 노베르
141. 정신 건강 문제
142. 정재
143. 조명 디자인
144. 조지 발란신
145. 주관성
146. 즉흥
147. 직관인식
148. 지속 가능한 무대 디자인
149. 지젤
150. 참여
151. 창작
152. 처용무
153. 최승희
154. 카트린느 드 메디치
155. 카포에이라
156. 캐스팅
157. 컨템포러리
158. 케이팝 댄스
159. 코레오그래피
160. 코르드발레
161. 크럼핑
162. 크로닉스
163. 크로스 오버
164. 크로스-디스플린 통합
165. 크리스탈 파이트
166. 클래식
167. 키네틱 무브먼트
168. 탈장르화
169. 탈춤
170. 태평무
171. 탭댄스
172. 탱고
173. 턴
174. 턴아웃
175. 테크놀로지
176. 통제
177. 트리오
178. 파드되
179. 팔관회
180. 팝핑
181. 퍼포먼스 아트
182. 포스트모더즘
183. 폴 댄스
184. 표현주의
185. 평론가
186. 푸앙트
187. 프린서플 댄서
188. 플라멩코
189. 플레테
190. 피나바우쉬
191. 피르엣
192. 한량무
193. 한성준
194. 해체주의
195. 현대무용
196. 현대무용의 정신
197. 현상학
198. 호두까기 인형
199. 호세리몽
200. 화관무

#AI

AI 무용은 인공지능 기술을 활용하여 무용의 창작, 공연, 분석 등을 진행하는 현대 예술 분야이다. 이 분야는 기술과 예술을 결합해 전통적인 무용의 경계를 확장하고, 새로운 창작의 가능성을 탐구하고 있다. 다음은 AI 무용에서 주요하게 다루어지는 몇 가지 중요한 요소들이다.
안무창작 AI는 데이터베이스에 있는 기존의 무용 동작들을 분석하여 새로운 안무를 제안한다. 이 과정에서 AI는 복잡한 알고리즘을 사용해 무용수의 동작을 학습하고, 이를 기반으로 새로운 안무 시퀀스를 생성할 수 있다.
공연 분석 AI는 무용 공연을 실시간으로 분석하여 무용수의 동작 정확도, 표현력, 기술적 소양 등을 평가할 수 있다. 이러한 분석은 피드백을 통해 무용수들이 자신의 기술을 개선하는 데 도움을 줄 수 있다.
인터랙티브 공연은 AI 기술을 활용한 인터랙티브 무용 공연은 관객의 반응을 실시간으로 감지하여 공연의 방향이나 내용을 변경할 수 있다. 예를 들어, 관객의 움직임이나 표정 변화를 감지하여 무용수의 동작이나 무대 배경이 바뀔 수 있다. 가상 무용수와의 협업은 AI를 활용하여 가상의 무용수를 생성하고, 이 가상 무용수와 실제 무용수가 함께 공연하는 형태도 개발되고 있다. 이는 디지털과 현실의 경계를 허무는 새로운 형태의 공연 예술을 만들어낸다. AI 무용은 기술의 발전에 따라 계속해서 진화하고 있으며, 무용과 기술의 통합이 예술적 표현의 새로운 장을 열고 있다. 이 분야의 발전은 무용 예술의 미래에 큰 영향을 미칠 것으로 기대된다.
협업은 전통적인 무용 공연의 경계를 허물고, 물리적 공간과 디지털 공간을 넘나드는 새로운 차원의 예술적 표현을 가능하게 한다. 기술이 예술에 어떻게 융합될 수 있는지를 보여주는 좋은 예이며, 이는 실시간으로 AI가 생성하는 가상 무용수가 무대 위에서 인간 무용수와 결합이 얼마나 다양하고 창의적인 형태로 발전할 수 있는지를 시사한다.

#가상현실 (VR Dance)

VR(Virtual Reality, VR)과 무용의 연결은 실제적 경계를 넘어서며, 관객에게 완전히 몰입할 수 있는 3차원적 경험을 제공한다. 이 기술을 활용해 무용수는 기존의 무대나 공간의 제약을 벗어나, 전 세계 어디서든 관객과 소통할 수 있다. 가상 공간에서 무용수는 실제와 같은 움직임을 구현할 수 있고, 관객은 마치 같은 공간에 있는 것처럼 공연을 감상할 수 있다.

몰입도: VR을 통해 관객은 전통적인 관람 방식을 넘어서, 공연의 한가운데서 무용수의 움직임을 감상할 수 있다. 이는 공간적 경험을 획기적으로 변화시키며, 관객이 공연을 더 깊이 이해하고 경험할 수 있게 한다.

창의적 표현: VR은 무용수에게 현실에서는 불가능한 시각적 효과나 환경을 창조할 기회를 제공한다. 예를 들어, 무중력 상태에서의 춤이나 변화하는 배경 등 환상적인 요소를 결합할 수 있다.

교육 및 훈련: VR은 무용 교육에도 혁신적인 도구로 활용될 수 있다. 학생들은 VR을 통해 다양한 안무를 배울 수 있고, 실시간 피드백을 받으며 기술을 연습할 수 있다.

접근성: VR 무용 공연은 위치에 상관없이 어디서든 접근 가능하다.

실시간 공연 스트리밍: 일부 무용단체는 실시간으로 VR을 통해 공연을 스트리밍하고 있다. 이를 통해 전 세계 어디에서도 실시간으로 공연을 감상할 수 있다.

대화형 VR 경험: 사용자가 가상 환경에서 무용수와 상호 작용하거나, 특정 움직임에 반응하여 환경이 변화하는 등의 경험이 가능하다.

VR은 무용을 더욱 다채롭고 동적인 예술 형태로 발전시키는 데 중요한 역할을 하고 있다. 기술의 발전과 함께, VR과 무용의 통합은 앞으로도 더 많은 창의적 가능성을 탐구할 것으로 기대된다.

#강강술래

강강술래는 한국의 전통적인 무용 중 하나로, 주로 추석과 같은 명절이나 마을의 큰 행사 때 여성들이 손을 잡고 원을 그리며 추는 춤이다. 이 춤은 특히 해안 지역에서 발달했으며, 커다란 원을 그리며 손을 잡고 도는 모습이 인상적이다. 강강술래는 농번기 일을 마친 여성들이 수확의 기쁨을 나누고, 마을의 안녕과 풍요를 기원하며 추는 춤으로, 공동체 의식과 여성들의 단합을 상징한다. 주로 여성들이 참여하지만, 때에 따라 남성들도 함께 참여하는 경우가 있다. 참여자들은 서로 손을 잡거나 어깨동무를 하며 큰 원을 만들고 춤을 춘다.

춤사위: 춤은 단순한 발걸음과 동작으로 구성되어 있으며, 반복적인 리듬과 함께 천천히 또는 때로는 빠르게 속도를 조절하며 춘다. 주로 "강강술래"라는 구호를 외치며 리듬을 맞춘다. 전통적인 농악 악기들이 이 춤을 동반한다. 북, 징, 꽹과리, 태평소 등이 활용되며, 이 악기들은 강강술래의 역동적인 분위기를 더욱 고조시킨다.

문화적 의미로는 강강술래는 공동체의 안녕과 풍요를 기원하는 의식적 요소가 강하다. 이 춤을 통해 마을 사람들은 서로의 연결고리를 강화하고, 공동체의 일원으로 서의 정체성을 다지게 된다.

강강술래는 2009년 유네스코 인류무형문화유산으로 지정되었다. 이로써 한국의 문화가 세계적으로 인정받게 되었고, 강강술래는 한국 전통문화의 중요한 부분으로 자리 잡았다. 강강술래는 농촌 지역 뿐 아니라 도시에서도 다양한 행사와 교육 프로그램을 통해 계승되고 있다.

현재 강강술래는 한국의 전통문화와 예술을 체험하고자 하는 내외국인 관광객들에게도 인기 있는 활동 중 하나이며, 한국의 전통과 현대가 어우러지는 다양한 행사에서 쉽게 볼 수 있다. 이 춤을 통해 참가자들은 한국 문화의 아름다움과 의미를 공유하며 즐길 수 있다.

#건강과 웰빙

무용은 단순히 예술적 표현의 한 형태로서 가치를 넘어서 건강과 웰빙을 증진시키는 중요한 수단으로 인식되고 있다. 무용 활동은 신체적, 정신적, 사회적 건강을 모두 향상시키는 효과가 있다. 이런 관점에서 무용을 접근하면, 다양한 연령대와 배경을 가진 사람들이 각자의 건강과 웰빙을 위해 적극적으로 참여할 수 있는 활동으로 볼 수 있다.

무용은 전신 운동의 효과가 있어 신체적 건강을 크게 향상시킬 수 있다. 정기적인 무용 수행은 심폐 기능을 강화하고, 근력을 늘리며, 유연성과 균형 감각을 개선한다. 또한, 체중 관리에도 효과적이며, 만성 질환의 위험을 낮출 수 있다. 예를 들어, 무용은 심장 질환, 고혈압, 당뇨병 같은 질병의 예방 및 관리에 도움이 될 수 있다.

무용은 스트레스 해소와 정서적 균형을 위한 훌륭한 도구이다. 리듬과 음악에 맞춰 몸을 움직이는 것은 기분을 좋게 하고, 스트레스 호르몬 수치를 낮추는 데 도움이 된다. 또한, 창의적 표현을 통해 자아 실현과 자신감을 높이며, 우울증 증상을 완화하는 데 기여할 수 있다. 무용 수행은 마음을 집중시켜 주의력과 인지 기능을 향상시키는 데에도 긍정적인 영향을 미친다.

무용은 사회적 상호작용을 촉진하는 활동이다. 무용 수업이나 워크숍, 공연에 참여하는 과정에서 다양한 연령과 배경을 가진 사람들과 교류가 이루어진다. 이러한 상호작용은 사회적 지지망을 구축하고, 소속감을 느끼게 하며, 고립감을 줄이는 데 도움이 된다. 특히 노년층에서는 사회적 활동으로서 무용이 외로움을 감소시키고 삶의 질을 향상시키는 중요한 역할을 한다.

이는 참가자가 자신의 감정을 탐색하고, 스트레스를 관리하며, 개인적인 문제를 해결할 수 있도록 지원한다. 무용 치료는 자폐 스펙트럼 장애를 가진 아동, 외상 후 스트레스 장애(PTSD)를 경험한 성인, 신체적 장애를 가진 사람들에게 특히 유익하다.

#경제적 안정성

무용수와 안무가들의 경제적 지속 가능성은 매우 중요한 이슈다. 공연 예술계, 특히 무용 분야는 자금이 부족하고 불안정한 수입 구조 때문에 경제적으로 어려운 상황에 직면하는 경우가 많다. 이런 문제를 해결하기 위한 여러 전략이 있으며, 이를 통해 무용수와 안무가들이 더 안정적인 경제적 환경에서 일할 수 있는 방법을 모색할 수 있다.

공연 수익 다각화: 무용수와 안무가들은 전통적으로 티켓 판매, 국가 보조금, 사설 스폰서십에 의존해 수익을 창출한다. 하지만 이러한 수익 모델은 한정적이며 불안정할 수 있다. 따라서 다양한 수익원을 개발하는 것이 중요하다. 예를 들어, 온라인 플랫폼을 통한 공연 스트리밍, 영상 콘텐츠 판매, 워크숍 및 교육 프로그램 운영 등 다양한 방법으로 시장을 확대할 수 있다.

교육 및 워크숍: 무용수와 안무가들은 자신의 기술과 지식을 공유함으로써 추가 수익을 얻을 수 있다. 무용 학교, 대학, 커뮤니티 센터에서의 강의나 워크숍을 통해 일정한 수입을 확보할 수 있으며, 이는 또한 자신의 기술을 널리 알릴 기회가 될 수 있다.

장기 계약 및 고용 안정성: 공연 예술 분야에서 장기 계약은 드물지만, 무용단이나 극장과의 안정적인 고용 계약을 통해 일정 수입을 보장받을 수 있다. 이는 무용수와 안무가들이 경제적으로 안정된 환경에서 창의적인 활동을 지속할 수 있게 돕는다.

창작 보조금 및 재정 지원: 정부나 사설 재단에서 제공하는 보조금과 장학금을 활용할 수 있다. 이러한 지원은 특히 새로운 작품을 제작하거나 국제적인 프로젝트에 참여하는 데 필요한 자금을 조달하는 데 도움을 준다.

파트너십과 협력: 다른 예술 기관이나 기업과의 협력을 통해 새로운 공연 기회를 창출할 수 있다. 이러한 파트너십은 공동 프로젝트를 통해 더 넓은 관객층에게 접근하고, 상호간의 자원을 효율적으로 활용할 수 있는 방법을 제공한다.

무용수와 안무가들이 경제적 안정성을 확보하는 것은 그들이 창작 활동에 더 집중할 수 있게 하며, 무용 예술의 지속 가능한 발전을 가능하게 한다. 이러한 전략들은 무용계가 직면한 경제적 도전을 극복하고 더 넓은 관객에게 다가갈 수 있는 기회를 제공할 것이다.

#고전주의

고전주의 발레는 엄격한 형식과 기술적 정밀성을 강조하는 발레 스타일로, 19세기 후반부터 20세기 초에 러시아에서 발전하였다. 이 시기는 발레가 예술적인 정점을 이루며, 동시에 발레 기술의 표준화와 세련화가 진행된 시기였다. 고전주의 발레는 발레의 기술적 난이도를 높이고, 극적인 요소보다는 춤의 순수한 형식미를 중시했다.
고전주의 발레의 움직임과 기술적 특징은 포인트 워크는 더욱 중요한 기술이 됐다. 발레 무용수들은 이 기술을 통해 무대 위에서 더욱 가볍고 에테르적인 존재처럼 보이도록 연습했다.
회전과 점프의 기술 향상으로 피루엣, 그랑 제테, 그리고 다양한 회전 동작들은 고전주의 발레의 핵심 요소로 자리 잡았다. 이러한 동작들은 기술적 정밀성과 완벽한 균형을 요구했다.
아다지오는 고전주의 발레에서 중요한 부분으로, 무용수는 천천히 그리고 우아하게 움직이며 극도의 제어와 유연성을 보여줘야 했다.
파드되는 남녀 무용수가 함께 수행하는 복잡한 듀엣으로, 서로의 움직임을 보완하며 조화로운 관계를 표현한다. 이는 기술적인 동기와 예술적 표현을 모두 요구한다.
고전주의 발레는 발레의 형식미와 기술적 완성도를 극대화한 시기로, 오늘날까지도 많은 발레 학교와 회사에서 이 시기의 작품들을 기본 교육 과정과 레퍼토리로 채택하고 있다.
대표적으로 "잠자는 숲속의 미녀" (The Sleeping Beauty)는 차이콥스키의 음악과 프띠파의 안무로 만들어진 이 발레는 고전주의 발레의 정수를 보여주는 작품이다. 정교하고 복잡한 스텝, 화려한 세트와 의상은 고전주의 발레의 특징을 잘 드러낸다.
고전주의 발레를 대표하는 주요 인물들은 러시아 발레의 발전과 전 세계적인 영향력 확장에 크게 기여한 안무가, 무용수, 극장 지도자들입니다. 이들 중 몇몇은 발레 역사에서 특히 중요한 위치를 차지하고 있다.
마리우스 프티파 (Marius Petipa)는 고전주의 발레의 아버지로 불리며, 19

세기 러시아 발레의 발전에 결정적인 역할을 했다. 그는 "백조의 호수", "잠자는 숲속의 미녀", "돈키호테"와 같은 수많은 발레 작품의 오리지널 안무를 만들었고, 이 작품들은 오늘날에도 전 세계 발레 회사의 레퍼토리로 남아 있다.

차이콥스키는 프티파와 함께 일하면서 "백조의 호수", "잠자는 숲속의 미녀", "호두까기 인형"과 같은 고전 발레 음악을 작곡했다. 그의 음악은 발레의 드라마틱한 요소를 강화시키고, 고전 발레의 감성적 깊이를 더하는 데 크게 기여했다.

안나 파블로바 (Anna Pavlova)도 프티파 시대의 러시아 발레를 대표하는 무용수 중 한 명으로, 특히 "죽음의 백조"로 유명하다. 그녀의 우아하고 표현력 풍부한 춤은 전 세계적으로 고전 발레의 아름다움을 알리는 데 중요한 역할을 했다.

엔리코 체케티 (Enrico Cecchetti)는 발레 무용수이자 교육자로, 체케티 방법을 개발하여 발레 기술 교육에 혁신을 가져왔다.

이 방법은 무용수의 기술적 완성도를 높이는 데 중점을 두고 있으며, 오늘날에도 많은 발레 학교와 회사에서 널리 사용되고 있다.

이 인물들은 각자의 방식으로 고전주의 발레의 발전과 정립에 기여했으며, 그들의 작업은 발레 역사에서 매우 중요한 부분을 차지하고 있다.

#공간

무용에서 공간은 단순히 무용수가 움직이는 물리적 장소 이상의 의미를 지닌다. 공간은 무용의 핵심적인 요소 중 하나로, 작품의 감정과 메시지를 전달하는 데 중요한 역할을 한다. 무용수는 공간을 사용하여 관객에게 시각적인 이미지와 감정을 전달하며, 이는 공연의 전반적인 분위기와 이야기를 형성하는 데 기여한다.

신체공간은 무용수가 자신의 몸을 사용해 창출하는 공간을 말한다. 몸의 움직임에 따라 확장되고, 축소되며, 무용수의 신체적 표현과 내면의 감정을 반영한다. 마루공간은 무대나 특정 장소에서 무용수들이 사용하는 공간이다. 이 공간은 공연의 배경이 되고, 무용수들은 이 공간 내에서 관객과 상호작용한다. 무대의 디자인과 레이아웃은 공연의 시각적 인상과 관객의 경험에 영향을 미친다. 입체공간으로는 여러 무용수가 함께 창출하는 공간으로, 그룹의 동작과 배열에 의해 형성된다. 집단 공간은 무용의 대규모 패턴이나 구성을 통해 더 큰 시각적 효과와 의미를 전달할 수 있다. 무용수는 무대 위에서 다양한 패턴을 만들어내며 움직인다. 이는 원형, 선형, 대각선 등 다양한 형태를 취할 수 있으며, 이러한 패턴은 작품의 구조와 리듬을 만들어낸다. 또한 무용수는 공간의 높낮이를 변화시키며 다층적인 움직임을 생성한다. 점프, 엎드림, 회전 등 다양한 수준의 움직임은 공연의 역동성을 더하고, 시각적으로 풍부한 경험을 제공한다. 무용수들은 다양한 방향으로 움직이며 공간을 다르게 해석한다. 이는 관객에게 다양한 시각적 관점을 제공하며, 공연의 흐름과 강조점을 조절하는 데 사용된다.

공간은 무용에서 강력한 이야기 도구이며, 무용수들은 이를 통해 관객에게 보다 깊은 감정적, 시각적 인상을 전달한다. 공간을 효과적으로 사용하는 것은 무용 작품의 성공에 결정적인 요소가 되며, 창의적인 공간 활용은 무용수가 관객과 강력한 연결을 만들어내는 방법이다.

#교육 및 훈련 접근성

무용 교육 및 훈련의 접근성은 모든 계층과 배경에서 온 사람들이 질 높은 예술 교육을 받을 수 있도록 하는 중요한 문제다. 이를 통해 다양성이 풍부한 무용계를 육성하고, 예술이 보다 포괄적이고 다양한 목소리를 반영할 수 있게 한다.

접근성 향상을 위한 전략으로는 장학금 및 자금 지원 프로그램: 경제적 장벽을 낮추기 위해 장학금, 자금 지원, 무료 또는 할인 수업을 제공하는 것이 중요하다. 이러한 프로그램은 재능 있는 저소득층 무용수들이 전문 교육을 받을 수 있는 기회를 제공한다.

지역 사회 기반 프로그램: 지역 커뮤니티 센터, 학교, 공공 기관에서 무용 프로그램을 운영하여 지역 사회 내에서 쉽게 접근할 수 있게 한다. 이러한 프로그램은 특히 접근성이 제한적인 지역의 사람들에게 중요하다.

온라인 교육 자원 활용으로 인터넷과 디지털 플랫폼을 활용한 원격 교육을 제공하여, 거리나 이동의 제약 없이 고품질의 무용 교육을 제공할 수 있다. 온라인 마스터 클래스, 튜토리얼, 인터랙티브 세션 등을 통해 전 세계의 전문가들로부터 학습할 수 있다.

무용 교육 프로그램은 다양한 문화적 배경을 가진 무용수들의 경험을 반영하고 포용해야 한다. 다양한 문화의 무용 스타일을 포함시키고, 모든 배경에서 온 무용수들이 자신의 정체성과 경험을 예술적 표현에 활용시킨다.

시설과 장비의 접근성 개선: 무용 연습과 수업을 위한 공간은 물리적으로 접근 가능하고 안전해야 한다. 이는 장애를 가진 무용수들도 편리하게 이용할 수 있어야 함을 의미한다.

이러한 전략들을 통해 무용 교육의 접근성을 향상시키고 모든 사람이 공평하게 예술 교육의 기회를 누릴 수 있게 한다. 이는 무용계의 다양성을 높이고, 더 넓은 사회적 영향력을 발휘할 수 있는 기반을 마련한다.

#국립발레단

국립발레단은 각국이 공식적으로 지원하며 발레 공연과 발레 예술의 진흥을 목적으로 하는 주요 발레 회사다. 이런 단체들은 종종 국가의 문화 유산을 보존하고 발전시키는 역할을 하며, 국제적인 무대에서 해당 국가를 대표하는 중요한 역할을 한다.
정부 지원: 국립발레단은 대부분 정부의 재정 지원을 받아 운영된다. 이 지원 덕분에 공연 예술을 더 넓은 관객에게 소개하고 젊은 예술가들에게 훈련과 발전의 기회를 제공할 수 있다.
교육 프로그램: 많은 국립발레단은 자체 교육 기관을 운영하거나 지역 발레 학교와 긴밀히 협력하여 미래 세대의 발레 무용수를 양성한다. 이 프로그램들은 전문적인 수준의 기술과 예술성을 갖춘 무용수를 배출하는 데 초점을 맞춘다.
레퍼토리: 이들 발레단은 클래식 발레 작품에서부터 현대 발레까지 다양한 레퍼토리를 보유하고 있다. 클래식 작품을 보존하는 동시에 새로운 작품을 주문하거나 현대적인 해석을 추가하여 레퍼토리를 현대화하고 다양화한다.
국제 협력: 국립발레단은 다른 나라의 발레단과의 공동 제작 및 교류를 통해 국제적인 관계를 구축한다. 이런 협력은 예술적 경험을 공유하고, 세계적인 무용 트렌드와 기술을 교류하는 데 도움을 준다.
문화 대사: 국립발레단은 문화 대사로서 역할도 수행한다. 세계 각지에서 공연을 통해 자국의 문화와 예술을 소개하고 국가 이미지를 향상시키는 중요한 역할을 한다.
예를 들어, 러시아의 볼쇼이 발레단, 영국의 로얄 발레단, 프랑스의 파리 오페라 발레, 그리고 한국의 유니버설발레단 등이 국립발레단의 좋은 예이다. 이들 단체는 각기 다른 국가의 문화적 맥락과 예술적 전통을 반영하며 세계 무대에서 큰 존경을 받고 있다.

#국제 무용 축제

국제 무용 축제는 다양한 나라에서 온 무용수와 안무가들이 모여 서로의 작품을 공유하고 경험을 나누는 이벤트다. 이 축제들은 무용의 현대적, 전통적 형태를 모두 포괄하며, 참가자들에게 글로벌 무용 커뮤니티와 연결될 기회를 제공한다. 또한, 이 축제는 무용 예술을 널리 알리고, 문화 간의 대화를 촉진하는 중요한 플랫폼 역할을 한다. 국제 무용 축제의 특징은 다음과 같다.

다양성: 국제 무용 축제는 발레, 현대무용, 거리무용, 전통무용 등 다양한 스타일의 무용을 포함한다. 이는 전 세계의 다양한 문화와 무용 스타일을 경험할 수 있는 기회를 제공한다.

교육적 요소: 워크숍, 마스터 클래스, 강연 등을 통해 참가자들이 기술을 연마하고 새로운 기술을 배울 수 있게 한다. 이런 프로그램들은 저명한 무용수와 안무가들에게 배울 수 있는 기회를 제공하며, 무용 교육의 질을 높인다.

네트워킹: 축제는 무용수, 안무가, 무용 평론가, 그리고 다른 예술 관련 전문가들이 서로 만나 협력할 수 있는 중요한 장소다. 이를 통해 프로젝트, 공동 제작 등 새로운 협력의 기회가 생길 수 있다.

공연 및 경연: 많은 축제에서는 공연과 경연이 중요한 부분을 차지한다. 이는 참가자들에게 자신의 작품을 선보이고 평가받을 수 있는 기회를 제공한다.

문화 교류: 국제 무용 축제는 서로 다른 문화 배경을 가진 사람들이 모여 교류하는 장이 되어, 참가자들이 다양한 문화적 관점과 예술적 접근을 이해하고 수용하는데 도움을 준다.

현대무용에 초점을 맞춘 암스테르담 국제무용 축제, 프랑스의 유명한 아비뇽 무용 축제, 베를린 국제무용 축제등이 있다. 이러한 국제 무용 축제는 전 세계 무용 커뮤니티의 일원으로서 예술가들이 자신의 경계를 넓히고, 글로벌 무용계에서 중요한 위치를 차지하는 데 중요한 역할을 한다.

#궁중무용

궁중무용은 왕실과 궁정에서 연행되던 공식적인 무용으로, 각 나라의 전통적이고 의례적인 측면을 반영하는 춤이다. 이런 무용은 주로 궁정의 행사, 의식, 축제에서 중요한 역할을 하며, 왕실의 권위와 위엄을 나타내고 문화적 정체성을 표현하는 수단으로 사용됐다.
궁중무용은 종종 복잡한 안무와 화려한 의상이 특징이다. 이러한 요소는 왕실의 부와 권력을 상징하며, 공연은 극도로 세련되고 정교하며 화려하게 진행된다. 종교적 또는 의례적인 의미를 내포하고 있고 왕실의 권위를 신성화하거나, 계절의 변화, 왕실의 중요 사건 등을 기념하기 위해 진행된다.
궁중무용은 대대로 전승되며, 각 세대마다 약간씩 변형되거나 새로운 요소가 추가될 수 있다. 이러한 전통의 유지는 문화적 연속성과 정체성을 강화하는 데 기여한다.
한국의 궁중무용인 정재는 조선 왕조 때 궁중에서 연행된 여러 가지 무용을 포함한다. 이 중에서도 '춘앵전'과 같은 무용은 음악과 함께 어우러져 궁중의 행사에서 중요한 역할을 했다. 가부키는 일본의 전통적인 극장 형식이지만, 이 중 일부 무용은 궁중에서도 연행되었다. 가부키는 독특한 화장과 의상, 과장된 표현이 특징이다. 유럽의 발레는 초기 발레는 이탈리아와 프랑스 궁정에서 발달했다. 이는 왕실의 행사와 축제에서 중요한 역할을 하며, 나중에는 전문적인 발레 극장으로 발전했다. 인도의 바라타나티암은 고전적인 무용으로 힌두 사원의 의식에서 시작되었지만, 나중에는 인도의 여러 궁정에서 채택되어 궁중 문화의 일부가 되었다. 이 무용은 정교한 손동작과 표정, 발의 움직임으로 유명하다.
궁중무용은 각 문화의 고유한 특성을 반영하며, 예술적 가치뿐 만 아니라 역사적, 문화적 중요성을 지니고 있다. 이러한 무용은 오늘날에도 많은 나라에서 계속 연구되고 보존되고 있으며, 그 나라의 고유한 문화유산이다.

#권리 보호

무용계에서 권리 보호는 창작물의 독창성과 예술가의 노력을 보호하고 적절한 보상을 보장하는 중요한 문제다. 저작권, 공연권, 그리고 관련된 다른 권리들은 무용수와 안무가들이 자신의 작품을 통해 경제적 이익을 추구하고, 그들의 창작물이 무단으로 사용되는 것을 방지하는 데 필수적이다.

저작권은 안무가가 창작한 무용 작품에 대한 권리를 보호한다. 이는 안무가가 만든 독창적인 안무가 무단으로 복제되거나 배포되는 것을 방지한다. 저작권은 작품이 창작된 순간 자동으로 발생하며, 특정 국가에서는 등록을 통해 추가적인 보호를 받을 수도 있다.

공연권은 무용 작품을 공연하는 권리를 말한다. 이는 무용단이나 제작자가 특정 작품을 무대에 올릴 때 필요한 권리로, 원작자의 허가 없이 공연할 수 없다. 공연권을 통해 안무가와 무용단은 공연으로부터 발생하는 수익을 보호받을 수 있다. 저작권과 공연권 보호는 안무가와 무용수가 창작 활동에 더 많은 시간과 자원을 투자하도록 동기를 부여한다. 이들이 자신의 노력이 적절히 보상받을 것이라는 확신을 갖게 함으로써, 창의적인 작업을 지속할 수 있게 한다.

문화적 가치의 보존으로서 권리 보호는 무용 작품이 무단으로 사용되거나 변형되는 것을 방지함으로써 문화적 가치와 무용의 원작성을 유지하는 데 도움을 준다. 이를 통해 무용 작품의 진정성과 예술적 품질이 보호된다.

적절한 권리 보호와 보상 체계는 무용 예술가들이 경제적으로 자립할 수 있는 기반을 마련한다. 이는 예술가들이 창작에만 집중할 수 있는 환경을 조성하며, 예술 생태계 내에서의 지속 가능성을 증진한다.

이렇게 무용계에서 권리 보호와 적절한 보상 체계의 확립은 무용수와 안무가들의 창작 활동을 보호하고, 무용 예술의 지속 가능성을 보장하는 데 필수적인 요소다.

#규율

무용 교육과 훈련에서의 규율은 무용수의 발전에 있어 핵심적인 요소다. 규율은 단순히 엄격한 훈련 루틴을 넘어서, 무용수가 필요로 하는 기술, 행동, 정신적인 강도를 내면화 하는 과정을 의미한다. 이러한 규율은 무용수가 자신의 능력을 최대한 발휘하고, 전문적인 무대에 서기 위해 필요한 다양한 요소를 갖추도록 돕는다.

기술적 숙련도 향상: 규율 있는 훈련은 무용수가 기술적으로 숙련되게 하며, 이는 발레, 현대무용, 탭 댄스 등 다양한 무용 스타일에서 정확하고 효과적인 움직임을 가능하게 한다. 정기적이고 체계적인 연습은 기술을 연마하고 더욱 복잡한 동작을 수행할 수 있는 능력을 개발한다.

무용 교육에서의 규율은 무용수가 정신적으로 강해지는 데 중요한 역할을 한다. 지속적인 훈련과 연습은 인내심을 길러주며, 무용수가 실패와 도전 앞에서 좌절하지 않고 목표를 향해 나아가도록 돕는다.

규율은 무용수가 자신의 시간을 효과적으로 관리하고, 연습, 공연, 개인 생활 사이의 균형을 유지하도록 한다. 이는 무용수가 일상 생활에서도 더 생산적이고 효율적이게 만든다.

무용 교육에서의 규율은 무용수가 다른 무용수들과 협동을 배우는 데 중요하다. 공연 준비 과정에서의 협력은 모든 참가자가 공통의 목표를 향해 나아갈 때 중요하며, 이는 팀워크를 통한 성공적인 공연을 가능하게 한다.

규율은 무용수가 자신의 한계를 인식하고, 이를 극복하려는 자기 발전의 여정에서 중요한 역할을 한다. 규율을 통해 무용수는 자신의 잠재력을 최대한 발휘하고, 예술적 표현을 통해 자아를 실현할 수 있다.

결론적으로, 무용 교육과 훈련에서의 규율은 무용수가 전문적인 경력을 쌓고, 예술적으로 성장하는 데 필수적이다. 규율은 무용수가 기술적 숙련도는 물론, 정신적, 감정적, 사회적으로도 발전할 수 있는 토대를 마련해 준다.

#그랑 제테

그랑 제테는 클래식 발레에서 흔히 보이는 도약 동작으로, 무용수가 한 발에서 다른 발로 크게 점프하여 공중에서 두 다리를 가위 모양으로 벌리는 기술이다. 이 움직임은 무용수의 우아함, 파워, 그리고 공중에서의 몸 컨트롤 능력을 보여주는 중요한 요소로, 관객에게 깊은 인상을 남긴다.
기술의 난이도: 그랑 제테는 높은 기술적 난이도를 요구하는 동작으로, 무용수는 강력한 다리 힘과 근력, 우수한 유연성, 그리고 발전된 점프 능력을 필요로 한다.
동작의 실행: 이 동작을 수행할 때, 무용수는 일반적으로 한쪽 발에서 출발하여 반대편 다리로 착지한다. 공중에서 두 다리는 최대한 평행하게 뻗어져야 하며, 토슈즈의 끝으로 부드럽게 착지해야 한다.
공중에서의 자세: 그랑 제테를 수행하는 동안 무용수의 몸은 공중에서 거의 수평을 이루며, 두 팔은 공중에서 우아하게 포즈를 취한다. 이 자세는 비행하는 듯한 느낌을 주며, 무용수의 우아함과 힘을 동시에 강조한다.
공연에서의 역할: 그랑 제테는 발레 공연에서 매우 드라마틱한 순간을 만들어내는 데 자주 사용된다. 이 동작은 관객에게 극적인 효과를 주며, 공연의 흥미를 더한다.
기술적 발전: 무용수에게 그랑 제테는 기술적인 성취를 상징하며, 이 동작을 정복하는 것은 많은 연습과 헌신을 필요로 한다. 무용수가 이 동작을 성공적으로 수행할 수 있다면, 그것은 높은 무용 기술을 보유하고 있음을 나타낸다.
그랑 제테를 잘 수행하기 위해서는 철저한 준비와 지속적인 훈련이 필요하다. 무용수는 점프 능력을 개발하고, 다리와 몸의 유연성을 키우며, 정확하고 안전한 착지 기술을 연습해야 한다. 또한, 그랑 제테를 수행하기 전에는 충분한 스트레칭과 워밍업으로 근육을 준비시켜야 부상을 방지할 수 있다.

#나레이티브

나레이티브 무용은 이야기를 전달하는 데 중점을 두는 무용 형태로, 복잡한 플롯, 캐릭터, 감정의 전개를 통해 관객에게 명확한 이야기를 전달한다. 이러한 스타일은 발레, 현대무용, 민속무용 등 다양한 무용 장르에서 찾아볼 수 있으며, 각각의 무용이 제공하는 독특한 수단을 통해 이야기를 구현한다.

캐릭터와 플롯: 나레이티브 무용은 주로 뚜렷한 캐릭터와 드라마틱한 플롯을 갖추고 있다. 무용수들은 특정 인물을 연기하며, 그들의 움직임과 표현을 통해 갈등, 사랑, 배신 등 다양한 인간 감정을 표현한다.

음악과 시각적 요소의 중요성: 나레이티브 무용에서 음악은 이야기를 전달하는 데 핵심적인 역할을 한다. 음악은 감정의 흐름을 조절하고, 특정 장면의 분위기를 설정하는 데 사용된다. 또한, 의상, 무대 디자인, 조명 등의 시각적 요소도 중요한 역할을 하며, 이야기의 배경을 설명하고 각 장면의 감정을 강화한다.

감정적 몰입: 나레이티브 무용의 주요 목표 중 하나는 관객의 감정적 몰입을 유도하는 것이다. 무용수의 몸짓 하나하나가 이야기를 전달하고, 관객이 그 감정을 공감하며 느낄 수 있도록 설계된다.

클래식 발레: '호두까기 인형', '백조의 호수', '잠자는 숲속의 미녀'와 같은 클래식 발레 작품들은 각각 독특한 이야기와 캐릭터를 통해 관객에게 드라마를 제공한다.

현대무용: 많은 현대무용 작품들도 나레이티브 접근 방식을 사용하여 현대적 주제나 심리적 탐구를 통한 이야기를 구성한다. 이러한 작품들은 종종 더 추상적이거나 상징적인 표현을 포함한다.

나레이티브 무용은 강력한 이야기 전달 도구로서, 관객이 작품과 깊이 연결되도록 만들고, 감정적으로 감동을 주는 경험을 제공한다.

#남사당

남사당은 조선 시대부터 일제강점기까지 한반도에서 활동했던 전문 예능인 집단으로, 주로 떠돌아다니며 다양한 공연을 펼쳤다. 이들은 민중의 삶과 밀접한 관계를 맺으며, 농촌 지역의 축제나 마을 행사에서 공연을 통해 사람들에게 웃음과 위로를 제공했다.

다양한 공연 종류: 남사당은 판굿, 줄타기, 탈춤, 인형극, 덧뵈기, 농악, 등 다양한 공연을 선보였다. 이들 공연은 각각 독특한 매력과 기술을 필요로 하며, 관객과의 직접적인 상호작용을 중시했다.

이동식 공연 문화: 남사당은 정착하지 않고 이동하면서 공연을 했다. 이들은 마을마다 돌아다니며 행사가 있을 때 공연을 펼쳐, 전국적으로 이름을 알렸다.

사회적 역할: 남사당은 단순한 엔터테인먼트를 넘어서 사회적, 문화적 메시지를 전달하는 역할도 했다. 이들의 공연은 때로는 사회 비판적인 요소를 포함하기도 했으며, 민중의 어려움과 희망을 반영했다.

남사당은 조선 시대부터 현대에 이르기까지 한국 민속 예술의 중요한 부분을 이루며, 한국 문화유산의 중요한 요소로 인식되고 있다. 1964년에는 남사당놀이가 중요무형문화재 제3호로 지정되었으며, 이는 남사당의 역사적, 문화적 가치를 인정받은 결과다.

현대에 와서 남사당의 전통은 여전히 보존되고 연구되며, 다양한 문화 행사나 축제에서 공연되고 있다. 이러한 노력은 남사당 공연의 전통적인 요소를 현대적으로 재해석하거나 새롭게 조명하여, 더 넓은 대중에게 전달하고 있다. 남사당은 한국 전통 공연 예술의 생생한 역사를 이어가며, 그 가치와 매력을 현대에도 전파하고 있다.

#낭만주의

낭만주의 발레는 19세기 초반에 유럽에서 시작된 예술적, 문화적 운동으로, 감성, 개인주의, 자연에 대한 동경과 초자연적 요소에 중점을 둔다. 이 시기의 발레는 강렬한 감정 표현과 이야기 중심의 작품을 선호하며, 주로 초현실적이고 판타지적인 테마를 다룬다.
움직임과 기술적 특징으로는 포인트 워크 (Pointe Work)가 있다. 낭만주의 발레에서 가장 두드러진 기술적 혁신 중 하나는 발레 무용수가 발끝으로 춤추는 이 기법의 도입이다. 이 기술은 무용수가 더 가볍고 신비로운 존재처럼 보이게 하며, 이는 낭만주의 발레가 추구하는 초현실적인 분위기와 잘 어울린다.
낭만주의 발레의 움직임은 매우 부드럽고 흐르는 듯한 특징을 갖는다. 이는 자연스러움과 유연함을 강조하며, 감정의 섬세한 표현을 가능하게 한다. 영감을 주는 손과 팔의 사용이 감정을 표현하는 데 중요한 역할을 한다. 낭만주의 발레에서는 종종 팔을 부드럽게 움직이며, 때로는 무용수가 마치 공중을 나는 듯한 느낌을 주기도 한다.
대표작품으로는"지젤"(Giselle)이 1841년 초연된 "지젤"은 낭만주의 발레의 대표적인 작품으로, 사랑과 배신, 용서와 구원을 다룬다. 이 작품에서는 지젤이 사랑의 고통을 겪으며 광기에 이르고, 결국 사후에도 순수한 사랑으로 연인을 보호하는 윌리(죽은 처녀의 영혼)가 된다.
"라 실피드" (La Sylphide)는 1832년에 초연되어 낭만주의 발레의 초자연적이고 몽환적인 요소를 잘 보여주는 작품이다. 이 발레는 주인공이 실물, 즉 공기의 정령과 사랑에 빠지는 이야기를 다룬다.
낭만주의 발레는 현대 발레에 지속적인 영향을 미쳤다. 이 시기의 발레는 이후 발레 작품에 감정 표현의 중요성을 강조하고, 스토리텔링과 캐릭터의 심리적 발전에 더 많은 주목을 기울이게 했다. 낭만주의 발레는 발레의 기술적, 표현적 영역을 확장시켰으며, 발레가 단순한 공연 예술을 넘어 강력한 감정과 이야기를 전달하는 예술 형태로 발전하는 데 중요한 역할을 했다.

낭만주의 발레가 쇠퇴하게 된 주된 이유는 여러 가지가 있지만, 주로 사회적, 경제적 변화와 예술적 트렌드의 변화에 기인한다. 19세기 중반부터 후반으로 넘어가면서 발생한 이 변화들은 낭만주의 발레가 갖고 있던 특징과 매력을 점차 사라지게 만들었다.

19세기 중반의 산업화는 유럽 사회의 구조와 가치관을 크게 변화시켰다. 도시화가 진행되면서 전통적인 가치와 이상향에 대한 동경이 줄어들고, 현실적이고 실용적인 문화가 강조되기 시작했다. 낭만주의 발레가 추구했던 초현실적인 자연과 인간 감정의 과장된 표현은 점차 시대에 뒤떨어진 것으로 여겨졌다.

낭만주의가 쇠퇴하고 리얼리즘, 자연주의와 같은 새로운 예술적 트렌드가 등장했다. 이 새로운 흐름은 더 사실적이고 직접적인 인간 경험과 사회적 문제를 탐구하는 데 중점을 뒀다. 이러한 변화는 무용 분야에도 영향을 미쳐, 발레에서도 더 현실적이고 심도 깊은 인물 묘사와 스토리텔링이 요구되었다. 또한 19세기 후반으로 가면서 유럽의 많은 극장과 발레 회사들이 경제적 어려움을 겪기 시작했다. 이는 공연 예술에 대한 투자가 감소하는 결과를 낳았고, 대규모 프로덕션과 복잡한 무대 설정이 요구되는 낭만주의 발레의 제작이 점점 어려워졌다.

기술적 발전과 새로운 안무 스타일이 등장하면서 발레 기술은 낭만주의 발레의 전통적인 스타일과 주제는 더 이상 관객들의 관심을 끌지 못했다. 예술가들과 안무가들은 새로운 형식과 아이디어를 탐구하며, 발레의 현대화를 추구했다. 이와 같은 다양한 요인들이 결합되어 19세기 말부터 20세기 초에 걸쳐 낭만주의 발레의 인기가 점차 쇠퇴하게 되었고, 발레는 새로운 방향인 고전주의로 진화를 거듭하게 되었다.

#네오클래시컬 발레

네오클래시컬 발레는 20세기 초에 시작되어 발레의 형태와 표현을 현대적으로 재해석한 무용 스타일이다. 클래식 발레의 전통적인 기술을 기반으로 하면서도, 더 자유롭고 간결한 안무, 의상, 그리고 무대 설정으로 특징 지어진다. 이 스타일은 클래식 발레의 엄격함을 유지하되 더 동적이고 추상적인 요소를 포함하여 현대적인 감각을 반영한다.
안무의 단순화와 속도: 네오클래시컬 발레는 클래식 발레보다 동작의 속도가 빠르고, 더 많은 동작을 간결하게 표현한다. 전통적인 발레에서 보다 명확한 라인과 형태를 강조하며, 불필요한 장식을 줄인다.
감정 표현의 절제: 클래식 발레가 감정의 극적 표현을 중시하는 반면, 네오클래시컬 발레는 감정 표현을 더 절제하고 내면화한다. 이로 인해 더 세련되고 현대적인 느낌을 준다.
의상과 무대 디자인: 네오클래시컬 발레에서는 전통적인 튀튀 대신 간소화된 의상을 선호하며, 무대 디자인도 더 단순하고 추상적이다. 이는 공연의 초점을 무용수의 기술과 안무에 맞추기 위함이다.
음악 선택: 네오클래시컬 발레는 클래식 음악뿐만 아니라 현대 음악을 사용하기도 한다. 이는 더 넓은 범위의 감정과 분위기를 탐색하고 관객에게 새로운 청각적 경험을 제공한다.
조지 발란신: 네오클래시컬 발레를 대표하는 인물로, 뉴욕 시티 발레를 이끌며 많은 혁신적인 작품을 창작했다. 그의 작품은 기술적 정확성과 미니멀리즘을 강조하며, 발레의 현대적 가능성을 탐구했다.
네오클래시컬 발레는 전통 발레의 형식과 기술을 현대적인 감각과 결합하여 새로운 관점과 표현을 창출하는 데 중점을 둔다. 이 스타일은 발레의 전통을 존중하면서도 현대적인 요소를 도입해 발레의 가능성을 넓히는 데 기여하고 있다.

#농악

농악은 한국의 전통적인 민속 음악으로, 주로 농촌 지역에서 농사의 시작과 끝을 축하하고, 마을 공동체의 안녕과 풍요를 기원하는 의식에서 연주되었다. "농악"이라는 명칭은 '농촌에서 행해지는 음악'이라는 의미로, 들녘에서 농민들이 일하는 것을 격려하고 기운을 북돋우기 위해 사용된 것이 기원이다.

농악은 다양한 타악기, 관악기, 현악기가 조화를 이루며 연주되는 음악이다. 특히 다음과 같은 악기들이 농악에서 중요한 역할을 한다.

북: 리듬과 템포를 조절하며, 공연의 중심 역할을 한다.

징: 큰 청동으로 만든 징은 고유한 울림과 함께 행진의 힘을 더한다.

꽹과리: 작고 높은 소리의 꽹과리는 리듬의 강약과 속도를 조절하는 데 사용된다.

장구: 어깨에 매달고 연주하는 장구는 북과 함께 리듬을 이끌어 간다.

농악의 기능과 역할은 다음과 같다.

공동체의 결속 강화: 농악은 마을 사람들이 한데 모여 축제의 분위기를 만들고 공동체 의식을 강화하는데 중요한 역할을 한다.

기원과 축하: 농악은 농사의 시작과 끝을 축하하고, 풍년과 마을의 안녕을 기원하는 의미를 담고 있다.

흥겨운 분위기 조성: 역동적인 리듬과 함께 하는 농악 공연은 참여하는 사람들에게 즐거움을 주고, 일상의 고단함을 잊게 만든다.

현대에 이르러 농악은 전통적인 형태를 유지하면서도 도시의 축제나 행사에서도 널리 연주되고 있다. 또한, 학교 교육 과정에 포함되어 전통 문화의 일환으로 가르쳐지며, 전통 무용과의 협연을 통해 보다 다양한 예술적 시도가 이루어지고 있다. 농악은 한국의 중요 무형 문화재로 지정되어 그 가치가 인정받고 있으며, 세계적으로 한국 문화의 대표적인 요소로 소개되고 있다

#니진스키

바실리 바실리예비치 니진스키는 1889년 3월 12일 우크라이나의 키예프에서 태어났으며, 발레 역사상 가장 유명하고 혁신적인 무용수이자 안무가 중 한 명으로 꼽힌다. 그의 탁월한 기술과 강렬한 표현력, 그리고 실험적인 안무 스타일은 발레계에 큰 영향을 미쳤다.

니진스키는 어려서부터 발레에 재능을 보여, 상트페테르부르크의 제국 발레 학교에 입학했다. 그곳에서 그는 발레의 기술적 기초를 닦고 뛰어난 무용수로 성장했다. 그의 뛰어난 점프 능력과 유연성은 그를 무대에서 돋보이게 했다.

1909년, 니진스키는 세르게이 디아길레프가 창단한 러시아 발레단에 합류하면서 국제적인 명성을 얻기 시작했다. 디아길레프의 러시아 발레단은 파리를 비롯한 유럽 전역에서 공연을 펼치며 큰 성공을 거두었다. 니진스키는 '파리의 신화'라 불리며 발레의 아이콘으로 자리매김했다.

예술적 영향력으로는 니진스키의 작품은 발레를 단순한 무대 예술을 넘어서 강렬한 감정과 심오한 주제를 탐구할 수 있는 매체로 변화시켰다. 그는 무용수의 몸을 단순한 미적 대상이 아닌 강력한 표현 도구로 활용했으며, 전통적인 발레 형식을 깨고 새로운 움직임의 언어를 창조했다. 이로 인해 그는 종종 모더니즘 발레의 선구자로 간주된다.

니진스키의 안무 스타일은 전통적인 발레에서 벗어나 더 자유롭고 혁신적인 요소를 도입했다. 그의 작품은 리듬, 공간, 몸의 조형성을 실험적으로 탐구했으며, 이는 후대의 많은 안무가들에게 영감을 주었다. 그의 안무는 특히 몸의 비대칭적이고 근육적인 움직임, 바닥 작업, 비정형적 포즈를 포함하여 무용의 시각적 언어를 확장시켰다.

니진스키의 죽음 후에도 그의 예술적 유산은 발레와 무용 세계에서 지속적으로 연구되고 재평가되고 있다. 그의 과감한 실험과 혁신은 발레의 한계를 넓히고, 현대 무용의 발전에 중요한 기여를 했다. 그의 작품들은 시대를 초월한 예술적 가치를 지니며, 오늘날에도 여전히 많은 발레 회사와 무용수들에게 영감을 제공하고 있다.

바슬라프 니진스키의 춤은 그의 혁신적인 안무 작품들로 특히 주목받는다. 그의 주요 작품들은 발레의 전통적인 경계를 확장하고 모더니즘 무용의 기초를 마련했다. 여기 몇 가지 주요 작품과 그 특징을 소개한다. "목신의 오후" (L'Après-midi d'un faune, 1912)는 클로드 드뷔시의 동명 음악에 맞춰 안무된 이 작품은 니진스키의 첫 안무작이자 가장 유명한 작품이다. 이 작품에서 니진스키는 자연과 동물적 본능을 탐구하며, 그리스 동상과 같은 포즈를 사용하여 무용수들이 더 조각적이고 추상적인 형태를 취하게 했다. 전통적인 발레의 기교를 벗어난 움직임과 혁신적인 표현은 관객과 비평가들 사이에서 많은 논란을 일으켰다. "봄의 제전" (Le Sacre du Printemps, 1913)은 이고르 스트라빈스키의 음악에 맞춰진 이 작품은 발레 역사상 가장 충격적인 작품으로 유명하다. 초연 당시 관객들 사이에서는 거의 폭동에 가까운 반응이 일어났다. 니진스키는 원시적이고 격렬한 움직임을 통해 봄의 의식을 표현했으며, 이 작품은 전통적인 발레의 우아함과는 거리가 먼, 강렬하고 원초적인 에너지를 담고 있다. "파랑새" (Le Spectre de la Rose, 1911)는 칼 마리아 폰 베버의 음악에 맞춰 안무된 이 작품은 소년이 파랑새로 변신하여 창문을 통해 날아가는 모습을 그렸다. 니진스키는 이 작품에서 뛰어난 점프와 회전 기술을 선보였으며, 공중에서의 우아하고 몽환적인 움직임이 돋보였다.

니진스키의 작품들은 단순한 안무의 창조를 넘어 무용과 음악, 무대 디자인의 통합을 추구했으며, 이는 그가 예술의 통합을 지향했음을 보여준다. 그의 접근 방식은 발레뿐만 아니라 전체 예술계에 영향을 미쳤으며, 그의 혁신적인 작품들은 오늘날에도 계속해서 연구되고 재해석되고 있다.

#다다 마실로

다다 마실로(Dada Masilo)는 남아프리카 공화국 출신의 현대 무용가이자 안무가로, 전통 발레와 아프리카 무용 요소를 결합한 독특한 스타일로 유명하다. 1985년 요하네스버그에서 태어난 그녀는 남아프리카 국립발레학교를 졸업하고, 이후 세계 여러 곳에서 공부하며 다양한 무용 스타일을 습득했다.
다다 마실로는 고전적인 발레 작품을 자신만의 현대적이고 문화적인 해석으로 재창작하여 주목을 받았다. 예를 들어, 그녀의 작품 중에는 "스완 레이크", "지젤", "로미오와 줄리엣" 등이 있는데, 이들을 통해 그녀는 성, 인종, 사회적 문제를 탐구한다. 특히, 그녀의 "스완 레이크"는 성 정체성과 인종 차별 문제를 다루며, 전통적인 발레와 아프리카 무용의 요소를 결합한 것이 특징이다.
다다 마실로의 작품은 다양한 사회적 이슈들을 탐구하고 논평하는 것으로 유명하다. 그녀는 성, 인종, 사회적 정체성과 같은 주제들을 자신의 안무와 무대에서 적극적으로 다룬다. 주요 사회적 논평 주제들을 살펴보자.
성 정체성과 성 역할: 마수모는 고전 발레의 전통적인 성 역할을 재해석하고, 성 정체성의 유동성을 탐구하는 데 중점을 둔다. 예를 들어, 그녀의 "스완 레이크" 재해석에서는 남성 무용수들이 발레 슈즈를 신고 튀튀를 입는 등의 전통적 성 역할을 뒤집는 요소를 도입하여 성의 다양성을 표현한다.
인종과 문화적 정체성: 마수모는 남아프리카 공화국의 인종 다양성과 문화적 복잡성을 작품에 반영한다. 그녀는 특히 아프리카 무용의 요소를 현대 발레에 통합하여, 아프리카 문화의 풍부함과 복잡성을 세계적으로 알린다.
사회적 억압과 해방: 그녀의 작품은 종종 사회적, 정치적 억압에 대한 비판적 시각을 포함한다. 이는 특히 남아프리카의 역사적 맥락에서 중요한 요소로, 아파르트헤이트와 같은 과거의 억압적 정책에 대한 반응으로 볼 수 있다.

인간 관계와 감정: 마수모는 인간 관계의 복잡성을 탐구하며, 사랑, 배신, 죽음과 같은 강렬한 감정을 작품에 녹여낸다. 이를 통해 관객이 자신의 감정과 경험을 반성하고, 보다 깊은 인간적 연결을 경험하도록 유도한다.
다다 마실로의 작품은 이러한 주제들을 통해 단순히 예술적 아름다움을 넘어, 강력한 사회적 메시지와 함께 관객에게 심오한 질문을 던진다. 그녀는 예술을 통해 중요한 사회적 대화를 촉진하고, 관객들이 자신들의 세계관을 재고하도록 도전한다.
마수모는 강렬한 에너지와 감정을 무대에 표현하는 것으로 알려져 있으며, 그녀의 작품들은 이렇게 사회적 논평을 담고 있다. 그녀의 안무는 관객에게 강한 인상을 남기며, 세계적으로 인정받고 있다. 다다 마실로의 작품은 그녀가 속한 문화적 배경과 개인적 경험을 반영하며, 전통적인 예술 형태에 현대적이고 도전적인 해석을 더함으로써 무용 예술의 새로운 가능성을 모색하고 있다.

#다양성과 포용성

다양성과 포용성은 무용계에서 매우 중요한 주제로, 다양한 문화적 배경, 신체적 능력, 성별 정체성, 그리고 나이 등을 포괄하는 무용수들을 포함하는 무용 커뮤니티를 구축하는 것을 의미한다. 이러한 원칙을 적용함으로써, 무용은 더 넓은 관객과 참여자에게 말을 걸고, 무용수와 안무가에게 보다 광범위한 표현의 기회를 제공한다.

다양성과 포용성의 중요성은 다음과 같다.

창의성 증진: 다양한 배경을 가진 무용수와 안무가들이 만들어내는 창의적 아이디어와 경험은 무용 작품에 풍부함과 깊이를 더한다. 다양한 시각과 스토리는 전통적인 테마를 넘어서 새로운 형태의 예술적 표현을 가능하게 한다.

관객과의 공감대 형성: 다양한 인구 집단을 반영하는 무용 공연은 더 많은 관객에게 공감을 불러일으킬 수 있다. 관객이 무대 위에서 자신의 삶과 경험을 반영한 모습을 보게 되면, 무용과의 연결고리가 강화되고 더 깊은 감동을 받을 수 있다.

사회적 장벽 해소: 다양성과 포용성을 채택함으로써, 무용계는 종종 보이지 않는 문화적 및 사회적 장벽을 허물 수 있다. 예를 들어, 장애를 가진 무용수들이 무대에서 중요한 역할을 수행하거나 다양한 인종과 성별의 무용수들이 동등하게 표현될 때, 사회적 인식과 태도에 긍정적인 변화를 가져올 수 있다.

다양성과 포용성을 증진하는 방법으로는 다음과 같다.

캐스팅과 채용 과정: 무용단과 극장은 캐스팅과 채용 과정에서 의식적으로 다양성을 고려해야 한다. 이는 다양한 배경을 가진 무용수들에게 평등한 기회를 제공하고, 무용단의 다양성을 반영한다.

교육과 커뮤니티 참여: 무용 학교와 단체들이 커뮤니티와 협력하여 다양한 배경의 젊은이들에게 무용 교육을 제공함으로써, 무용계의 다음 세대가 다양성을 자연스럽게 수용하도록 한다.

새로운 안무 및 작품 개발: 안무가들은 다양한 문화와 경험을 반영하여 새로운 작품을 창작할 수 있으며, 이는 무용계 전체의 포용성을 강화하는 데 기여한다.

대화와 교육: 무용 커뮤니티 내에서 다양성과 포용성에 대한 대화를 정기적으로 이어가고, 이 주제에 대해 교육하는 것이 중요하다. 이런 노력은 문화적 감수성을 향상시키고, 무용계 내에서 지속 가능한 변화를 촉진한다.

다양성과 포용성은 무용을 통해 사회적으로 중요한 메시지를 전달하고, 더욱 풍부하고 포괄적인 예술 환경을 조성하는 데 필수적이다. 이러한 접근 방식은 무용이 사회 내에서 더욱 중요하고 영향력 있는 역할을 할 수 있도록 돕는다.

#다이내믹 매핑

다이내믹 매핑은 무용과 디지털 기술의 융합에서 나타나는 혁신적인 표현 방식 중 하나로, 실시간으로 변화하는 비디오 프로젝션을 통해 무용수의 움직임과 상호작용하며 무대 환경을 동적으로 변형시킨다. 이 기술은 무용 공연의 시각적 경험을 극대화하며, 관객에게 몰입감 있는 공연을 제공한다.

실시간 반응: 무용수의 움직임을 실시간으로 추적하는 센서와 카메라를 사용하여, 그 움직임에 따라 프로젝션된 이미지가 변경되거나 조정된다. 이는 무용수가 무대 공간을 보다 동적으로 사용할 수 있게 하며, 무용과 시각적 요소가 서로를 보완하고 강화하는 효과를 낸다.

시각적 효과: 다이내믹 매핑을 통해 생성된 이미지는 종종 추상적이거나 상징적인 요소를 포함할 수 있으며, 무용수의 몸짓과 연동되어 강렬한 시각적 인상을 남긴다. 예를 들어, 무용수가 손을 움직일 때 물결 효과가 나타나거나, 점프할 때 빛의 폭발이 일어나는 등의 효과가 가능하다.

창의적 자유: 안무가와 무용수는 기존의 무대 한계를 넘어서서 더욱 창의적인 작품을 만들 수 있다. 다이내믹 매핑은 무대와 공간의 물리적 제약을 초월하며, 비현실적이거나 마법 같은 효과를 연출할 수 있다.

강화된 몰입감: 관객은 단순히 무용을 관람하는 것을 넘어서, 시각적으로 풍부하고 동적인 경험을 하게 된다. 다이내믹 매핑은 무용수의 표현력을 강화하며, 이야기의 감정적인 깊이를 더한다.

기술과 예술의 융합: 이 기술은 무용과 공연 예술에 현대 기술을 통합하는 좋은 예이며, 예술과 기술의 경계를 허물고 새로운 예술 형식을 탐구한다.

다이내믹 매핑은 현대 무용, 발레, 심지어 극장 공연에서도 사용될 수 있다. 이는 무용 공연의 표현 범위를 확장하고, 새로운 차원의 예술적 표현을 가능하게 한다.

#다이내믹 얼라인먼트

다이내믹 얼라인먼트(Dynamic Alignment)는 무용에서 매우 중요한 개념으로, 무용수의 몸이 어떻게 자세와 움직임을 조절하고 균형을 유지하는지에 관한 것이다. 이는 무용수가 더 효율적이고 안정적으로 움직일 수 있게 돕고, 부상을 방지하며, 더욱 아름다운 춤을 추는 데 필수적인 요소이다.

부상 방지: 정확한 신체 정렬은 무용수가 잘못된 자세로 인한 부상을 피할 수 있도록 돕는다. 근육, 뼈, 관절이 올바르게 조화를 이루어 움직일 때, 스트레스와 압력이 적절히 분산되어 신체적 부담이 줄어든다.

효율적인 움직임: 다이내믹 얼라인먼트는 무용수가 에너지를 효율적으로 사용하도록 도와준다. 균형 잡힌 자세에서는 불필요한 근육의 사용을 최소화하고, 필요한 움직임에 더 많은 힘과 정밀성을 집중할 수 있다.

아름다움과 표현의 향상: 무용은 시각적 예술이기도 하다. 다이내믹 얼라인먼트를 통해 무용수는 보다 정제되고 조화로운 움직임을 구현할 수 있으며, 이는 관객에게 보다 감동적인 시각적 경험을 제공한다.

다이내믹 얼라인먼트를 강화하는 방법은 다음과 같다.

기술 훈련: 정기적인 기술 훈련은 무용수가 자신의 몸을 더 잘 이해하고 제어할 수 있게 도와준다. 특히 발레와 같은 클래식 무용은 정확한 신체 정렬에 중점을 둔다.

피드백과 수정: 안무가나 무용 교사의 지속적인 피드백은 무용수가 자신의 자세를 인식하고 필요에 따라 수정할 수 있도록 도와준다. 비디오 녹화 및 분석도 이러한 과정에 도움이 된다.

교차 훈련: 필라테스, 요가, 스트렝스 트레이닝과 같은 다른 형태의 운동을 통해 신체의 균형과 핵심 근육을 강화할 수 있다. 이러한 훈련은 전반적인 신체의 정렬과 힘을 향상시키는 데 도움이 된다.

자각과 명상: 몸의 감각을 민감하게 인식하는 연습은 무용수가 자신의 신체 상태와 얼라인먼트를 더 잘 파악하고 조절할 수 있게 한다. 이는 궁극적으로 더 정확하고 의도적인 움직임을 가능하게 한다.

다이내믹 얼라인먼트는 무용에서만 중요한 것이 아니라, 무용수가 보다 효율적이고 효과적으로 움직이며, 예술적 표현을 극대화하는 데 필수적인 요소이다. 이를 통해 무용수는 자신의 기술을 완성하고, 무용의 모든 측면에서 개선할 수 있다.

#대표성과 다양성 그리고 포함성

무용에서의 대표성, 다양성, 그리고 포함성은 예술 세계에서 중요한 연구 주제이며, 공연 예술의 맥락에서 그 중요성이 점차 강조되고 있다. 이는 무용단 구성, 무용 교육, 안무 선택, 공연 내용, 그리고 관객 참여에 이르기까지 무용의 모든 측면에 영향을 미친다.

무용에서 대표성의 중요성은 포괄적인 이야기와 표현: 다양한 배경을 가진 무용수와 안무가들이 참여하면, 보다 다양한 이야기와 경험이 무대에 올라온다. 이는 무용 작품을 통한 감정 전달과 관객과의 공감대 형성을 강화하며, 보다 폭넓은 문화적 경험을 제공한다.

문화적 경계 확장: 다양한 문화와 배경에서 온 무용수들이 참여함으로써 무용계는 다양한 문화적 영향을 받고, 새로운 형태의 무용이 탄생한다. 이는 무용이 지속적으로 진화하고 발전하는 데 기여하며, 전통적인 경계를 넘어서는 혁신을 촉진한다.

사회적 포용과 평등 증진: 무용계에서 다양성과 포함성을 촉진하는 것은 사회적 포용과 평등을 실현하는 데 중요한 역할을 한다. 이는 차별과 편견을 해소하고, 모든 무용수에게 평등한 기회를 제공하는 데 기여한다.

무용에서 다양성과 포함성 증진 방법으로는 다양한 캐스팅 및 리더십: 무용단은 캐스팅 과정과 리더십 위치에 다양성을 반영해야 한다. 이는 무대 위의 대표성을 향상시킬 뿐만 아니라, 결정 과정에서 다양한 목소리가 반영되도록 한다.

교육 프로그램 및 장학금: 다양한 배경의 학생들에게 무용 교육과 진로 기회를 제공하기 위해 설계된 교육 프로그램과 장학금은 포용적인 무용계를 구축하는 데 중요하다.

커뮤니티와의 소통 및 참여: 무용단과 교육 기관은 지역 커뮤니티와 적극적으로 소통하고 참여해야 한다. 이를 통해 다양한 관객층을 끌어들이고, 모든 사람들이 무용 예술을 경험할 수 있도록 해야 한다.

작품 내용의 다양성: 안무가와 무용수는 다양한 문화적 배경과 사회적 이슈를 반영하는 작품을 창작하여, 무용이 보다 폭넓은 이야기와 경험을 전

달할 수 있도록 해야 한다.

무용에서의 다양성과 포함성은 단순히 더 많은 사람들을 무대 위에 올리는 것을 넘어서, 모든 참여자와 관객이 자신들의 목소리와 경험이 존중받고 반영되는 환경을 조성하는 것을 목표로 한다. 이러한 접근은 무용계를 더욱 풍부하고 역동적으로 만들며, 사회 전반에 걸쳐 긍정적인 변화를 촉진한다.

#댄스교환프로그램 #댄스리더쉽 #댄스네트워킹 #댄스리트릿

댄스교환프로그램은 다른 나라의 댄서들이 참여하는 교육 및 문화 교류 프로그램이다. 이 프로그램은 댄스 기술을 향상시키고 다양한 댄스 문화를 이해할 수 있는 기회를 제공한다. 참가자들은 워크샵, 마스터 클래스, 공연 기회 및 네트워킹 이벤트에 참여하며, 때로는 호스트 패밀리와 함께 거주하기도 한다. 이러한 프로그램은 댄스만 아니라 언어 학습과 문화적 이해를 증진하는 데에도 중요한 역할을 한다.

댄스 리더십은 댄스 팀이나 그룹을 이끌고, 구성원들의 협력을 도모하며, 창의적인 비전을 설정하는 역할이다. 팀원들 간의 긍정적인 관계를 유지하고, 각 개인의 잠재력을 최대한 발휘할 수 있도록 격려하고 지원하는 것도 포함한다. 댄스 리더는 댄스 기술만 아니라 통솔력, 의사소통 능력, 그리고 조직적인 능력도 갖추어야 한다.

댄스 네트워킹은 댄스 커뮤니티 내에서 정보, 자원, 기회를 교환하고 개인적이나 전문적인 관계를 구축하는 활동이다. 이 과정에서 댄서들, 안무가들, 댄스 교육자들, 그리고 다른 댄스 관련 전문가들이 서로 만나서 경험과 지식을 공유하며 협력할 수 있는 기회를 찾는다. 이러한 네트워킹은 댄스 분야에서 경력을 발전시키고, 새로운 프로젝트나 협업을 시작하는 데 있어 중요한 역할을 한다.

댄스 리트릿은 일상에서 벗어나 특정한 댄스 스타일이나 기술에 집중할 수 있는 집중적인 댄스 워크숍이다. 이 프로그램은 보통 몇 일에서 일주일 이상 동안 자연이나 평화로운 환경 속에서 진행되며, 댄스 수업, 워크숍, 그리고 명상과 같은 다양한 활동에 참여한다. 개인의 댄스 실력 향상뿐 아니라 정신적, 신체적 웰빙을 증진시키는 데 중점을 둔다. 이러한 프로그램은 댄스 커뮤니티를 강화하고, 창의적인 영감을 제공하며, 참가자들이 자신의 댄스 여정에 더 깊이 몰입할 수 있도록 돕는다.

#댄스 스칼라십

댄스 스칼라십은 댄스 교육을 지원하기 위해 제공되는 장학금이다. 이 장학금은 댄스 학교, 대학, 또는 기타 교육 기관에서 댄스를 공부하고자 하는 학생들에게 수여된다. 장학금은 학생의 재능, 성적, 필요, 또는 기타 기준에 따라 수여될 수 있으며, 학비 지원, 생활비 지원 또는 특정 댄스 프로그램에 참여할 수 있는 기회 제공 등 다양한 형태로 제공될 수 있다. 이러한 스칼라십은 댄스 학생들이 재정적 부담 없이 자신의 댄스 교육과 경력을 발전시킬 수 있도록 돕는 중요한 자원이다.

댄스 스칼라십을 찾는 방법은 여러 가지가 있다. 여기 몇 가지 주요 방법이 있다.

댄스 학교 및 대학: 많은 댄스 학교와 대학에서는 재능 있는 학생들을 위해 장학금을 제공한다. 입학 과정에서 자동으로 장학금 신청이 이루어지거나 별도의 장학금 신청서를 제출해야 할 때도 있다.

댄스 기관 및 단체: 댄스와 관련된 전문 기관이나 단체들도 장학금 프로그램을 운영하는 경우가 많다. 이들은 특정 댄스 스타일이나 지역 커뮤니티를 대상으로 장학금을 제공한다.

예술 지원 재단: 예술 전반에 걸쳐 지원을 제공하는 재단들 중에는 댄스 학생들을 위한 장학금을 운영하는 곳도 있다. 이러한 재단은 일반적으로 포트폴리오 제출과 함께 신청자의 예술적 재능을 평가한다.

경연 대회: 댄스 경연 대회에서 우수한 성적을 거두는 참가자에게는 종종 장학금이 수여된다. 이러한 대회는 실력을 평가받고 장학금을 획득할 기회를 제공한다.

온라인 검색 및 네트워킹: 온라인에서는 다양한 장학금 검색 엔진과 데이터베이스를 통해 댄스 스칼라십을 찾을 수 있다. 네트워킹을 통해 댄스 커뮤니티의 다른 멤버들로부터 장학금 정보를 얻을 수도 있다

#댄스필름

댄스 필름은 댄스를 주제로 하거나 중요한 요소로 삼아 영화나 비디오 아트 형태로 제작된 시각 예술 작품이다. 이 장르는 무용과 영상미의 결합을 통해 관객에게 새로운 경험을 제공하는 것을 목표로 한다. 이 장르는 무용의 움직임과 표현력을 중심으로 하면서도, 카메라 워크, 편집, 조명, 음향 등 영화의 기법을 활용해 감정과 이야기를 전달한다. 댄스 필름은 무대 공연의 댄스와는 달리 카메라 워크, 편집, 특수 효과를 활용하여 댄스의 표현력을 극대화한다.

댄스 필름은 종종 실험적이며, 전통적인 무대 댄스의 한계를 넘어서는 시각적, 공간적 가능성을 탐구한다. 예를 들어, 카메라 앵글을 다양하게 활용하거나 불가능해 보이는 시각적 구성을 통해 댄서의 움직임과 환경을 새롭게 표현할 수 있다. 또한, 사운드 디자인과의 조합을 통해 관객의 감각적 경험을 더욱 풍부하게 만든다.

댄스필름은 영화와 같이 명확한 서사 구조도 가질 수 있다. 이 구조 속에서 무용의 움직임은 특정 감정이나 상황을 묘사하며, 관객이 스토리를 따라갈 수 있도록 이끈다. 전통 무대에서는 제한될 수 있는 공간적, 시간적 제약을 댄스필름은 초월한다. 또한 편집, 색채, 조명 등 영화 기술을 활용해 무용의 시각적 표현을 강조한다. 이는 무용수의 신체 언어와 결합되어 감정과 분위기를 더욱 풍부하게 만든다. 감독은 다양한 장소에서 촬영을 하여 작품에 깊이를 추가하고, 시간의 흐름을 자유롭게 조작할 수 있다.

이 장르는 단순한 댄스 뮤직 비디오와는 다르게, 댄스 자체의 예술성과 내러티브를 강조하는 경향이 있으며, 때로는 추상적이거나 개념적인 주제를 다루기도 한다. 댄스 필름은 국제 댄스 필름 페스티벌, 온라인 플랫폼, 갤러리 상영 등 다양한 장소에서 선보이며, 댄스와 영화의 경계를 확장하는 중요한 매체로 자리잡고 있다.

#도리스 험프리

도리스 험프리는 현대 무용의 선구자 중 한 명으로, 1895년 미국 일리노이주에서 태어났다. 그녀는 무용 수업을 받으면서 자신의 예술적 재능을 키워나갔고, 결국 뉴욕으로 이주하여 본격적인 무용가 및 안무가로서의 경력을 쌓기 시작했다.
도리스 험프리의 예술적 특성은 그녀의 안무에서 명확히 드러난다. 그녀는 "fall and recovery"라는 기술을 개발했는데, 이는 무용수가 중력의 힘에 의해 떨어지는 듯한 움직임에서 회복하는 동작을 통해 인간의 내면적 감정과 싸움을 표현하는 방식이다. 이 기술은 현대 무용에서 중요한 동작 원리로 여겨지며, 인간의 취약성과 강인함을 동시에 표현하는 데 사용된다.
험프리는 음악보다는 움직임 자체에 더 큰 의미를 부여했으며, 그녀의 작품은 종종 철학적이고 시적인 특성을 띠고 있다. 그녀는 무용을 통해 인간 경험의 본질적인 측면을 탐구하고자 했으며, 이러한 접근은 당시의 많은 안무가들에게 영향을 미쳤다.
도리스 험프리의 대표적인 작품으로는 "Color Harmony", "Theater Piece", "Passacaglia and Fugue in C Minor" 등이 있다. 그녀의 대표작 중 하나인 "Passacaglia and Fugue in C Minor"는 바흐의 음악에 맞춰 진행되며, 엄격한 형식미와 감정적 깊이를 동시에 보여주는 작품이다. 이 작품은 그녀의 "fall and recovery" 기술을 전면에 사용하여, 강렬하면서도 섬세한 감정의 표현이 돋보인다.
도리스 험프리는 자신의 예술적 비전을 통해 무용계에 큰 발자취를 남겼으며, 그녀의 혁신적인 기술과 철학은 후대의 많은 안무가들에게 영감을 제공했다. 그녀는 1958년에 사망했지만, 그녀의 작품과 이론은 여전히 현대 무용 교육과 연구에서 중요한 부분을 차지하고 있다.

#동양사상

동양 사상에서 정신 예술은 주로 자연과의 조화, 내면의 평화 및 균형 추구와 같은 개념을 중심으로 발전했다. 특히 도교, 불교, 유교 같은 주요 철학적 전통들은 예술을 통해 인간의 정신과 자연의 본질 사이의 깊은 연결을 탐구하고자 했다. 이러한 사상들은 중국, 일본, 한국 등에서 각기 다른 형태의 예술로 표현되며, 각 지역의 문화적 맥락과 결합하여 독특한 예술 형태를 창출했다.

도교에서는 자연과의 일체감을 강조한다. 이는 중국의 산수화에서 잘 나타난다. 산수화는 단순히 자연을 묘사하는 것을 넘어, 관찰자로 하여금 그림 속의 자연과 일체가 되도록 이끈다. 또한, 도교의 정신적 목표인 '도'를 달성하기 위한 수행의 일환으로 예술 활동을 본다. 이는 자연의 형태를 따라가며 순리에 맞추어 자연스러운 흐름을 강조하는 작품을 만든다.

불교 예술은 주로 종교적 목적과 교리 전파에 초점을 맞추며, 정신적 깨달음과 내면의 평화를 추구한다. 불상, 탱화, 젠 정원 등은 불교 사상을 반영하며, 이는 관람자가 본질적인 공(空)의 개념을 이해하고 명상을 통해 내면을 탐구하도록 유도한다. 불교 예술은 종종 교리를 시각화하고 이를 통해 깊은 정신적 메시지를 전달하는 데 사용된다.

유교에서 예술은 주로 인간의 도덕성과 사회적 조화를 강조하는 데 사용된다. 서예는 유교의 예술 형태 중 하나로, 문자 그 자체가 예술로 승화되어 인격과 학문의 완성을 상징한다. 또한, 유교적 가치와 교훈을 반영하는 문학과 시도 매우 중요하다. 이러한 예술은 유교적 이상을 반영하며, 질서와 조화를 추구한다.

이처럼 동양 예술은 단순한 미적 즐거움을 넘어 자신의 내면을 깊이 있게 탐구할 수 있는 수단으로 정신과 예술의 결합을 통해, 동양의 예술가들은 보다 깊은 인간의 조건과 존재의 본질에 대해 표현하고자 했다.

#동원

동원 (Mobilization)이라는 키워드는의 무용은 강력한 사회적 및 정치적 메시지를 전달하는 수단으로 활용될 수 있다. 무용은 단순히 예술적 표현의 한 형태가 아니라, 구체적인 사회적, 정치적 주제를 다루고 관객을 행동으로 이끌기 위한 매개체로서의 역할도 한다.

메시지 전달: 무용은 비언어적 커뮤니케이션을 통해 복잡한 메시지와 감정을 전달할 수 있다. 예를 들어, 현대무용은 종종 사회적 불평등, 인권문제, 환경 문제 등을 주제로 삼아 이러한 이슈에 대한 관심을 불러일으키고, 관객에게 심리적, 감정적 반응을 유도한다.

공감과 인식 제고: 무용을 통해 특정 사회적 또는 정치적 이슈에 대한 관객의 공감을 이끌어내고 인식을 확장시킬 수 있다. 예를 들어, 인종 차별이나 성 평등과 같은 주제를 다루는 무용작품은 관객에게 강렬한 시각적 및 감정적 경험을 제공하며, 이를 통해 더 깊은 이해와 공감을 촉진할 수 있다.

집단적 행동과 참여: 무용은 집단적인 경험을 제공하며, 공연을 통해 관객을 하나로 모으고, 공동의 관심사에 대해 대화를 시작하게 만든다. 이는 사회적, 정치적 변화를 위한 집단적 행동으로 이어질 수 있으며, 공연 후 토론, 워크숍, 커뮤니티 프로젝트로 연결되기도 한다.

기념과 반성: 역사적 사건이나 중요 인물을 기리는 무용 공연은 그 사건이나 인물이 갖는 사회적, 정치적 중요성을 재조명하고, 과거로부터 배운 교훈을 현대적 맥락에 적용하는 기회를 제공한다.

무용은 이처럼 단순히 예술적인 면을 넘어서, 사회적 및 정치적 메시지를 효과적으로 전달하고 사람들을 동원하는 중요한 수단이 될 수 있다. 이러한 접근은 무용이 단지 관람의 대상이 아니라, 사회적 변화를 추구하는 활동적인 참여의 수단으로 기능할 수 있음을 보여준다.

#동작

무용에서 "동작"은 개별적인 움직임에서부터 복잡한 시퀀스에 이르기까지 무용수가 표현하는 움직임의 기본 단위이다. 이는 무용의 핵심 요소로, 음악, 리듬, 공간과 상호 작용하며 무용수의 감정과 이야기를 전달하는 수단이 된다. 동작은 다음과 같은 여러 방면에서 무용에서 중요한 역할을 한다.

표현과 커뮤니케이션: 동작은 무용수가 관객에게 감정, 생각, 메시지를 전달하는 방법이다. 각 동작은 정밀하게 설계되어 특정 감정이나 상태를 반영하며, 이는 관객과의 비언어적 대화를 가능하게 한다.

무용에서 동작은 기술적인 요소를 포함한다. 이는 특정 무용 장르에 따라 다양한 스킬과 기술이 요구된다. 예를 들어, 발레에서는 토우 슈즈를 사용한 포인트 워크, 현대무용에서는 바닥 작업과 자연스러운 몸의 흐름이 강조된다.

동작은 무대 위의 시각적 구성을 만드는 데 중요한 역할을 한다. 동작의 배열, 연속성, 그리고 다른 무용수와의 상호 작용을 통해 무대 위에 시각적인 패턴과 형태가 생성된다.

무용에서 동작은 음악이나 리듬과 긴밀하게 연계되어 있다. 동작의 타이밍과 속도는 음악의 비트에 맞춰 조정되며, 이는 무용의 동기화와 흐름을 생성하는 데 필수적이다.

동작은 또한 문화적 신념과 가치를 반영하며, 이는 특정 무용이 특정 지역이나 문화에서 어떻게 발전했는지를 보여준다. 예를 들어, 인도 무용에서는 손짓과 눈빛이 중요한 의사소통 수단으로 사용되며, 아프리카 무용에서는 지상과의 연결을 강조하는 점프와 스탬핑이 일반적이다.

동작은 무용을 이해하고 감상하는 데 있어서 중심적인 요소로, 무용수의 기술, 표현력, 그리고 창의성을 보여주는 창으로 작용한다. 이러한 동작들이 모여 전체적인 무용 작품의 이야기와 감정을 구성하며, 관객에게 강력한 예술적 경험을 제공한다.

#듀엣

듀엣은 두 명의 무용수가 함께 수행하는 무용 작품이다. 이 형태의 무용은 상호작용, 조화, 그리고 때로는 대조를 통해 관계, 대화, 또는 이야기를 탐구하며 표현한다. 듀엣은 다양한 무용 장르에서 볼 수 있으며, 각각의 스타일에 따라 다르게 해석되고 연출된다.

듀엣의 주요 특징과 중요성은 다음과 같다.

상호작용: 듀엣은 두 무용수 사이의 강한 상호작용을 기반으로 한다. 이는 신체적 접촉, 눈 맞춤, 에너지의 교환 등을 통해 표현될 수 있다. 이러한 상호작용은 공연의 감정적 깊이와 복잡성을 더한다.

신체적 기술: 듀엣은 종종 무용수들의 기술적 능력을 전시하는 무대가 된다. 발레에서는 리프트와 턴과 같은 기술적인 동작이 포함될 수 있고, 현대무용에서는 무게의 이전과 같은 복잡한 신체 움직임을 요구할 수 있다.

감정 전달: 듀엣은 감정을 전달하는 매우 효과적인 방식이 될 수 있다. 두 무용수 사이의 관계는 사랑, 우정, 갈등 또는 경쟁 등 다양한 감정 상태를 표현하는 데 사용될 수 있다.

이야기 구성: 듀엣은 종종 더 큰 이야기의 일부로서, 또는 전체 작품의 핵심적인 이야기 요소로 활용된다. 두 무용수의 상호작용을 통해 구체적인 서사가 만들어지며, 이는 관객에게 더욱 몰입감 있는 경험을 제공한다.

발레의 파드되(Pas de Deux): 클래식 발레에서 파드 되는 주로 남성과 여성 무용수가 수행하는 듀엣으로, 이는 보통 로맨틱한 관계를 표현하며 기술적으로 매우 요구되는 부분이다.

현대무용의 듀엣: 현대무용에서 듀엣은 종종 보다 추상적이고 실험적인 형태를 취하며, 무용수들 사이의 신체적, 감정적 관계를 탐구한다.

듀엣은 무용 작품에서 두 인물 간의 깊은 연결과 복잡한 관계를 탐구하는 강력한 수단으로, 관객에게 예술적, 감정적 깊이를 제공한다.

#로마무용

로마의 무용은 고대 로마 시대부터 현대에 이르기까지 다양한 변화를 겪으며 발전해 왔다. 로마의 무용은 주로 종교적, 사회적, 엔터테인먼트의 목적으로 수행됐다. 로마 무용의 역사를 시대별로 나누어 살펴보면 다음과 같다.

고대 로마에서 무용은 주로 종교적 의식과 축제, 극장 공연에서 중요한 역할을 했다. 초기에는 그리스의 문화적 영향을 받아 무용이 예술로서 존중받았으나, 로마가 확장하면서 무용은 점차 대중적인 엔터테인먼트로 변화했다. 노예나 전문 무용수들이 연극이나 서커스에서 공연하는 경우가 많았다.

중세 시대에 로마의 무용은 크게 위축되었다. 그러나 르네상스 시대에 이르러 이탈리아에서 무용은 다시 꽃을 피우기 시작했다. 이 시기에는 궁정 무용이 발전하여 복잡한 안무와 의상이 돋보이는 극장적인 요소가 강조되었다.

17세기 이후, 발레가 본격적으로 발달하면서 이탈리아는 프랑스와 함께 발레의 중심지 중 하나가 되었다. 이탈리아 출신의 안무가와 무용수들은 유럽 전역에서 활동하며 발레의 기술과 예술성을 높였다.

20세기에 들어서 로마 및 이탈리아 전역에서는 현대무용이 발전했다. 현대무용은 전통적인 발레에서 벗어나 더 자유로운 표현과 현대적인 테마를 탐구한다. 오늘날 로마를 포함한 이탈리아의 무용 장면은 전통적인 발레에서부터 실험적인 현대무용까지 다양하며, 여러 무용 축제와 공연이 활발히 이루어지고 있다.

로마를 포함한 이탈리아 무용은 시대와 문화적 변화에 따라 발전해 왔으며, 고대부터 현대에 이르기까지 여러 형태로 사랑받아 왔다.

#로미오와 줄리엣

로미오와 줄리엣은 윌리엄 셰익스피어의 작품으로, 사랑과 이별, 충돌과 운명을 다루는 고전적인 로맨스이다. 이 작품은 발레로 공연되기도 하는데, 발레를 통해 주인공들의 사랑과 갈등, 비극적인 결말이 아름답게 표현된다.

로맨틱 발레에서 '로미오와 줄리엣'은 인기 있는 주제 중 하나로, 발레의 우아한 움직임이 이 작품의 감정적인 복잡성을 잘 반영한다. 발레는 주인공들의 사랑과 갈등을 섬세하게 전달하며, 이야기를 관객들에게 명확하게 전달한다.

로미오와 줄리엣의 무용은 전통적인 발레 기법을 기반으로 하며, 주인공들의 감정을 표현하는 데 중점을 둔다. 그들의 사랑의 시작과 끝, 두 가족 간의 갈등과 충돌이 발레를 통해 아름답게 표현되며, 관객들에게 강력한 감정적인 경험을 선사한다.

로미오와 줄리엣은 고전적인 로맨스의 대명사로서, 발레를 통해 사랑과 운명에 대한 영원한 이야기를 전달한다. 이 작품은 발레의 우아함과 감정적인 요소가 조화를 이루어, 관객들에게 로맨틱한 여정을 제공한다.

세르게이 프로코피예프의 '로미오와 줄리엣'은 가장 유명한 버전으로, 프로코피예프의 음악은 이 이야기의 감정적 깊이와 복잡성을 완벽하게 소화했다. 이 발레는 1938년 브라노슬라브라 네메쉬 바비치에 의해 초연되었으며, 후에 존 크랑코, 케네스 맥밀란 등 여러 안무가들이 재해석했다.

레오 델리브의 '로미오와 줄리엣의 버전은 보다 전통적인 발레 스타일을 따르며, 로맨틱한 요소가 강조된 음악과 안무가 특징이다.

현대 무용에서도 로미오와 줄리엣은 다양한 해석으로 전통적인 발레 형식을 벗어나, 현대적 요소와 현대 무용 기술을 통해 이야기를 새롭게 풀어내며 관객과의 새로운 소통을 시도했다. 무용계에서 끊임없이 재창조되고 재해석되는 불멸의 주제로, 예술가들과 관객 모두에게 영감을 주는 작품이다.

#루돌프 본 라반

루돌프 본 라반은 미국의 댄서, 연주자, 및 춤 안무가로, 그의 창조적인 기여와 뛰어난 댄스 기술로 유명합니다. 그는 1928년 9월 22일에 뉴욕에서 태어났으며, 어린 시절부터 댄스에 열정을 키웠습니다. 라반은 뉴욕의 핀 드롭스 댄스 스튜디오에서 훈련을 받았으며, 그 후에는 브로드웨이 뮤지컬과 텔레비전 프로그램에서 활약했다.
그의 댄스 스타일은 유연하고 표현력이 풍부하며, 현대 댄스와 재즈 댄스의 요소를 결합한 것으로 유명합니다. 그는 미국 댄스계에 혁명을 일으킨 댄서 중 한 명으로, 특히 사회적 이슈를 다룬 작품들로 유명하다.
라반은 또한 브로드웨이 뮤지컬과 영화에서 활약하여 수많은 관객들에게 그의 뛰어난 댄스 실력을 선보였습니다. 그의 대표작으로는 "West Side Story"의 안토니와 "Fiddler on the Roof"의 Motel이 있다.
그의 댄스는 그의 인내와 열정으로부터 온 것이며, 그는 수많은 사람들에게 댄스의 아름다움과 힘을 전파하였습니다. 라반은 2009년에 세상을 떠났지만, 그의 댄스는 오늘날까지도 많은 이들에게 영감을 주고 있다.
라바노테이션(Labanotation)은 무용과 다른 형태의 움직임을 기록하고 재현하기 위해 사용되는 운동 기록 시스템 중 하나이다. 이 시스템은 1928년 루돌프 라반(Rudolf Laban)에 의해 개발되었으며, 그의 이름을 따서 명명되었다. 라바노테이션은 무용수의 몸동작, 방향, 속도 및 무게의 변화를 정확하게 기록할 수 있도록 설계되어 있다.
주요 특징 및 구성은 다음과 같다.
기호와 기록: 라바노테이션은 다양한 기호를 사용하여 몸의 각 부분이 수행하는 동작을 상세하게 표현합니다. 이 기호들은 몸의 방향, 수행되는 동작의 동력, 그리고 동작이 이루어지는 수준(높이)을 나타낸다.
세로선: 노트는 일반적으로 세로선을 따라 배열되며, 이 세로선은 시간을 나타낸다. 세로선 위로 움직임이 진행될수록 시간이 흐른 것을 의미한다.
체계성: 라바노테이션은 매우 체계적인 구조를 가지고 있어, 배움과 읽기가 쉽지 않은 특성을 지닌다. 그러나 한 번 숙달되면, 매우 정밀하고 상세

한 움직임 정보를 제공한다.

무용 기록: 라바노테이션은 특히 클래식 발레, 현대무용 등의 작품을 기록하고 보존하는 데 널리 사용된다.

교육: 무용 교육에서 학생들이 동작을 이해하고 정확하게 배울 수 있도록 돕는 교육 도구로도 활용된다.

재현: 오래된 무용 작품이나 전통적인 무용을 정확하게 재현하는 데 중요한 역할을 한다.

라바노테이션은 무용뿐만 아니라 인간의 움직임을 연구하는 인류학, 스포츠 과학, 로봇공학 등 다양한 분야에서도 응용되며, 복잡한 움직임을 표현하고 분석하는 데 유용하게 사용된다.

#루이 14세

루이 14세, 프랑스의 태양왕은 발레와 예술에 대한 그의 열정과 후원으로 유명하다. 루이 14세는 개인적으로도 발레를 매우 사랑했으며, 자신이 직접 발레 무용수로 무대에 서는 것을 즐겼다. 그의 발레에 대한 열정은 그가 어릴 때부터 시작되어 평생 지속되었고, 프랑스 발레 발전에 큰 영향을 미쳤다. 루이 14세는 어린 나이부터 발레 교육을 받았다. 그는 13세에 처음으로 공식적인 발레 공연인 "카사노바의 연회"(Le Ballet de Cassandre)에 참여했다. 이후로도 그는 다수의 발레에서 주요 역할을 맡아 왕과 궁정의 중심 인물로서 자신의 이미지를 강화했다.

루이 14세의 가장 유명한 발레 출연은 1653년 공연된 "밤의 발레"(Ballet de la Nuit)에서 밤의 여러 장면을 통해 하루종일 공연하며, 마지막 부분에서 태양왕으로 등장하는 것이었다. 이 역할을 통해 그는 자신을 정치적이고 신화적인 인물로 포지셔닝하는 데 성공했으며, '태양왕'이라는 별명은 그의 통치 기간 내내 그를 상징하는 이름이 되었다. 그의 재위 기간 동안 발레는 프랑스 궁정의 중요한 부분이 되었으며, 근대 발레의 발전에 결정적인 역할을 했다. 다음은 루이 14세의 발레에 대한 주요 업적들이다.

발레의 궁정 예술로서의 정립하며 루이 14세는 발레를 궁정의 공식적인 오락 및 표현 수단으로 확립했다. 그는 자신이 직접 발레에 참여함으로써 발레를 더욱 대중화시키고 귀족 사회에서의 발레의 지위를 높였다.

루이 14세는 1661년 파리 오페라 발레 학교(Académie Royale de Danse)를 설립하여 발레 교육을 체계화했다. 이 학교는 전문적인 발레 무용수를 양성하는 최초의 기관 중 하나로, 발레 기술의 표준화와 발레 교육의 전문성을 확립하는 데 중요한 역할을 했다.

루이 14세의 지원 하에 파리 오페라 발레 학교는 발레 기술의 표준을 마련했다. 이는 포즈, 스텝, 몸의 정렬 방법을 포함한 발레 기술의 체계적인 규칙을 수립하는 것이었다. 이러한 표준화는 발레가 더욱 전문적인 예술 형태로 발전하는 데 기여했다.

루이 14세는 또한 발레 공연에 음악을 통합하여 발레와 음악 사이의 긴밀한 관계를 강조했다. 이는 발레 공연의 예술적 질을 높이고, 발레를 더욱 풍부하고 다층적인 예술 경험으로 만드는 데 도움을 주었다.
루이 14세의 후원과 궁정에서의 발레 활동은 발레를 귀족뿐만 아니라 더 넓은 대중에게 소개하는 데 중요한 역할을 했다. 그의 지원 덕분에 발레는 프랑스 문화의 중요한 부분으로 자리 잡을 수 있었다. 루이 14세의 이러한 노력은 발레가 근대 예술 형태로 발전하는 데 필수적이었으며, 그의 업적은 오늘날에도 발레 예술과 교육에 지속적인 영향을 미치고 있다.

#로사스

로사스(Rosas)는 벨기에의 현대무용단으로, 1983년 안느 테레사 드 케이르스마커(Anne Teresa De Keersmaeker)에 의해 창단되었다. 이 무용단은 혁신적인 기법, 강렬한 에너지, 정교한 구성으로 유명하다.

그녀는 특히 클래식과 현대 음악과의 긴밀한 관계를 중요시하며, 그녀의 안무는 음악적 구조와 긴밀하게 연계되어 있다. 이는 무용이 단순한 시각적 표현을 넘어 음악과의 대화를 모색한다는 것을 의미한다. 그녀의 초기 작품인 "Fase, Four Movements to the Music of Steve Reich"는 미니멀 음악에 맞춰 정교하게 설계된 안무로 큰 주목을 받았다.

그녀의 작품은 음악과의 밀접한 연관성, 기하학적 공간 사용, 그리고 몸의 움직임에 대한 깊은 탐구를 특징으로 합니다. 대표작 중 하나인 "Rosas danst Rosas"는 1983년에 초연되어 미니멀리즘과 반복적 움직임을 통해 일상의 무게와 여성성의 표현을 탐구하는 작품으로, 무용계에 큰 영향을 끼쳤다. 이 작품은 그 후로도 여러 차례 재공연되었으며, 무용계의 중요한 역사적 작품으로 평가받고 있다.

현재 로사스는 브뤼셀에 위치한 자체 시설에서 활발한 예술 활동을 이어가고 있으며, 여전히 안느 테레사 드 케이르스마커의 창작 작품을 선보이고 있습니다. 최근 작품들로는 바흐의 음악에 맞춘 대규모 앙상블 작품과 골드베르크 변주곡에 맞춘 솔로 작품 등이 있다. 또한, 무용단은 국제적으로 투어를 계속하고 있으며, 다양한 무대와 축제에서 그들의 작품을 선보이고 있다. 또한 무용 교육에 헌신하고 있으며, 브뤼셀에 위치한 P.A.R.T.S. (Performing Arts Research and Training Studios)를 통해 젊은 무용수와 안무가들을 교육하고 있다. 이 학교는 현대무용 교육의 중심지로, 학생들에게 엄격하고 깊이 있는 교육을 제공하며, 세계적으로도 인정받고 있다.

#리레브

"리베브(reverb)" 또는 "리버브"는 음향 효과 중 하나로 무용에서 이 개념을 적용할 수 있는 방법은 주로 무대 설계와 음향 효과에서 찾아볼 수 있다. 리베브는 소리의 반향을 통해 공간감을 만들어내는 효과로, 무대에서 이를 활용하면 공연의 분위기를 깊게 하고, 관객에게 보다 몰입감 있는 경험을 제공할 수 있다.

음향 디자인: 무용 공연에서 음향 디자인은 매우 중요하다. 공연장의 음향 시스템을 통해 리베브 효과를 조절함으로써, 무용수의 움직임과 음악이 만드는 소리의 반향을 통해 공간의 크기와 형태를 감각적으로 전달할 수 있다. 예를 들어, 넓고 공허한 공간감을 연출하기 위해서는 리베브를 강화하여 에코가 길게 느껴지게 할 수 있다.

공간의 느낌 조절: 리베브를 통한 소리의 지속성은 무대의 특정 부분을 강조하거나, 공연의 테마에 따라 감성적인 깊이를 더하는 데 사용될 수 있다. 이는 관객들이 무용수의 움직임을 보는 것뿐만 아니라, 그 움직임이 만들어내는 소리의 공간적 특성을 경험하게 함으로써 더욱 강렬한 감정이입을 유도한다.

리베브는 단순한 음향 기술을 넘어서, 무용 공연의 시각적 및 청각적 요소를 통합하는 중요한 도구로 활용될 수 있으며, 공연의 전반적인 예술적 표현을 풍부하게 하는 데 기여한다.

#리프팅

무용에서 "리프팅(Lifting)"은 무용수들이 파트너를 들어 올리거나 서로의 몸을 지지하는 기술을 일컫는다. 이 기술은 발레, 현대무용, 재즈댄스 등 다양한 무용 장르에서 중요한 역할을 한다. 리프팅은 무용수의 힘, 균형, 협동성을 필요로 하며, 공연에서 시각적으로 인상적인 순간을 창출하는데 사용된다.

기술적 측면: 리프팅을 수행할 때 무용수는 자신의 체력과 근력을 이용하여 파트너를 안전하게 들어 올린다. 이는 체력적으로 요구되는 동작이기 때문에 무용수는 충분한 훈련과 연습을 통해 이 기술을 숙달해야 한다.

표현적 측면: 리프팅은 무용수가 공중에서 수행하는 우아하거나 역동적인 동작으로, 공연의 드라마틱한 순간을 강조하거나 감정의 흐름을 표현하는데 효과적이다. 예를 들어, 로맨틱한 듀엣에서는 리프팅이 두 캐릭터 사이의 감정적 연결을 시각화하는 수단으로 사용될 수 있다.

창조적 측면: 안무가는 리프팅을 활용하여 독창적인 안무를 만들어낼 수 있다. 이를 통해 관객에게 새로운 시각적 경험을 제공하며, 무용수의 기술적 능력과 작품의 전반적인 예술적 가치를 높인다.

리프팅은 무용 공연에서 시각적 아름다움과 물리적 도전이 결합된 중요한 요소로, 무용수들 사이의 신뢰와 협력 없이는 불가능한 고도의 기술이다.

#리허설

무용에서 리허설은 공연 준비 과정의 중요한 부분으로, 안무가와 무용수들이 공연을 연습하고 수정하며 완성해 나가는 시간이다. 리허설은 다음과 같은 세 가지 주요 목적을 가진다.

기술 연습: 리허설은 무용수들이 안무의 기술적인 측면을 연습하고 완벽하게 숙달하는 데 필수적이다. 이 시간 동안 무용수들은 동작의 정확성, 타이밍, 그리고 형태를 개선하며, 공연에서 요구되는 체력과 유연성을 키운다.

안무 수정 및 적응: 안무가는 리허설을 통해 작품의 흐름을 확인하고 필요한 부분에 수정을 가할 수 있다. 무용수들의 피드백을 받아들이고, 작품의 전달력을 극대화할 수 있는 방향으로 안무를 조정한다.

팀워크 강화: 리허설은 무용단 구성원들이 서로의 움직임과 에너지를 맞추며 팀워크를 강화하는 과정이다. 이 시간을 통해 무용수들은 서로의 신뢰를 구축하고, 무대 위에서의 협업을 더욱 효과적으로 할 수 있다.

리허설은 단순한 연습을 넘어서 작품이 지닌 예술적 가치와 감동을 극대화하는 데 중요한 역할을 한다. 무용수와 안무가는 리허설을 통해 최종 공연에 이르기까지 작품의 모든 측면을 점검하고, 공연을 관객에게 가장 완벽하게 전달할 수 있도록 준비한다.

#미누엣

미누엣(minuet)은 17세기 프랑스에서 발생한 무용으로, 18세기 유럽 궁정 사회에서 매우 인기를 끌었던 정형화된 사교춤이다. 미누엣은 3/4 박자의 우아하고 절제된 리듬을 특징으로 하며, 그 형식과 음악은 당시 귀족 사회의 고상함과 절제미를 특징을 한다.

미누엣은 두 명의 무용수가 참여하는 댄스로, 간결하고 정교한 스텝과 턴이 특징입니다. 이 춤은 복잡하지 않은 움직임에도 불구하고, 무용수의 자세와 스타일에서 우아함이 요구되며, 사회적 예절과 관습을 표현하는 수단으로 사용되었습니다. 춤 동작은 주로 손을 잡고 하는 부드러운 진행이며, 서로 마주보고 춤추는 형태로 이루어진다.

18세기에는 이 춤이 발레와 오페라의 한 부분으로 채택되어 더욱 세련되고 복잡한 형태로 발전했다. 예를 들어, 바로크 시대의 발레에서는 미누엣이 주요한 댄스 시퀀스 중 하나로 포함되어 있었고, 여러 변형을 거치면서 무용수의 기술적 능력을 강조하는 무대로 자리 잡았다.

현대에 이르러 미누엣은 역사적 무용 재연이나 고전 발레 교육의 일부로 계승되고 있으며, 이를 통해 과거 유럽 궁정의 사회적 및 문화적 풍경을 연구하는 데에도 중요한 자료가 된다.

#마르그리트 폰테인

마르그리트 폰테인은 1919년 잉글랜드의 레이게이트에서 태어났다. 그녀는 네 살 때 발레 수업을 시작했으며, 가족과 함께 중국 상하이로 이주한 후 현지에서 발레를 계속 공부했다. 1933년, 폰테인은 잉글랜드로 돌아와 세르피나 아스타피에바 아래에서 공부하며 본격적인 무용 수련을 이어갔다. 1934년에는 세들러스 웰스 스쿨에 입학하여 본격적인 발레리나로서의 경력을 시작했다. 폰테인은 빅 웰스 발레(후의 왕립발레단)와 함께 솔리스트로서의 데뷔를 하여 많은 주요 역할을 맡았고, 이후 로버트 헬프먼과의 파트너십을 통해 명성을 쌓아갔다. 1962년, 그녀는 루돌프 누레예프와의 유명한 파트너십을 시작했으며, 이는 그녀의 경력에 있어 중요한 전환점이 되었다. 누레예프와의 협업은 그녀의 무용 수명을 연장시켜주었고, 국제적 명성을 더욱 공고히 하는 계기가 되었다.

마르그리트 폰테인은 영국 발레의 상징적 인물로, 그녀의 뛰어난 기술과 우아한 표현력으로 국제적 명성을 얻었다. 폰테인은 특히 프레데릭 애시턴에 의해 창작된 다수의 주요 작품에서 두각을 나타내며 발레리나로서의 정점을 이루었다. 그녀의 마지막 공연은 특히 루돌프 누레예프와의 파트너십에서 더욱 빛났으며, 이 파트너십은 두 사람 모두에게 세계적인 명성을 안겨주었다.

1979년 60세의 나이로 은퇴한 그녀의 마지막 공연은 그녀가 오랫동안 몸담았던 왕립발레단과의 대한 깊은 애정과 헌신을 담은 고별 공연 보여주는 무대였다. 은퇴 후에도 그녀는 발레계의 아이콘으로 남아 여러 차례 훈장을 받으며 예술에 대한 공헌을 인정받았다. 특히 애시턴이 그녀를 위해 창작한 '온딘', '신데렐라', '클로에' 등의 작품에서 그 특징이 잘 드러난다. 폰테인은 1991년에 세상을 떠났으며, 그녀의 유산은 오늘날에도 많은 발레리나와 안무가에게 영감을 주고 있다.

#마리아넬라 누네즈

마리아넬라 누네즈는 아르헨티나 부에노스아이레스에서 태어나 초기 발레 교육을 받았고, 나중에 유럽으로 이주하여 그녀의 경력을 키웠다. 로얄 발레단에서 주역 무용수로 활동하면서, 그녀는 "백조의 호수", "지젤", "로미오와 줄리엣"과 같은 고전적인 발레 작품에서 뛰어난 표현력과 기술을 선보였다.
마리아넬라 누네즈는 다양한 현대적 역할을 소화하면서도 그녀의 고전적 기술을 유지하는 데 성공했다. 이로 인해 여러 상을 수상했으며, 발레계에서 지속적으로 중요한 역할을 하고 있다. 그녀의 공연은 전 세계 관객을 매료시키며, 발레의 아름다움과 감동을 전달하는 데 크게 기여하고 있다. 마리아넬라 누네즈의 매력은 그녀의 높은 기술적 능력과 감정 표현력에서 비롯된다. 누네즈는 섬세하고 강렬한 표현력으로 유명하며, 그녀의 공연은 관객들에게 깊은 감동을 준다. 또한, 그녀는 다양한 발레 스타일과 캐릭터를 자연스럽게 소화해내며, 고전적인 역할뿐만 아니라 현대적인 작품에서도 뛰어난 모습을 보여준다. 연습에 관해서는, 마리아넬라 누네즈는 매우 철저하고 꾸준하다. 그녀는 높은 수준의 기술을 유지하기 위해 지속적으로 훈련하며, 몸 상태와 기술의 완성도를 꾸준히 관리한다. 이러한 전문적인 태도와 끊임없는 자기계발이 그녀를 발레계의 정상에 오르게 한 주요 요인 중 하나다. 나이가 들어도 현직에서 활동을 계속하는 이유는, 누네즈 자신의 열정과 발레에 대한 사랑 때문이다. 발레는 그녀에게 단순한 직업을 넘어서 생활의 일부이며, 그녀는 여전히 새로운 역할을 탐구하고 새로운 예술적 도전을 즐긴다. 그녀의 지속적인 창작욕구와 무대에 대한 열정은 관객들에게도 큰 영감을 주며, 이것이 그녀가 여전히 무대에서 활동할 수 있는 큰 동기가 되고 있다.

#마리 뷔그만

마리 뷔그만은 프랑스의 현대 무용가이자 안무가로, 1955년 프랑스 파리에서 태어났다. 그녀는 프랑스 무용계에서 현대무용의 혁신적인 기여자로 인정받고 있다. 뷔그만은 파리 오페라 발레 스쿨에서 전통 발레를 배웠으며, 이후 현대무용으로 전향해 독특한 예술적 스타일을 개발했다.
마리 뷔그만은 현대무용과 발레의 경계를 허물며, 특히 몸의 표현과 내면의 감정을 극대화하는 안무로 유명하다. 그녀는 몸의 움직임을 통해 감정의 세밀한 뉘앙스를 탐구하고, 무용수의 몸을 통해 극적인 이야기를 전달하는 데 중점을 두었다. 마리 뷔그만의 예술적 접근은 표현주의적 요소를 많이 포함하고 있다. 표현주의는 예술에서 내면적 감정과 사상을 강렬하고 왜곡된 형태로 표현하는 경향을 나타낸다. 뷔그만의 안무에서 이러한 표현주의적 경향은 무용수의 몸짓과 표정을 통해 극적으로 나타난다. 그녀는 감정의 진실성과 원초적인 힘을 탐구함으로써, 무용을 통한 깊은 인간적 경험을 추구한다.
뷔그만은 독일 무용계에서도 활동했으며, 독일의 무용 문화와 교류가 그녀의 작품에 영향을 미쳤다. 독일의 무용과 예술 전반에 걸쳐 표현주의적 영향이 강한데, 이는 극적인 감정 표현과 내면의 심리적 탐구에 중점을 두는 것이 특징이다. 독일에서의 경험은 뷔그만의 작품에 더욱 심도 있는 감정적 깊이와 복잡성을 더하는 데 기여했다.
특히, 뷔그만의 작품은 독일 표현주의 무용의 전통을 계승하면서도 현대적 해석을 더해, 국제적으로도 큰 호응을 얻었다. 그녀의 작품에서는 인간의 감정과 상황을 과감하게 드러내는 안무와 무대 사용이 두드러진다. 이는 관객에게 시각적이며 감성적인 충격을 주기 충분하며, 이러한 접근 방식은 표현주의 예술이 지닌 극적이고 감정적인 요소를 잘 반영한다.
뷔그만의 작품을 살펴보면 "Signes" (1997)는 대표적인 작품 중 하나로, 바르비에의 무대 디자인과 함께 무용, 음악, 시각 예술이 결합된 종합 예술 작품이다. "Signes"는 강렬한 색채와 명확한 형태를 통해 시각적으로도 매력적인 무대를 선보이며, 뷔그만 특유의 감정적 깊이와 몸짓의 강렬함을 보여준다. "Le Parc" (1994)는 파리 오페라 발레를 위해 안무된 이 작품은 모차르트의 음악에 맞춰진 발레로, 낭만적 사랑을 주제로 다룬다. "Le Parc"는 뷔그만이 클래식 음악과 현대무용의 요소를 결합하여 창출한 독창적인 안무로 평가받으며, 근접한 파트너십과 절제된 감성이 특징이다. 마리 뷔그만의 작품들은 극적인 몸짓과 섬세한 감정 표현, 그리고 무용과 다른 예술 장르와의 융합을 통해 현대 무용계에 지속적인 영향을 미치고 있다. 마리 뷔그만의 작품과 그녀가 추구하는 예술적 방향은 현재 무용계에서도 계속해서 중요한 영향을 미치고 있다. 현대 무용계에서는 몸의 표현을 통해 복잡한 인간 감정과 사회적 이슈를 탐구하는 경향이 강하며, 뷔그만의 작업은 이러한 추세에 크게 기여하고 있다.

#마리 슈이나르

마리 슈이나르(Marie Chouinard)는 캐나다의 유명한 현대무용 안무가이자 무용수로, 그녀의 독특하고 종종 도발적인 작품으로 잘 알려져 있다. 1955년 퀘벡에서 태어난 슈이나르는 1978년부터 독립적으로 활동을 시작했으며, 1990년에는 자신의 무용단, '컴퍼니 마리 슈이나르(Compagnie Marie Chouinard)'를 창단하였다.
마리 슈이나르의 작품은 신체의 극한적 표현과 실험적 움직임에 중점을 두며, 인간의 본성과 본능에 대한 깊은 탐구를 담고 있다. 그녀의 안무는 자주 복잡하고, 때로는 충격적인 요소를 포함하며, 관객에게 강렬한 시각적 및 감정적 경험을 제공한다.
그녀의 대표작 중 하나인 "Le Sacre du Printemps"는 이고르 스트라빈스키의 동음악에 맞춰 안무가 구성되어 있으며, 원시적이고 강렬한 에너지를 특징으로 한다. 마리 슈이나르의 작품은 종종 인간의 신체를 새로운 방식으로 탐색하는 것을 목표로 하며, 이는 무용을 통해 철학적, 심리적 주제를 탐구하는 데 기여한다.
국제적으로도 많은 찬사를 받고 있는 슈이나르는 그녀의 혁신적인 접근 방식과 예술적 비전으로 현대 무용계에 중요한 영향을 미치고 있다.
최근에 마리 슈이나르는 2023년 초에 그녀의 무용단이 "M"이라는 무용 공연을 선보였다. 이 공연은 생명과 활력을 탐구하는 주제를 다루며, 무용수들은 자신들의 호흡 소리를 강력하면서도 섬세한 소리의 시로 변환하여 표현한다. 이 공연은 특히 호흡과 목소리에 초점을 맞추며, 마리 쉬니아르의 첫 앙상블 작품 'Les trous du ciel'에서 다뤘던 모티프를 재조명했다.

#마리우스 프띠파

마리우스 프티파는 19세기 러시아 발레를 혁신한 프랑스 출신의 안무가이며, 클래식 발레의 아버지로 불린다. 1818년 프랑스 마르세유에서 태어난 프티파는 젊은 시절부터 댄서로서의 경력을 쌓아갔고, 그의 무용 경력은 주로 러시아에서 꽃을 피웠다.
프티파는 1847년부터 상트페테르부르크의 임페리얼 발레에서 활동하기 시작했으며, 이후 이곳의 수석 안무가가 되어 러시아 발레의 황금기를 이끌었다. 그는 기술적으로 정교하고 스토리텔링이 풍부한 발레 작품을 창작, 발레를 고전 예술 형태로 격상시켰다는 평가를 받는다.
프티파의 안무 스타일은 정교함과 드라마틱함이 특징이다. 그는 발레에서 이야기를 전달하는 데 중점을 두었고, 그의 작품은 보는 이로 하여금 강렬한 감정을 느끼게 만드는 서사적 깊이를 지녔다. 또한, 프티파는 발레에 기교적인 동작을 도입하여 보다 복잡하고 기술적인 발레 동작을 발전시켰다.
프티파의 대표작으로는 "잠자는 숲속의 미녀", "백조의 호수", "호두까기 인형" 등이 있다. 이 작품들은 모두 발레의 클래식으로 꼽히며, 오늘날에도 전 세계적으로 널리 공연되고 있다. 특히 "백조의 호수"는 프티파가 리바이벌을 맡아 오늘날 우리가 알고 있는 형태로 완성시켰으며, 이 작품은 발레 레퍼토리 중 가장 아름답고 감동적인 작품으로 평가받는다.
마리우스 프티파는 발레의 역사에서 빼놓을 수 없는 중요한 인물로, 그의 혁신적인 작품과 기법은 후대에 많은 영향을 미쳤으며 발레의 예술적 가치를 한층 높였다. 그의 작품들은 발레를 사랑하는 사람들에게 영원한 영감을 제공하고 있다.

#마리 탈리오니

마리 탈리오니는 19세기 발레계에서 중대한 전환점을 이루며 낭만주의 발레의 아이콘이 된 인물이다. 그녀는 1804년 스톡홀름에서 태어났으며, 발레를 직업으로 삼은 가족에서 자랐다. 그녀의 아버지 필리포 탈리오니는 유명한 발레 교사이자 안무가였고, 마리는 어릴 때부터 아버지에게 철저한 발레 교육을 받았다.

마리 탈리오니는 기술적으로 정교하며 감정적으로 풍부한 무용 스타일로 유명했다. 그녀의 발레 경력은 1820년대 초에 본격적으로 시작되어, 유럽 전역의 주요 도시에서 공연하며 명성을 쌓았다. 그러나 그녀가 진정한 명성을 얻은 것은 1832년 파리 오페라 발레에서 초연한 "라 실피드"를 통해서였다. 이 작품에서 그녀는 소녀 실프를 연기했으며, 초자연적인 존재의 경쾌하고 에테리얼한 움직임을 완벽하게 표현했다.

"라 실피드"의 성공은 마리 탈리오니에게 많은 것을 가져다주었지만, 가장 중요한 것은 포인트슈즈의 사용과 튀튀 스타일을 대중화한 것이었다. 포인트 슈즈를 사용함으로써, 그녀는 무대 위에서 거의 날아다니는 듯한 느낌을 주었고, 이는 낭만주의 발레의 특징 중 하나가 되었다. 그녀의 튀튀는 단순히 기능적인 의상이 아니라, 무대 위의 신비로운 분위기를 조성하는 데 기여했다. 낭만주의 발레는 19세기 초부터 중반에 걸쳐 유럽에서 유행했던 예술 운동의 일환으로, 발레에서는 특히 감정과 개인의 갈등을 중심으로 한 스토리텔링이 강조되었다. 이 시기의 발레는 감성적이고 몽환적인 요소가 강조되며, 주로 초자연적이거나 판타지 적인 캐릭터와 이야기가 포함되었다. 발레 의상도 더욱 가볍고 날개 같은 디자인으로 변화하여, 무용수들이 무대 위에서 마치 공중을 나는 듯한 느낌을 줄 수 있도록 디자인되었다.

마리 탈로 오니의 무용 스타일과 그녀가 착용한 의상은 이러한 낭만주의 발레의 특징을 잘 보여준다. 그녀는 자신의 기술과 표현력을 통해 발레를 단순한 무용에서 예술적 표현의 한 형태로 승화시켰으며, 이는 후대의 발레 발전에 지대한 영향을 미쳤다.

마리 탈로 오니의 무용 스타일과 테크닉은 당시 많은 무용수들에게 영향을 주었으며, 그녀의 예술적 표현 방식은 발레의 예술적 가능성을 확장하는 데 중요한 역할을 했다. 그녀는 무용수가 단순한 기술의 전시가 아닌, 감정과 이야기를 전달하는 예술가로서의 역할을 수행할 수 있음을 보여주었다.

마리 탈리오니의 영향은 그녀가 은퇴한 후에도 계속되었다. 그녀는 1875년 런던에서 사망할 때까지 많은 젊은 무용수들을 교육하고 자신의 예술적 비전을 전파했다. 그녀의 유산은 발레계에서 여전히 중요하게 여겨지며, 마리 탈리오니는 낭만주의 발레의 상징적인 인물로 기억된다.

#마사 그라함

마사 그라함은 현대무용의 선구자로서, 그녀의 춤과 작품은 20세기 무용 예술에 지대한 영향을 미쳤다. 그녀는 1894년 펜실베이니아에서 태어나서, 1991년에 사망할 때까지 무용가, 안무가, 그리고 교육자로서의 삶을 헌신했다.
마사 그라함은 1920년대 초 뉴욕으로 이주하여 덴쇼운 학교에서 무용을 공부하기 시작했다. 이 학교는 무용을 통해 개인의 감정과 이야기를 표현하는 데 중점을 둔 곳이었다. 그녀는 무용이 단순한 기술을 넘어 깊은 감정과 사상을 전달할 수 있는 예술 형태라는 것을 깨닫고, 이는 그녀의 예술 철학의 기반을 형성했다. 마사 그라함은 열정적이고 혁신적인 예술가로, 자신의 예술적 비전을 굳건히 추구했던 사람이었다. 그녀는 예술을 통해 인간의 근원적인 감정과 경험을 탐구하는 것에 매우 진지했다. 그녀의 작품은 감정적인 깊이와 심리적 복잡성을 특징으로 하며, 이는 그녀의 춤과 안무에서 깊은 인간적 고뇌와 갈등을 드러내는 방식에서 잘 나타난다.
마사 그라함은 매우 요구가 많고 엄격한 성격을 가진 리더였으며, 자신과 그녀의 무용단에게 최고의 표준을 요구했다. 그녀는 무용 수업과 리허설에서 완벽을 추구하였고, 때로는 그녀의 높은 기대치가 무용수들에게 큰 압박으로 작용하기도 했다. 그러나 이런 엄격함은 그녀가 예술적으로 성취하고자 했던 높은 목표를 달성하는 데 필수적이었다.
사적으로 마사 그라함은 자신의 감정과 개인적인 삶을 작품에 투영하는 경향이 있었다. 그녀의 많은 작품은 자신의 개인적인 경험과 심리적 고민에서 영감을 받았다고 알려져 있다. 또한, 그녀는 여성으로서 그 당시 사회의 전통적인 역할에 도전하며, 강하고 독립적인 여성상을 자신의 작품과 삶에서 표현했다.
1926년, 마사 그라함은 자신의 무용단을 창단하고, 감정의 진정성과 신체적 표현의 강도에 중점을 둔 작품을 만들기 시작했다. 그녀는 "contract과 release" 기술을 개발했는데, 이는 무용수의 몸이 호흡에 반응하여 근육을 수축시키거나 이완시키는 것을 포함한다. 이 기술은 현대무용에서 아직까지도 중요한 기법으로 자리 잡았다.

그녀의 대표적인 작품으로는 "Appalachian Spring"과 "Lamentation"이 있다. "Appalachian Spring"은 미국의 개척자 정신을 주제로 하며, 간결하고 정제된 움직임이 특징이다. "Lamentation"은 신체를 스트레치 소재로 된 의상 안에서 움직이며, 깊은 슬픔과 고통을 표현한다. 이 작품은 그녀의 감정 표현의 강도와 창조적인 안무 스타일을 잘 보여준다.

마사 그라함은 현대무용의 언어와 기법을 혁신함으로써 이 분야에 지속적인 영향을 끼쳤다. 그녀의 작품과 교육 방법은 전 세계 많은 무용가와 안무가에게 영감을 주었으며, 마사 그라함은 현대무용에 지대한 영향을 미쳤다. 그녀는 무용을 단순한 미학적 표현을 넘어서 인간 조건의 깊이 있는 탐구 수단으로 활용했다. 그녀의 접근 방식과 기법은 여전히 현대무용 교육과 안무에 있어 중요한 기준으로 남아 있으며, 많은 현대 무용가들과 안무가들에게 영감을 계속 주고 있다. 오늘날에도 그녀의 기법과 철학은 현대무용 교육과 실습에서 중요한 부분을 차지하고 있다.

#매튜 본

매튜 본(Matthew Bourne)은 1960년 영국 런던에서 태어났다. 그는 원래 배우가 되고 싶어 했으나, 발레와 무용에 대한 열정을 발견하고 이 분야로 전향했다. 본은 런던의 래번즈본 컬리지에서 연기와 무용을 공부했으며, 이후 무용계에서 자신만의 독특한 경로를 개척했다.

매튜 본은 처음에 작은 무용 회사에서 일하면서 경력을 시작했다. 1987년에 자신의 무용단인 '어드벤처스 인 모션 픽처스(Adventures in Motion Pictures)'를 설립했다. 이 무용단과 함께 본은 전통적인 발레 이야기를 현대적이고 때로는 파격적인 방식으로 재해석하여 주목을 받기 시작했다.

매튜 본은 1995년에 "백조의 호수"를 남성 무용수들로 캐스팅하여 세계적인 주목을 받았다. 이 작품은 성별의 경계를 허물고 예술적 표현의 새로운 장을 열었다는 평가를 받으며, 여러 극장 상을 수상했다. 그의 다른 주요 작품으로는 "호두까기 인형“과 "신데렐라" 등이 있다. 각각의 작품은 전통적인 발레 공연과는 다른, 독특하고 현대적인 스토리텔링과 연출로 큰 인기를 끌었다.

매튜 본은 발레를 대중적인 엔터테인먼트로 재창조한 인물로 평가받는다. 그의 작품들은 전통적인 발레 팬 뿐만 아니라 다양한 관객들을 극장으로 끌어들이는 매력이 있다. 본은 발레를 현대 문화와 연결 짓고, 이야기를 현대적 감각으로 재해석함으로써 더 넓은 관객층에게 다가갔다.

매튜 본의 경력과 작품은 발레와 현대 무용계에서 계속해서 큰 영향을 미치고 있으며, 그는 혁신적인 접근 방식으로 발레의 역사에서 중요한 위치를 차지하고 있다.

#머스 커닝엄

머스 커닝엄(Merce Cunningham)은 1919년 미국 워싱턴주 센트럴리아에서 태어나 2009년에 사망한 현대무용의 선구자다. 그는 현대 무용의 발전에 큰 영향을 미친 인물로, 특히 무작위성과 기회의 원칙을 이용한 안무 방식으로 유명하다. 커닝엄은 현대 무용을 전통적인 구속에서 해방시키고, 춤과 음악, 무대 디자인 간의 관계를 재정립했다.

커닝엄은 댄스 교육을 받기 시작한 것이 비교적 늦은 20세 때였다. 그는 워싱턴 대학에서 법률을 공부하다가 무용으로 전공을 바꾸었고, 이후 커네티컷의 밀즈 칼리지에서 댄스를 전공하여 무용 세계에 본격적으로 뛰어들었다.

커닝엄은 마사 그라함 댄스 컴퍼니에서 중요한 무용수로 활동하며 경력을 쌓았다. 1953년 자신의 댄스 컴퍼니를 창단하고, 이후 현대무용의 새로운 방향을 제시하는 다양한 작품을 제작했다. 그의 작품은 전통적인 무용에서 벗어나 춤과 음악, 무대 디자인이 서로 독립적으로 존재하며, 각 요소가 서로 직접적으로 연관되지 않는 형식을 취했다.

그의 안무 방식에서 가장 혁신적인 점은 '우연의 법칙'을 도입한 것이다. 커닝엄은 주사위 던지기나 코인 토스와 같은 방법을 이용해 안무의 요소들을 결정했다. 이 방식은 작품마다 독특하고 예측할 수 없는 결과를 만들어냈고, 무용수들에게 매 순간 최선을 다하는 것을 요구했다.

커닝엄의 대표 작품으로는 "Summerspace", "RainForest", "Ocean" 등이 있다. 이 작품들은 시각적으로도 혁신적이었으며, 종종 앤디 워홀과 같은 시각 예술가들과 협력하여 무대 디자인을 완성했다.

머스 커닝엄은 현대무용에 지대한 영향을 미쳤다. 그는 춤을 통해 예술적 형식과 표현의 새로운 가능성을 탐구했으며, 그의 혁신적 접근법은 오늘날 많은 안무가들에게 영감을 주고 있다. 그의 작업 방식과 철학은 무용 교육과 연구에 있어서도 중요한 자료로 여겨진다.

#멀티미디어 댄스

멀티미디어 댄스는 무용과 다양한 디지털 기술 및 멀티미디어 요소들이 통합된 현대적 예술 형태다. 이러한 접근 방식은 무용의 전통적인 경계를 확장하며, 비디오, 사운드, 그래픽, 그리고 때로는 대화형 기술까지 포함하여 관객에게 시각적 및 청각적으로 풍부한 경험을 제공한다.

기술 통합: 멀티미디어 댄스는 비디오 프로젝션, 사운드 디자인, 실시간 인터랙션을 위한 센서 기술 등 다양한 디지털 기술을 통합한다. 예를 들어, 무용수의 움직임이 스크린에 투영된 시각적 요소를 조작하거나, 무용수와 디지털 콘텐츠 간의 상호 작용을 생성하는 등의 방법이 사용된다.

공간과 시간의 확장: 멀티미디어를 활용함으로써, 무대 공간은 단순한 물리적 공간을 넘어서 시각적 및 가상의 차원이 추가된 멀티레이어 공간으로 변모한다. 또한, 비디오와 사운드를 사용함으로써 공연의 시간적 경계도 확장되어, 과거와 현재, 미래를 연결하거나 서로 다른 시간대의 요소들을 동시에 표현할 수 있다.

대화형 요소: 멀티미디어 댄스는 종종 관객과의 대화형 참여를 포함한다. 관객의 반응이나 선택이 공연의 일부로 통합되어, 매 공연마다 다른 경험을 제공한다. 이러한 상호 작용은 기술적 장치, 예를 들어 모션 센서나 터치 스크린을 통해 이루어진다.

새로운 표현의 가능성: 디지털 기술과의 결합은 안무가에게 전통적인 무용의 범위를 넘어서는 새로운 표현의 방법을 제공한다. 이를 통해 무용수는 단순히 몸을 사용하는 것 이상의 다양한 방법으로 감정과 이야기를 전달할 수 있다.

멀티미디어 댄스는 현대 무용계에서 중요한 트렌드로 자리 잡았으며, 기술과 예술의 경계를 넘나드는 새로운 창작의 영역을 열고 있다. 이러한 접근은 무용과 공연 예술의 미래에 대한 흥미로운 질문을 던지며, 창의적인 가능성을 지속적으로 확장하고 있다.

#모더니즘

모더니즘은 20세기 초반부터 중반에 걸쳐 미술, 문학, 음악, 건축 등 다양한 예술 분야에서 나타난 문화적, 예술적 경향과 운동이다. 이 시기에 예술가들은 전통적인 형식과 규범에서 벗어나 새로운 표현 방식을 모색했다. 무용에서도 모더니즘은 중요한 변화를 가져왔으며, 현대 무용의 탄생과 발전에 큰 영향을 미쳤다. 모더니즘의 특징과 무용은 다음과 같다.

전통에서의 탈피: 모더니즘 무용은 발레와 같은 전통적인 무용 형태에서 벗어나려는 시도가 특징이다. 이는 기존의 서사적이고 구조화된 형태를 해체하고, 무용수의 개인적인 표현과 내면적 경험을 중시하는 새로운 스타일을 모색했다.

신체의 재해석: 모더니즘 무용가들은 신체를 하나의 독립된 예술 매체로 보고, 그 가능성을 탐구했다. 이를 통해 무용의 언어와 기술에 대한 새로운 접근 방식이 개발되었다. 예를 들어, 이사도라 던컨(Isadora Duncan)은 자유로운 움직임을 강조하며 무용에서의 자연스러움과 순수성을 추구했다.

추상성과 실험성: 모더니즘 무용은 추상적이고 실험적인 요소를 포함하는 경향이 있다. 안무가들은 전통적인 내러티브를 거부하고 움직임 자체의 미학과 구조를 탐구했다. 머스 커닝엄과 같은 안무가들은 기회의 원칙을 도입하여 안무의 무작위성과 예측 불가능성을 실험했다.

기술과의 통합: 모더니즘 무용은 비디오, 사운드, 그리고 다양한 무대 기술과의 통합을 시도했다. 이는 무용과 다른 예술 형태 간의 경계를 허물고, 더욱 복합적이고 다층적인 작품을 만들어냈다.

모더니즘 무용은 현대 무용에 깊은 영향을 미쳤으며, 개인적 표현과 예술적 자유를 추구하는 현대 무용의 방향을 제시했다. 이 운동은 무용의 언어와 표현 방식을 재정립하며, 예술 로서의 무용을 더욱 풍부하고 다양하게 확장시켰다.

#몰입

몰입은 특정 활동에 완전히 집중하면서 외부의 방해를 잊는 상태를 의미하며, 무용에서 이러한 몰입은 매우 중요한 역할을 한다. 무용수와 관객 모두 몰입을 통해 강렬하고 의미 있는 예술 경험을 할 수 있다.
무용수의 몰입은 기량과 표현의 통합: 무용수가 몰입하는 순간, 그들의 기량은과 표현은 완벽하게 통합된다. 이는 연습 과정에서 반복적으로 동작을 수행하면서 신체에 익힌 기술이 자연스럽게 발현되는 순간이다. 몰입 상태에서 무용수는 연기나 감정 표현을 더욱 깊고 진정성 있게 전달할 수 있다. 플로우 상태: 심리학에서 말하는 '플로우'는 몰입의 또 다른 형태로, 개인이 자신의 활동에 완전히 몰두하고, 시간이 흐르는 것을 잊는 상태다. 무용수가 플로우 상태에 도달하면, 자신의 움직임과 공연에 완전히 몰입하여 최고의 성능을 발휘할 수 있다.
관객의 몰입으로는 감정적 연결: 무용 공연을 관람하는 관객은 무용수의 몸짓과 표현을 통해 감정적으로 연결될 수 있다. 이 과정에서 관객은 무용수의 감정을 공감하고, 공연의 내러티브에 몰입하게 된다. 강력한 몰입 경험은 관객에게 감동을 주고, 오랫동안 기억에 남는 예술적 경험을 제공한다. 시각적 및 음악적 요소: 무용 공연의 시각적 및 음악적 요소도 관객의 몰입에 크게 기여한다. 무대 디자인, 의상, 조명, 음악은 모두 공연의 분위기를 조성하고, 관객이 무용 공연에 더 깊이 몰입할 수 있게 만든다.
몰입은 무용을 포함한 모든 예술 분야에서 중요한 요소이다. 무용수와 관객이 모두 자신의 경험에 깊이 몰입할 때, 무용은 단순한 신체 활동을 넘어서서 감정을 이끌어내고, 생각을 자극하는 강력한 예술 형태로 기능한다. 이러한 몰입 경험은 무용이 인간 경험과 내면의 세계를 탐구하는 매우 효과적인 수단이 되도록 한다.

#몸과 정신의 이분화

무용에서 몸과 정신의 이분화는 근대 서구 철학에서 오래된 주제 중 하나이며, 이는 신체와 정신을 분리된 실체로 보는 듀얼리즘에 뿌리를 두고 있다. 데카르트의 "나는 생각한다. 고로 존재한다."는 명제는 신체적 존재와 정신적 존재를 명확히 구분 짓고, 이 둘 사이의 상호작용을 생각하게 한다. 하지만 무용은 이러한 전통적인 이분법을 도전하는 예술 형태로, 몸과 마음이 하나의 통합된 경험으로써 어떻게 작동하는지를 연구해야 한다. 무용에서의 몸과 정신의 관계는 단순히 물리적 동작 이상의 것을 포함합니다. 무용수는 몸을 사용해 내면의 감정과 생각을 표현하며, 이는 관객에게 전달되어 정서적, 인지적 반응을 이끌어낸다. 이 과정에서 몸은 단순한 물리적 도구가 아니라, 감정과 사고를 통합하고 전달하는 매체로 기능하다.철학적 접근은 무용에서 특히 유용하며, 몸을 경험의 중심으로 삼는다. 메를로-퐁티는 몸을 주체적 존재로 보며, 세계와의 상호작용을 통해 우리가 세 계를 인지하고 경험하는 방식을 설명한다. 무용에서 몸은 외부 세계를 경험하고 반응하는 수단이며, 이를 통해 정신과 몸이 분리될 수 없는 통합된 존재임을 보여준다. 엠보디먼트(Embodiment)는 몸의 역할을 강조하는 이론으로, 인지과학과 철학에서 널리 탐구되고 있다. 엠보디먼트는 인지적 프로세스가 몸의 물리적 경험에 의해 형성된다고 보며, 이는 무용에서 몸이 단순히 움직이는 것이 아니라, 생각하고, 느끼며, 의미를 생성하는 주체로 서의 역할을 수행함을 강조한다.

무용 실천에서 이러한 철학적 개념들은 무용수가 자신의 몸을 통해 스토리를 전달하고, 감정을 표현하며, 관객과 깊은 연결을 맺는 방식에 영향을 미친다. 몸과 정신의 분리가 아닌 통합된 접근은 무용 교육, 안무 생성, 그리고 공연 분석에 있어서 중요한 원칙이 되며, 이를 통해 무용 예술은 더욱 풍부하고 다층적인 경험을 제공하게 된다.

이러한 철학적 탐구는 무용이 단순한 신체적 활동을 넘어서 정신적, 감정적 깊이를 가진 예술 형태임을 입증하며, 몸과 정신이 어떻게 상호작용하는지에 대한 더 깊은 이해를 가능하게 한다.

#몸의 충격

무용에서 몸의 충격은 다양한 형태로 나타나며, 이는 안무의 일부로 의도적으로 사용되거나 무용수가 피해야 할 부상의 원인이 될 수 있다. 무용의 기술적 측면과 안전 관리에 있어서 중요한 요소이다.

무용에서 몸의 충격 활용에서 감정 표현: 안무에서 몸의 충격은 감정의 격렬함이나 급격한 변화를 표현하는 데 사용될 수 있다. 예를 들어, 강한 충격을 주는 동작은 분노, 열정 또는 절박함을 나타내는 수단으로 활용될 수 있다. 이러한 동작은 공연의 드라마틱한 효과를 증가시키며, 관객에게 강한 인상을 남긴다. 안무의 다이내믹 조성: 충격적인 움직임은 안무에 리듬과 변화를 가져다준다. 빠르고 강렬한 움직임에서 갑자기 멈추거나, 충격을 주는 동작은 무용수의 기술을 돋보이게 하고, 안무의 텐션을 조절하는데 중요하다. 부상 방지: 몸의 충격은 무용수에게 부상을 초래할 수 있다. 점프 후 착지하는 과정에서 발생하는 충격은 무릎, 발목, 척추에 무리를 줄 수 있으며, 이는 무용수의 경력에 중대한 영향을 미칠 수 있다. 따라서 올바른 기술을 익히고, 안전하게 충격을 흡수하며 착지하는 방법을 배우는 것이 중요하다. 훈련과 준비: 충격을 관리하는 방법으로는 적절한 훈련과 체력 유지가 필수적이다. 근육을 강화하고 유연성을 키우는 운동은 충격을 더 잘 흡수하고 분산시키는 데 도움을 준다. 또한, 무용 연습 시 적절한 바닥재 사용, 예를 들어 스프링 바닥이나 충격 흡수 매트를 사용하는 것도 중요하다.

무용에서는 몸의 충격을 예술적 표현의 수단으로 활용하는 동시에, 무용수의 신체를 보호하는 방법을 항상 고려해야 한다. 충격의 예술적 활용과 신체적 안전 사이에 균형을 맞추는 것이 무용 교육과 안무에서 중요한 부분을 차지한다. 이를 통해 무용수는 자신의 몸을 효과적으로 관리하며, 장기적으로 건강하고 지속 가능한 무용 생활을 영위할 수 있다.

#몸짓

몸짓(gesture)은 무용에서 단순한 신체 움직임 이상의 의미를 지니며, 감정, 이야기, 아이디어를 전달하는 강력한 수단으로 활용된다. 몸짓은 무용의 핵심적인 요소로, 다양한 방식으로 구성되어 관객에게 메시지를 전달하고, 예술적 표현을 극대화한다.

감정 전달: 무용수는 몸짓을 통해 감정의 세밀한 뉘앙스를 표현할 수 있다. 예를 들어, 손을 가슴에 얹는 동작은 애정이나 슬픔을, 팔을 활짝 펴는 행동은 자유나 기쁨을 나타낼 수 있다. 이러한 감정적 몸짓은 관객이 무용수의 내면적 경험과 감정에 공감하도록 돕는다.

이야기 전달: 많은 무용 작품들, 특히 서사적 무용에서 몸짓은 이야기를 전달하는 데 중요한 역할을 한다. 몸짓 하나하나가 구체적인 의미를 지니거나 특정 상황을 묘사하는 수단으로 사용된다. 이를 통해 무용수는 말없이도 풍부한 이야기를 관객에게 전달할 수 있다.

상징과 메타포어: 몸짓은 종종 상징적이거나 은유적인 의미를 지닌다. 예를 들어, 손을 높이 들어올리는 행동은 도달하려는 욕망이나 승리를 상징할 수 있다. 이러한 상징적 몸짓은 무용 작품에 깊이와 다층적인 의미를 부여하며, 관객으로 하여금 더 깊은 사고를 유도한다.

대화와 상호작용: 현대무용에서 몸짓은 무용수 간의 대화 수단으로도 사용된다. 서로의 몸짓을 읽고 반응하면서 무용수들은 비언어적인 방식으로 서로 소통한다. 이러한 상호작용은 공연에 역동성을 더하며, 관객에게도 소통의 과정을 시각적으로 경험하게 한다.

무용에서 몸짓의 정확성과 표현력은 기술적 숙련도에 크게 의존한다. 무용수는 정교한 기술 훈련을 통해 몸짓 하나하나가 정확하고 의도대로 관객에게 전달되도록 한다. 이를 위해, 유연성, 힘, 제어력을 갖춘 신체가 필수적이며, 끊임없는 연습을 통해야 한다.

#무대 디자인

무용 무대 디자인은 무용 공연의 중요한 요소 중 하나로, 시각적 매력을 더하고, 작품의 내용과 감정을 전달하는 데 핵심적인 역할을 한다. 시간이 지나면서 무대 디자인의 접근 방식과 기술은 크게 진화했으며, 여러 시대의 미학과 기술적 발전을 반영하고 있다.
초기 무용 공연은 무대 디자인이 상대적으로 단순했다. 공연의 초점은 주로 무용수의 동작과 기술에 맞춰져 있었으며, 무대는 간단한 배경이나 장식으로 구성되었다. 그러나 시간이 흐르면서 무대 디자인은 더욱 복잡하고 상징적인 요소를 포함하기 시작했다.
20세기 초, 모더니즘의 영향을 받아 무대 디자인에도 큰 변화가 생겼다. 디자이너들은 전통적인 극적 요소에서 벗어나 추상적이고 상징적인 디자인을 실험하기 시작했다. 이 시기에는 무대와 무용수의 상호작용이 더욱 강조되었으며, 무대 자체가 공연의 한 부분으로 인식되기 시작했다.
디지털 기술의 발전과 함께 멀티미디어 요소가 무대 디자인에 통합되기 시작했다. 비디오 프로젝션, LED 스크린, 대화형 미디어 등이 무대 디자인에 도입되어, 무대의 시각적 경험을 풍부하게 했다. 이러한 기술적 요소는 무용수의 동작에 반응하거나, 공연의 분위기를 변화시키는 데 사용되며, 관객에게 보다 몰입감 있는 경험을 제공한다.
최근에는 지속 가능성이 무대 디자인의 중요한 측면으로 부각되고 있다. 재사용 가능한 자재, 친환경적인 기술, 에너지 효율이 높은 조명 등이 고려되며, 디자인 과정에서도 환경적 영향을 최소화하는 방향으로 진행되고 있다. 또한, 간결하고 유연하게 변형 가능한 디자인이 선호되어, 다양한 공연에 적용 가능하도록 되어 있다.
이러한 진화는 무용 무대 디자인이 단순한 배경에서 예술 작품의 핵심 요소로 변화한 것을 보여준다. 오늘날 무대 디자인은 단순히 무용수가 공연하는 공간을 꾸미는 것을 넘어서, 감각적이고 상호작용 적인 환경을 만드는데 중점을 두고 있다. 디자이너들은 기술적 혁신을 활용하여 빛, 소리, 심지어 관객의 참여를 통합하는 방식으로 공연의 몰입도와 영향력을 극대화한다. 이는 무대가 단순한 퍼포먼스의 장소가 아니라, 전체적인 이야기를 전달하는 데 있어서 활발히 기능하는 독립된 예술 매체로서의 역할을 강화한다.

공간의 재해석: 현대 무대 디자인에서는 전통적인 무대의 개념을 넘어서, 공간 자체가 공연의 일부로 재해석된다. 무대와 객석의 경계를 모호하게 만들거나 완전히 제거하여, 관객이 공연의 일부가 되도록 유도한다. 이러한 접근은 무용 공연을 더욱 몰입감 있고 개인적인 경험으로 만든다.

대화형 기술의 활용: 대화형 기술은 무용수의 움직임과 관객의 반응을 실시간으로 무대 디자인에 반영할 수 있게 해준다. 센서와 소프트웨어를 활용해 무용수의 움직임에 따라 무대의 조명이나 프로젝션 이미지가 변화하는 등, 기술이 예술적 표현의 확장으로 작용한다.

다층적 시각 효과: 현대 무대 디자인은 다층적 시각 효과를 통해 복잡한 감정과 이야기를 전달한다. 프로젝션 매핑, 고급 조명 기술, 투명 스크린을 사용하여 환상적이거나 초현실적인 무대 환경을 창출하며, 이는 공연의 감동과 효과를 극대화한다.

지속 가능한 디자인의 적용: 지속 가능한 무대 디자인은 에코 프렌들리한 자재 사용 뿐만 아니라, 재사용과 재활용 가능한 디자인 요소를 포함한다. 이러한 접근은 환경에 미치는 영향을 줄이는 동시에 경제적으로도 효율적이다.

미래의 무대 디자인은 아마도 더욱 기술 중심적이 될 것이며, 가상 현실(VR)과 증강 현실(AR)과 같은 기술을 통해 관객에게 완전히 새로운 차원의 예술 경험을 제공할 가능성이 높다. 이러한 기술들은 무용수와 관객 사이의 상호작용을 더욱 강화하고, 공연 예술의 경계를 넓히는 데 기여할 것이다.

현대 무대 디자인은 계속해서 발전하고 변화하며, 무용 공연의 예술적 표현과 관객 경험을 풍부하게 만드는 중요한 요소로 자리잡고 있다. 이러한 진화는 무용 무대 디자인이 단순한 배경에서 예술 작품의 핵심 요소로 변화한 것을 보여준다.

#무도병

중세시대의 무도병, 특히 1518년에 발생한 무도병은 오늘날까지도 많은 논란과 흥미를 불러일으키는 역사적 사건 중 하나다. 이 현상은 주로 스트라스부르그(현 프랑스 영토)에서 발생했으며, 수백 명의 사람들이 며칠 동안 통제할 수 없이 춤을 추는 이상행동을 보였다.
1518년 7월, 스트라스부르그에서 한 여성이 길거리에서 시작한 춤은 점차 많은 사람들이 참여하는 대규모의 춤추기 현상으로 번졌다. 이 사건은 약 두 달간 지속되었고, 참여한 많은 사람들이 피로와 고갈로 인해 죽음에 이르렀다는 기록이 있다.
이 현상의 정확한 원인은 오늘날까지도 명확하게 밝혀지지 않았다. 일부 학자들은 이를 심리적, 사회적 스트레스의 집단적 반응으로 보고, 당시 유럽을 강타한 기근과 질병 등의 사회적 압박이 이러한 집단 히스테리를 유발했다고 추정한다. 또 다른 이론으로는 감염병, 식중독, 심지어 마녀술에 이르기까지 다양한 가설이 제시되었다.
중세 무도병의 생물학적 원인에 대한 가설 중 하나는 에르고타민 중독, 즉 에르고티즘(Ergotism)이다. 이는 호밀과 같은 곡물에 자라는 에르고트라는 곰팡이로 인한 중독 상태를 의미하며, 이 곰팡이는 강력한 환각 효과를 가진 알칼로이드를 생성한다. 에르고트 알칼로이드 중 일부는 LSD와 유사한 화학 구조를 가지고 있어, 섭취 시 강력한 환각을 일으킬 수 있다. 중세 시대 농민들에게만 일어났던 이 사건은 먹을 것이 부족해 감염된 곡물을 섭취했을 경우, 이로 인해 환각 상태에 빠져 통제할 수 없이 춤을 추게 된 것일 수 있다.
무도병은 당시 사회에 커다란 충격과 공포를 가져왔으며, 이는 당시의 의학적, 종교적 이해를 넘어선 사건으로 받아들여졌다. 이 사건은 사람들이 어떻게 극단적인 스트레스 상황에서 집단적으로 반응할 수 있는지, 그리고 이러한 현상이 어떻게 사회적, 문화적 맥락에 따라 다르게 해석될 수 있는지를 보여주는 사례로 평가된다.
이러한 생물학적 설명은 일부 학자들로부터 비판을 받기도 한다. 에르고티즘에 의한 춤추는 증상이 과학적 연구나 역사적 기록에서 명확히 입증된 바는 없으며, 무도병이 실제로 에르고티즘에 의한 것인지, 아니면 더 복합적인 사회적, 심리적 요인에 의한 것인지는 여전히 논란의 여지가 있다. 또한, 에르고티즘으로 인한 다른 일반적인 증상들, 예를 들어 사지의 괴사 등이 무도병의 기록에서는 보고되지 않았다는 점도 지적된다.

중세 무도병의 생물학적 원인에 대한 에르고티즘 가설은 흥미로운 시각을 제공하지만, 이 현상을 완전히 설명하기에는 여러 가지 한계와 논란이 존재한다.

#무브먼트 리서치

무브먼트 리서치'Movement Research는 뉴욕시에 위치하고 있어. 주로 맨해튼의 이스트 빌리지 지역에서 활동하는데, 그곳에서 다양한 워크숍, 클래스, 공연을 진행한다. 무용수와 안무가들이 현대 무용 기법을 연마하고 실험적인 작업을 할 수 있는 공간을 제공하며, 여러 예술 프로젝트와 커뮤니티 이벤트를 주최한다. 이 조직은 뉴욕 무용계에서 중요한 역할을 하면서 전 세계의 무용 아티스트들과 교류가 많다.

무브먼트 리서치는 무용과 움직임에 관한 탐구를 지원하는 데 집중하는 조직으로, 그들의 방법론은 다음과 같은 몇 가지 핵심 요소를 포함한다.

다양한 워크숍 및 클래스 제공: 무브먼트 리서치는 다양한 수준과 스타일의 무용 클래스를 제공하여 무용수들이 자신의 기술을 확장하고 다른 움직임 양식을 탐험할 수 있도록 한다. 이러한 클래스는 종종 현대무용, 임프로비제이션, 바디워크 및 다른 실험적 접근법을 포함한다.

피드백 세션 및 공개 연습: 무용수들과 안무가들에게 작업의 과정을 공유하고 즉각적인 피드백을 받을 기회를 제공한다. 이러한 세션은 작품의 발전에 귀중한 통찰을 제공하며 창작 과정에서 중요한 역할을 한다.

아티스트 인 레지던스 프로그램: 선택된 무용수와 안무가들에게 작업 공간과 시간을 제공하여 새로운 작품을 창작하고 연구할 수 있는 기회를 제공한다. 이 프로그램은 창작자들이 집중적으로 연구하고 실험할 수 있는 환경을 마련해 준다.

공연 및 발표: 무브먼트 리서치는 정기적으로 공연과 발표를 주최하여 아티스트들이 자신의 작업을 더 넓은 관객에게 선보일 수 있게 한다. 이는 무용수와 안무가들에게 실제 공연 경험을 제공하고, 다양한 관객과의 교류를 가능하게 한다.

공동체와의 교류: 지역사회와의 연계를 통해 무용 예술의 사회적, 문화적 영향력을 확장하고, 다양한 배경을 가진 사람들과 소통을 강화한다.

무브먼트 리서치의 이러한 방법론은 창의적인 실험과 개인적 성장을 촉진하며, 무용계의 지속 가능한 발전을 지원한다.

#무용 감독

무용 감독은 무용 공연의 창작과 제작 과정을 총괄하는 핵심 인물로서, 작품의 예술적 비전과 구현을 담당한다. 이 역할은 무용 공연의 기획, 안무, 무대 디자인, 음악 선정, 무용수 훈련 및 지도 등 여러 면을 아우른다. 무용 감독은 공연의 모든 요소가 조화롭게 결합되어 관객에게 전달되는 최종 작품을 책임진다. 무용 감독의 역할과 기능은 비전 설정: 무용 감독은 공연의 예술적 비전을 설정하고, 이 비전이 작품 전반에 걸쳐 일관되게 반영되도록 한다. 이는 공연의 주제, 스타일, 메시지를 포함하며, 무용수들이 해야 할 해석과 표현의 방향을 제시한다. 많은 무용 감독들이 안무가의 역할도 겸하며, 공연의 안무를 직접 창작하거나 안무가와 긴밀히 협력한다. 안무는 공연의 핵심 요소로서, 감독의 예술적 의도를 무용수의 동작과 표현을 통해 구현하는 과정이다.
무용 감독은 무용수 선발, 연습 스케줄 관리, 기술 팀과의 협업을 포함하여 팀을 구성하여 리더십이 중요하다. 감독은 공연 준비의 모든 단계에서 팀원들이 최상의 성과를 낼 수 있도록 동기를 부여하고, 효과적인 커뮤니케이션을 유지해야 한다. 프로덕션 관리로는 무대 디자인, 음악, 의상, 조명 등 공연의 모든 제작 요소를 감독한다. 이는 예술적 요소뿐만 아니라 예산 관리, 일정 조정과 같은 실질적인 문제들을 포함한다.
무대 감독은 리허설 과정을 통해 안무와 연기에 대한 지속적인 피드백을 제공한다. 이를 통해 필요한 수정과 조정을 진행하며, 공연의 완성도를 높인다.
따리서 무용 감독은 무용 공연을 통한 예술적 표현의 품질과 깊이를 결정짓는 중추적 역할을 한다. 감독은 무용 작품이 단순한 신체의 움직임을 넘어서 관객에게 감동과 영감을 주는 예술 작품으로 승화될 수 있도록 만든다. 이는 무용 공연이 단지 미적 즐거움을 넘어 문화적, 사회적 메시지를 전달하고, 인간 정신을 탐구하는 중요한 매체가 될 수 있음을 보여준다.

#무용 갤러리

무용갤러리는 무용과 연계하여 예술 작품을 전시하고, 무용 관련 활동을 진행하는 공간을 말한다. 이러한 공간은 무용 작품, 사진, 비디오, 의상, 그리고 무용과 관련된 다양한 예술적 표현물을 전시하여 무용 예술을 보다 폭넓게 이해하고 접근할 수 있다. 무용갤러리는 전통적인 공연 무대 외에도 무용 예술을 경험할 수 있는 대안적 공간을 제공하며, 무용 예술의 다양성과 깊이를 탐구하는 중요한 역할을 한다.
무용갤러리는 무용수의 사진, 비디오 아카이브, 의상, 소품 등을 전시하여 무용 공연의 아름다움과 복잡성을 시각적으로 보여줍니다. 이는 관객들이 무용 공연의 순간적인 아름다움을 고정된 형태로 경험할 수 있게 한다.
무용을 배우고 싶어하는 사람들을 위해 다양한 교육 프로그램과 워크숍을 제공할 수 있습니다. 이는 무용의 기술적인 측면은 물론, 창작 과정에 대한 이해를 돕는 중요한 기회가 됩니다.
이벤트나 소규모 라이브 무용 공연을 실험적인 무용 퍼포먼스으로 주최할 수 있다. 이러한 이벤트는 무용 예술을 새롭고 창의적인 방식으로 탐구하게 하며, 관객과 무용수 사이의 직접적인 상호작용을 촉진한다.
무용갤러리는 무용 예술과 관련된 역사적, 문화적 자료를 수집하고 보존하는 역할도 한다. 이를 통해 무용의 역사와 발전 과정을 문서화하고, 미래 세대에게 무용 예술의 가치를 전달할 수 있다.
지역 커뮤니티와 연계하여 무용 예술을 널리 알리고, 다양한 계층의 사람들이 무용 예술에 쉽게 접근할 수 있도록 한다. 이는 무용 예술의 대중화를 촉진하고, 더 넓은 관객층을 형성하는 데 기여한다.
무용갤러리는 단순한 전시 공간을 넘어, 무용 예술을 체험하고 탐구하는 다양한 활동이 진행되는 복합 문화 공간으로 역할을 수행하고 이를 통해 무용 예술의 다양한 측면을 보여주고, 예술적 표현의 깊이를 풍부하게 만든다.

#무용 뉴스레터

무용 뉴스레터는 무용과 관련된 최신 뉴스, 정보, 이벤트, 공연 일정, 인터뷰, 리뷰 등을 포함하여 무용계의 다양한 소식을 제공하는 정기적인 출판물이나 전자적 형태의 소통 수단이다. 무용 뉴스레터는 무용 커뮤니티의 구성원들이 업계의 동향을 파악하고, 서로 연결되어 정보를 공유할 수 있도록 도와줍니다. 이는 무용 애호가, 전문 무용수, 안무가, 무용 교육자, 무용학생 등 다양한 대상자들에게 유용한 자료로 활용될 수 있다.

무용 뉴스레터는 업계의 최신 뉴스와 동향을 제공하며, 새로운 공연, 워크숍, 페스티벌, 경연 대회 등의 정보를 공유한다.

교육적 자원으로 자료와 리소스도 제공할 수 있다. 특정 무용 기술, 공연 준비 팁, 인터뷰 등을 통해 독자들에게 지속적인 학습 기회를 제공한다.

무용 커뮤니티의 일원들이 서로 소통하고 연결될 수 있는 플랫폼을 제공한다. 뉴스레터를 통해 사람들은 업계 내 다른 이들과 소통하고, 네트워킹 기회를 갖게 된다.

공연 리뷰 및 비평으로서 새로운 무용 공연이나 행사에 대한 리뷰를 제공하여, 무용 작품에 대한 이해를 돕고, 공연 예술에 대한 비평적 시각을 제공할 수 있다.

또한 무용 관련 조직이나 개인이 자신들의 작업을 홍보할 수 있는 수단으로 활용된다. 신규 공연, 프로젝트, 아트 갤러리 전시 등을 홍보하여 관객 및 참여자의 참여를 유도할 수 있다.

무용 뉴스레터는 디지털 형식으로 이메일을 통해 배포되거나, 웹사이트에서 다운로드할 수 있으며, 일부는 인쇄된 형태로도 제공될 수 있다. 이러한 뉴스레터는 무용계의 지속적인 발전과 커뮤니티의 활성화에 기여하는 중요한 역할을 한다.

#무용리뷰

무용 리뷰는 무용 공연이나 발레 등의 예술 작품에 대한 평가와 분석을 제공하는 비평적 글이다. 이러한 리뷰는 관객들에게 작품의 내용, 퍼포먼스의 질, 안무, 음악, 무대 디자인, 무용수의 기술과 표현력 등 다양한 측면을 평가하여 작품에 대한 이해를 돕고, 관람 여부를 결정하는 데 유용한 정보를 제공한다. 무용 리뷰의 주요 요소로는 다음과 같다.

소개: 리뷰는 일반적으로 공연의 기본 정보를 제공하며 시작한다. 이는 공연의 제목, 안무가, 무용단, 공연 날짜 및 장소 등을 포함한다.

내용 요약: 리뷰어는 공연의 주제나 이야기를 간략하게 소개하며 이는 공연이 전달하고자 하는 메시지나 주된 내러티브를 설명하는 부분이다.

안무 평가: 안무의 창의성, 독창성, 그리고 기술적인 구성을 평가한다. 안무가 얼마나 효과적으로 주제를 표현하고, 관객과의 감정적 연결을 만들어내는지에 대한 분석이 포함된다.

무용수의 퍼포먼스: 개별 무용수나 앙상블의 기술적 수행, 표현력 및 무대 존재감을 평가한다. 무용수의 동작이 얼마나 정확하고, 감정을 얼마나 잘 전달하는지 등이 중요한 평가 기준이 된다.

음악 및 무대 디자인: 음악이 공연의 분위기와 감정 전달에 어떻게 기여하는지, 무대 디자인이 공연의 시각적 매력과 이야기 전달에 어떤 역할을 하는지를 분석하여 조명, 의상, 소품 등도 이 부분에서 다룬다.

종합 평가: 리뷰어는 공연의 전반적인 품질과 관객에게 추천 여부를 결정한다. 이는 작품의 예술적 가치와 기술적 성공 여부를 종합적으로 평가한 것이다. 무용 리뷰는 예술적 작품에 대한 공적 대화를 촉진하고, 무용 예술의 평가와 발전에 기여하며, 관객들이 무용 공연을 선택하고 감상하는 방법에 영향을 미친다. 무용 예술에 대한 깊이 있는 이해와 관심을 높이는 데 중요한 역할을 한다.

#무용마케팅

무용마케팅은 무용 공연, 무용단, 무용 관련 제품 및 서비스를 홍보하고 판매하는 것을 목표로 한다. 현재의 동향을 포함한 주요 요소와 전략을 살펴보겠다.

타겟 관객 분석: 관객의 연령, 성별, 취향, 문화적 배경 등을 파악하여 타겟 관객을 명확히 설정한다. 경쟁 분석: 경쟁 단체나 다른 무용 공연의 마케팅 전략을 분석하여 차별화된 전략을 세운다.

브랜드 아이덴티티: 무용단이나 무용가의 고유한 정체성을 확립하고, 이를 시각적 요소(로고, 색상, 폰트)와 일관성 있는 메시지를 통해 전달한다.

스토리텔링: 무용 작품이나 단체의 역사, 철학, 비전을 이야기 형식으로 전달하여 관객의 공감을 이끌어낸다.

소셜 미디어: Facebook, Instagram, YouTube 등 소셜 미디어 플랫폼을 활용하여 공연 홍보, 무용 영상 공유, 팬들 과의 소통을 강화한다.

웹사이트: 무용단이나 공연의 공식 웹사이트를 통해 일정, 티켓 정보, 무용가 소개 등을 제공하고, 온라인 티켓 판매를 지원한다.

이메일 마케팅: 정기 뉴스레터를 통해 공연 소식, 할인 정보, 무용 관련 콘텐츠 등을 구독자들에게 전달한다.

비디오 콘텐츠: 무용 공연 하이라이트, 연습 장면, 인터뷰 등을 영상으로 제작하여 다양한 채널에 공유한다.

블로그 및 기사: 무용 관련 주제로 블로그 글이나 기사를 작성하여 무용의 매력을 소개하고, SEO(검색 엔진 최적화)를 통해 검색 가시성을 높인다.

프리뷰 및 시사회: 주요 관객층을 대상으로 한 프리뷰 공연이나 시사회를 통해 입소문을 유도한다.

워크숍 및 클래스: 대중이 참여할 수 있는 워크숍이나 무용 클래스를 개최하여 무용에 대한 관심을 높인다.

콜라보레이션: 다른 예술 단체, 브랜드, 미디어와의 협업을 통해 마케팅 효과를 극대화한다.

후원자 및 파트너십: 기업 후원, 개인 후원자를 유치하고, 다양한 파트너십을 통해 재정적 지원을 확보한다.

펀드레이징 이벤트: 무용단의 활동을 지원하기 위한 자선 공연이나 펀드레이징 이벤트를 기획한다.

데이터 분석: 마케팅 활동의 효과를 분석하여 관객 수, 티켓 판매량, 웹사이트 방문자 수 등을 통해 성과를 평가한다.

피드백 수집: 관객, 후원자, 참여자들의 피드백을 수집하여 마케팅 전략을 지속적으로 개선한다.

최근에는 디지털 플랫폼의 활용이 더욱 중요해지고 있다. 온라인 스트리밍 서비스, 소셜 미디어 라이브 방송, 인터랙티브 콘텐츠 등을 통해 더 넓은 관객층에 접근하고 있다. 또한, VR(가상 현실)과 AR(증강 현실) 기술을 활용한 새로운 공연 방식도 주목받고 있다. 이를 통해 관객들에게 더 몰입감 있는 경험을 제공하고, 무용 예술의 가능성을 확장하고 있다.

#무용 시상식

무용 시상식은 무용계에서 뛰어난 성과를 낸 개인, 단체, 작품에 주어지는 상으로, 무용 예술의 우수성을 인정하고 격려하는 중요한 행사다. 이러한 시상식은 무용수, 안무가, 무용 교육자, 그리고 다양한 무용 프로덕션에 참여한 기술 스태프들의 창의성과 헌신을 공개적으로 치하하고, 무용 예술의 발전을 장려한다.

베노아 드 라 당스(Benois de la Danse): 러시아에서 시작되어 세계적으로 인정받는 무용 시상식 중 하나다. 세계 각국에서 온 안무가, 무용수, 작곡가, 디자이너들이 그들의 탁월한 작업을 인정받아 상을 수여받는다.

미국 무용 축제(American Dance Festival) Award: 미국에서 열리는 이 축제는 무용 예술에 기여한 개인에게 수여하는 시상식을 포함하고 있다. 이는 무용수와 안무가에게 큰 영예를 주며, 무용계의 발전에 큰 영향을 미치는 인물들을 기린다.

국립무용상(National Dance Awards): 다양한 카테고리에서 뛰어난 무용 예술가들을 시상하며 이 상은 영국 무용계에서의 우수성을 인정하고, 전 세계적으로 영국 무용의 위상을 높이는 데 기여한다.

프레드 아스테어 어워드(Fred Astaire Awards): 미국 뉴욕에서 주로 열리며, 브로드웨이 및 영화에서 뛰어난 무용 성과를 보인 무용수와 안무가에게 수여된다.

또한 무용 시상식은 무용계에서 다음과 같은 중요한 역할을 한다.

무용 예술가들에게 그들의 노력과 성취를 인정하고, 계속해서 예술 활동에 몰두하도록 동기를 부여한다. 시상식을 통해 무용 예술에 대한 공공의 관심과 인지도를 높이며, 더 넓은 관객층을 무용 공연으로 끌어들인다.

무용 분야에서 우수성의 기준을 설정하고 예술가들에게 이러한 기준을 달성하거나 초월하려는 목표를 가지게 한다.

이처럼 무용 시상식은 무용 예술의 우수성을 치하하고, 무용계의 지속적인 성장과 발전을 장려하여 예술가들은 자신의 작업에 대한 평가를 받고, 더 나아가 전 세계적인 인정을 받을 기회를 갖게 된다.

#무용 영화화

무용 영화화는 무용 공연을 영화로 제작하는 과정으로, 무용 예술을 더 넓은 관객에게 소개하고 접근성을 높이는 방법 중 하나다. 이러한 영화는 무용의 본질적인 요소들을 보존하면서도, 영화의 기술적 수단을 활용하여 새로운 예술적 차원을 재생산한다.

무용 영화는 카메라 워크, 편집, 조명 등 영화적 요소를 활용하여 무용 공연의 시각적 표현을 확장한다. 이를 통해 관객들은 다양한 각도와 거리에서 무용수의 움직임을 관찰할 수 있으며, 때로는 전통적인 공연에서는 불가능한 시각적 효과를 경험할 수 있다. 무대 위에서만 가능한 무용 공연과 달리, 무용 영화는 다양한 장소에서 촬영될 수 있다. 이는 무용의 배경이 되는 공간을 자유롭게 선택할 수 있게 하며, 공간적 맥락이 작품의 해석에 새로운 차원을 더한다. 무용 영화는 클로즈업 촬영을 통해 무용수의 표정과 감정의 미묘한 변화를 포착할 수 있다. 이는 관객이 무용수의 내면적 감정과 더 깊이 연결될 수 있도록 돕는다. 또한 제작된 무용 작품은 극장이나 DVD, 온라인 스트리밍 서비스를 통해 전 세계적으로 손쉽게 배포될 수 있다. 이는 무용 예술을 기존의 무용 애호가 뿐만 아니라 일반 대중에게도 접근할 수 있게 만든다.

"피나"는 비운 바인더 감독이 만든 이 다큐멘터리 영화는 무용가 피나 바우쉬의 작업을 조명하여 이 영화는 3D 기술을 사용하여 무용 공연의 생동감과 감정을 극대화했다.

히트를 쳤던 "블랙 스완"은 대런 아로노프스키 감독의 이 영화는 발레 무용수의 내면적 갈등과 경쟁을 통해 발레계의 압박감과 열정을 드라마틱하게 표현했다. "레드 슈즈"는 마이클 파월과 에머릭 프레스버거가 감독한 이 영화는 발레 무용수의 삶과 사랑, 그리고 진정성을 테마로 하여, 발레 공연의 아름다움을 시각적으로 뛰어나게 표현했다.

무용 영화화는 무용을 더욱 풍부하게 하고, 새로운 창작의 가능성을 열어준다. 이를 통해 무용이 단순한 공연 예술을 넘어서 다양한 매체와 융합하며, 더 넓은 대중에게 예술적 가치를 전달할 수 있는 기회를 제공한다.

#무용 올림피아드

무용 올림피아드는 전 세계에서 모인 무용수들이 그들의 기술과 창의성을 경쟁하는 국제적인 무용 대회다. 이 대회는 다양한 무용 장르와 스타일을 아우르며, 개인과 무용단의 참가도 가능하다. 무용 올림피아드는 무용의 예술성과 기술적 완성도를 평가하고, 무용 예술의 국제적 교류와 이해를 증진하는 데 목표를 두고 있다.

이 대회는 발레, 현대무용, 재즈, 탭 댄스, 스트리트 댄스, 민속무용 등 다양한 무용 장르를 포함하여 광범위한 무용 스타일을 아우른다. 참가자들은 각자의 전문 분야에서 경쟁하며 자신의 기술을 선보인다. 전 세계 다양한 국가에서 온 무용수들이 참가하여, 그들의 무용 문화와 스타일을 국제 무대에 선보이게 된다. 이는 무용의 글로벌한 교류를 촉진하며, 서로 다른 문화적 배경을 가진 참가자들 간의 이해와 존중을 증진시키는 기회를 제공한다. 대회는 무용 분야의 전문가들로 구성된 심사위원단에 의해 진행된다. 심사위원들은 참가자들의 기술, 창의성, 무대 매너, 음악 해석 등을 평가하며, 공정하고 객관적인 기준에 따라 점수를 부여한다. 무용 올림피아드에서 우수한 성적을 거둔 참가자들에게는 메달, 상장, 상금 등이 수여되며, 이는 참가자들의 무용 경력에 긍정적인 영향을 미칠 수 있다. 또한, 이 대회는 무용수들에게 국제적 인정을 받을 수 있는 기회를 제공한다. 무용 올림피아드 기간 동안 다양한 워크숍, 마스터 클래스, 문화 교류 프로그램이 함께 열린다. 이러한 프로그램은 참가자들에게 추가적인 학습 기회를 제공하며, 다른 문화의 무용 스타일과 기술을 배울 수 있는 환경을 마련하기도 한다.

무용 올림피아드는 무용수들에게 자신의 기술을 세계 무대에서 선보이고, 국제적 네트워크를 구축하며, 다양한 문화적 배경을 가진 다른 무용수들과 교류할 수 있는 귀중한 기회를 제공한다. 이 대회는 무용 예술의 다양성과 창의성을 촉진하며, 무용계의 발전에 중요한 행사로 자리매김하고 있다.

#무용 워크숍

무용 워크샵은 무용수들에게 특정한 무용 기술, 스타일, 안무에 대한 집중적인 교육을 제공하는 세션으로, 다양한 레벨의 무용수들이 참여할 수 있다. 워크샵은 일반적으로 몇 시간에서 며칠 동안 진행되며, 때로는 주말이나 여러 주에 걸쳐 진행되기도 한다.

워크샵은 무용수들이 특정 무용 기술을 연마하고 개선할 수 있는 기회를 제공한다. 이는 발레, 현대무용, 힙합, 재즈, 탭 등 다양한 무용 장르의 기술을 포함할 수 있다. 또한 무용수들이 자신의 전문 분야를 넘어서 다른 무용 스타일을 배울 수 있는 기회를 제공한다. 이는 참가자들의 무용에 대한 이해를 넓히고, 다양한 무용 스타일에 대한 적응력을 향상시킨다.

안무 창작 기술을 배우고 참가자들은 자신만의 작품을 만들어보는 기회를 가지며, 때로는 워크샵의 마지막에 작품을 발표하기도 한다.

워크샵은 종종 업계에서 인정받는 무용가나 안무가가 진행한다. 이러한 전문가의 지도 하에 참가자들은 고급 기술과 전문 지식을 습득할 수 있다.

네트워킹: 워크샵은 무용계의 다른 인물들과 만나고 네트워크를 형성할 수 있는 좋은 기회를 제공한다. 참가자들은 동료 무용수, 안무가, 교육자들과 교류하며 경험을 공유하고, 미래의 협업 기회를 모색할 수 있다.

국제적인 워크샵은 다양한 문화적 배경을 가진 참가자들이 함께 모여 서로의 무용 문화를 배우고 이해할 수 있는 기회를 제공한다.

단기 워크샵은 몇 시간에서 하루 정도 진행되며, 특정 기술이나 조합에 초점을 맞추고 장기 워크샵은 며칠에서 몇 주에 걸쳐 진행되며, 무용의 다양한 측면을 깊이 있게 다룬다.

무용 워크샵은 무용수들의 기술 개발, 네트워킹, 문화적 교류를 촉진하며, 참가자들에게 무용 예술의 다양한 측면을 경험할 수 있는 기회를 제공한다.

#무용 의상

무용 의상은 무용 공연의 중요한 요소 중 하나로, 무용수의 움직임을 강조하고, 공연의 시각적 표현을 풍부하게 하는 데 중요한 역할을 한다. 의상은 각 무용 장르의 특성에 맞게 디자인되며, 공연의 주제나 시대 배경, 무용수의 역할에 따라 다양하게 변화한다.

무용 의상은 무용수가 자유롭게 움직일 수 있도록 디자인되어야 한다. 의상은 신축성이 좋고, 몸에 잘 맞아야 하며, 무용수의 동작을 제한하지 않아야 한다. 특히 현대무용이나 발레와 같은 장르에서는 몸의 라인과 형태를 드러내는 의상이 자주 사용된다.

공연의 시각화에 있어 색상, 패턴, 재질을 통해 특정 감정이나 분위기를 전달하며, 때로는 의상 자체가 하나의 예술 작품으로 기능한다. 예를 들어, 전통 무용에서는 문화적 상징이 담긴 의상이 중요한 역할을 한다. 그리고 무용수가 맡은 캐릭터나 역할을 강조하여 특정한 스토리 라인이나 역할에 맞는 의상은 관객이 공연의 내용을 이해하는 데 중요한 단서를 제공한다. LED 조명이 내장된 의상이나 특수 효과를 위해 특별한 기능적 요소를 포함하기도 한다.

발레 의상은 종종 몸의 라인을 강조하는 디자인이 특징이다. 튀튀, 레오타드, 스커트 등이 흔히 사용되며, 섬세한 장식과 화려한 디테일이 특징이다.

현대무용의 의상은 자유로움과 실험적인 디자인이 돋보인다. 때로는 매우 간소화된 의상이 사용되기도 하며, 몸의 움직임을 최대한 자연스럽게 표현하기 위한 디자인이 강조된다.

전통무용 의상은 각 나라의 문화와 역사를 반영하는 전통적인 상징이 사용된다. 이 의상들은 종종 복잡한 장식과 전통적인 소재를 사용하여 제작된다.

무용 의상은 공연의 시각적 요소만이 아니라, 무용수의 기술적 수행을 지원하는 중요한 역할을 한다. 의상은 무용 공연의 전반적인 예술성을 높이고, 각 장르의 특성을 살려 무대 위의 이야기를 더욱 풍부하게 만든다.

#무용이론

무용이론은 무용 예술의 다양한 측면을 탐구하고 이해하는 데 초점을 맞춘 학문 분야다. 이론적 접근은 무용의 역사, 철학, 비평, 그리고 심리학적 관점 등을 포함하며, 무용을 보다 깊이 있게 분석하고 평가하는 데 필요한 지식과 통찰력을 제공한다.

무용이론의 주요 분야는 다음과 같다.

무용 역사: 무용의 역사적 발전과 변화를 연구한다. 이는 특정 시대의 무용 스타일, 중요한 무용가와 안무가, 그리고 무용 예술이 사회와 문화에 어떤 영향을 미쳤는지 등을 포함한다. 무용 역사는 고대부터 현대에 이르기까지 다양한 문화와 시대를 아우르며, 무용의 전통과 혁신을 추적한다.

무용 철학: 무용의 예술적, 철학적 의미를 탐구한다. 이 분야는 무용을 통해 인간의 존재와 신제성, 시간과 공간에 대한 이해, 그리고 미학적 경험을 어떻게 표현할 수 있는지를 다룬다. 무용 철학은 무용이 단순한 신체 활동을 넘어서 예술로서 갖는 깊이와 가치를 논의한다.

무용 비평: 공연된 무용 작품을 분석하고 평가한다. 무용 비평가들은 안무, 실행, 음악, 무대 디자인 등 공연의 여러 측면을 비평하며, 작품의 성공과 한계를 평가한다. 무용 비평은 관객과 무용수에게 작품을 보다 깊이 이해하는 데 도움을 준다.

무용 심리학: 무용수의 심리적 과정과 무용을 통한 심리적 치료 가능성을 탐구한다. 이 분야는 무용이 개인의 정서, 자아 인식, 그리고 사회적 상호작용에 어떤 영향을 미치는지를 연구한다.

무용이론은 무용을 학문적으로 깊이 이해하고, 무용 예술을 새로운 시각에서 조명하는 데 중요한 역할을 한다. 이는 무용계의 발전을 지원하고, 무용 예술의 사회적, 문화적 가치를 널리 전파하는 데 기여한다.

#무용 저널

무용 저널은 무용 연구, 비평, 이론, 교육, 실천 등에 관한 학술적이고 전문적인 글을 발행하는 학술지다. 이 저널들은 무용의 다양한 측면을 다루면서 무용계의 최신 연구 결과와 트렌드, 논의를 제공하며, 무용 전문가, 교육자, 연구자, 학생들에게 필수적인 정보를 제공한다. 무용 저널의 주요 기능은 다음과 같다.

연구 발표: 무용 저널은 무용과 관련된 최신 연구를 발표하는 플랫폼 역할을 한다. 연구자들은 자신의 연구 결과와 발견을 저널을 통해 공유하며, 이는 무용 지식의 체계적인 축적과 전파에 기여한다.

교육적 자료: 저널에 실리는 논문과 기사는 무용 교육의 내용을 풍부하게 한다. 무용 교육자와 학생들은 이러한 자료를 교육과정에 활용하여 무용 이론, 기술, 안무법 등을 교육하는 데 사용한다.

비평과 토론: 무용 저널은 무용 작품의 비평과 분석을 제공하며, 무용계의 주요 이슈와 동향에 대한 토론의 장을 마련한다. 이는 무용 커뮤니티 내의 비평적 사고와 학문적 대화를 촉진한다.

국제적 교류: 다양한 국가의 무용 저널들은 국제적인 무용 연구와 실천 사례를 소개함으로써, 글로벌 무용 커뮤니티 간의 정보 교환과 협력을 촉진한다.

기술 발전 추적: 무용 기술과 과학의 진보에 관한 연구도 저널을 통해 발표된다. 이는 무용 실습과 교육에 현대 기술을 어떻게 통합할 수 있는지에 대한 인사이트를 제공한다.

무용 저널은 무용계의 발전을 지원하고, 무용 예술의 사회적, 문화적 가치를 널리 전파하는 데 기여하는 중요한 역할을 한다. 이러한 저널을 통해 무용 예술가들은 자신의 작업에 대한 평가를 받고, 더 나아가 전 세계적인 인정을 받을 기회를 갖게 된다.

#무용 전시회

무용 전시회는 무용과 관련된 다양한 예술 작품, 의상, 사진, 비디오 설치, 무용 기록물 등을 전시하는 행사다. 이러한 전시회는 무용의 시각적 및 역사적 측면을 기록하고, 무용 예술을 다양한 형태로 관객에게 선보이기 위해 기획된다. 무용 전시회는 무용의 역동성을 정적인 형태로 표현하며, 무용 예술의 깊이와 폭을 확장하는 데 기여한다.

무용 전시회는 사진, 의상, 악세서리, 무대 디자인 초안, 무용수의 개인 물품 등 무용과 관련된 다양한 물품을 전시한다. 또한 비디오 설치를 통해 과거 공연의 하이라이트나 중요한 무용 작품을 소개하기도 한다.

무용의 역사나 특정 무용가나 안무가의 삶과 작업에 대한 교육적 정보를 제공하여 관람객은 전시를 통해 무용 예술의 역사적 맥락과 기술적 발전을 이해할 수 있다. 일부 무용 전시회에서는 관람객이 직접 참여할 수 있는 인터랙티브 설치를 마련하기도 한다. 예를 들어, 가상 현실(VR)을 사용하여 관람객이 무용수의 역할을 체험하거나, 간단한 무용 동작을 배울 수 있는 워크숍을 운영할 수 있다. 전시 기간 동안 특별 공연이나 데모가 있을 수 있으며, 이는 전시의 생동감을 더하고 무용 예술을 더 깊이 이해하는 데 도움을 준다.

전시회는 다양한 문화적 배경을 가진 무용 예술을 소개함으로써 문화 간의 교류를 촉진하며 이는 전 세계의 무용 스타일과 전통을 조명하고, 이해와 존중을 높이는 기회를 제공한다.

무용 사진 전시회는 유명 무용 사진작가의 작품을 중심으로 구성되며, 무용수의 역동적인 순간을 포착한 사진들을 전시한다.

무용 역사 박물관은 특정 시대나 지역의 무용 역사를 다루며, 관련 의상, 악세서리, 포스터 등을 전시한다.

이처럼 무용 전시회는 무용을 다양한 각도에서 조명하고, 이를 통해 관객에게 무용 예술에 대한 보다 폭넓은 이해를 제공한다. 무용 전시회는 무용 예술의 가치를 널리 알리고, 무용을 사랑하는 사람들에게 영감을 주는 중요한 문화적 행사로 자리 잡고 있다.

#무용축제

무용축제는 무용과 관련된 다양한 공연, 워크샵, 마스터클래스, 토론 세션 등을 포함하는 이벤트로, 무용수, 안무가, 무용 애호가, 학자들을 한데 모아 무용 예술을 축하하고 발전시키는 목적을 가진다. 이러한 축제는 일반적으로 며칠에서 몇 주 동안 진행되며, 참여자들에게 무용의 다양한 장르와 스타일을 경험할 기회를 제공한다.

무용축제의 주요 특징은 다음과 같다.

다양한 공연: 무용축제는 발레, 현대무용, 전통무용, 스트리트 댄스 등 다양한 무용 장르의 공연을 포함한다. 이 공연들은 국내외 유명 무용단 및 독립 무용가들에 의해 수행되며, 신작 또는 재해석된 클래식 작품을 선보인다.

교육적 요소: 축제 기간 동안 다양한 교육 프로그램이 제공된다. 워크샵과 마스터클래스는 참가자들이 전문 무용가로부터 직접 기술을 배울 수 있는 기회를 제공하며, 무용 이론과 실습에 대한 심도 있는 지식을 제공한다.

문화적 교류: 무용축제는 전 세계 다양한 문화의 무용 스타일을 소개함으로써 국제적인 문화 교류의 장을 마련한다. 참가자들은 서로 다른 문화적 배경을 가진 무용수들과 만나 경험을 공유하고 네트워크를 형성할 수 있다.

창작의 촉진: 많은 무용축제에서는 새로운 작품의 창작을 촉진하고 지원한다. 안무가들은 이 기회를 활용하여 실험적이고 혁신적인 작품을 창작하고, 공개적으로 피드백을 받을 수 있다.

예술적 영감과 공동체 형성: 무용축제는 예술적 영감을 제공하고, 무용에 대한 열정을 공유하는 사람들이 모여 공동체를 형성하는 특별한 기회를 제공한다. 이러한 환경은 참가자들에게 동기를 부여하고, 장기적인 협력 관계를 형성하는 데 도움을 준다.

현재는 다음과 같은 무용축제가 열리고 있다.

아메리칸 댄스 페스티벌 (American Dance Festival): 현대무용을 중심으로 한 미국의 주요 무용 축제로, 신작 공연과 다양한 교육 프로그램을 제공한다.
임펄스탄츠 (ImPulsTanz): 오스트리아 빈에서 열리는 유럽 최대의 현대무용 축제로, 국제적인 무용수와 안무가들이 참여하여 공연과 워크샵을 진행한다.
사다르스 무용 축제 (Sadler's Wells Dance Festival): 영국 런던에서 열리는 이 축제는 다양한 무용 공연과 함께 혁신적인 무용 작품을 소개한다.
무용축제는 무용을 사랑하는 사람들에게 무용 예술의 최전선에서 일어나는 다양한 활동을 경험할 수 있는 기회를 제공하며, 무용 예술의 보존과 발전에 중요한 역할을 한다.

#무용 치료

무용 치료는 심리 치료의 한 형태로, 몸의 움직임과 춤을 통해 개인의 정서적, 인지적, 물리적, 사회적 기능을 증진시키는 방법이다. 이 치료법은 몸과 마음이 연결되어 있다는 전제에서 출발하며, 참가자가 자신의 감정과 생각을 몸짓을 통해 표현할 수 있도록 돕는다.

무용 치료의 역사는 20세기 초반으로 거슬러 올라간다. 이 시기에는 정신분석학과 심리치료가 발전하면서 다양한 치료법이 탐구되기 시작했다. 특히, 1940년대에 미국에서는 마리안 체이스, 도리스 험프리, 메리 화이트하우스와 같은 인물들이 몸의 움직임을 통해 심리적 문제를 치료할 수 있다는 가능성을 탐구했다. 무용 치료는 심리치료의 한 형태로, 참가자들이 몸의 움직임과 무용을 통해 자신의 심리적, 정서적, 사회적 문제를 탐색하고 해결할 수 있도록 돕는 과정이다. 이 치료법은 신체적 움직임을 통해 내면의 생각과 감정을 표현할 수 있다는 개념에 기초하고 있다.

무용 치료의 주요 내용은 자기 표현과 자각 증진으로 참가자들은 무용과 움직임을 통해 자신의 감정과 생각을 표현함으로써 자신의 내면을 더 잘 이해하고 인식하는 데 도움을 받는다.

정서적 치유로서의 무용 치료는 스트레스, 불안, 우울증 같은 정서적 문제를 다루는 데 효과적이며, 참가자가 자신의 감정을 안전한 환경에서 표현하고 처리할 수 있도록 지원한다. 신체적 활성화로 인해 신체적 움직임은 건강을 증진시키고, 에너지 수준을 높이며, 전반적인 신체 기능을 향상시킬 수 있다. 무용 치료는 참가자의 신체적 건강과 웰빙을 증진시키는 데도 기여한다.

사회적 상호작용으로 집단 무용 치료 세션에서 참가자들은 다른 사람들과 함께 움직임을 공유하고 상호작용하면서 사회적 기술을 개발하고, 공감 능력을 키우며, 사회적 지지를 경험한다.

무용 치료는 다양한 연령과 배경을 가진 사람들에게 심리적, 정서적, 신체적 혜택을 제공하며, 개인의 삶의 질을 향상시키는 데 중요한 역할을 한다. 무용 치료 분야의 발전에 크게 기여한 몇몇 주요 인물들이 있습니다.

이들은 각자의 이론과 실천을 통해 무용 치료의 기초를 마련하고 발전시켜왔다.
마리안 체이스 (Marian Chace)는 무용 치료의 선구자로 간주되며, 무용 치료의 역사적 발전에 결정적인 역할을 했다. 그녀는 원래 전문 무용수였으며, 나중에 정신질환을 가진 사람들을 대상으로 무용 프로그램을 시작했습니다. 체이스는 무용이 개인의 사회적 상호작용, 자기 표현, 정서적 치유에 효과적임을 발견했다. 그녀는 무용 치료의 개척자 중 한 명으로, 몸짓을 통해 아동과 성인의 정서적 문제를 치료하는 작업을 시작했다. 체이스는 무용을 자유롭게 표현하는 과정에서 참가자가 자신의 내면적 감정과 마주할 수 있다고 보았다.
메리 화이트하우스 (Mary Whitehouse)는 '동작에서의 의식'이라는 접근 방식을 개발했으며, 이것은 나중에 '정신운동 치료'로 알려지게 됐다. 그녀의 접근법은 참가자들이 자신의 움직임을 통해 내면의 경험을 탐색하고 의식화하는 것에 중점을 두었다.
루돌프 폰 라반 (Rudolf von Laban)은 무용 치료 분야에서 직접적으로 활동하지는 않았지만, 그의 움직임 이론과 기술은 무용 치료의 실천에 큰 영향을 미쳤다. 라반의 움직임 분석은 무용 치료사들이 클라이언트의 움직임을 해석하고 이해하는 데 중요한 도구가 되었다.
엘마 헐링 (Alma Hawkins)은 무용 치료 분야에서 학문적 프로그램을 개발하고 정립하는 데 기여한 최초의 인물 중 하나입니다. 그녀는 무용 치료의 교육적 기반을 마련하는 데 중점을 두었으며, 무용 치료 교육과 연구에 기여했다.
이들은 무용 치료 분야에서 각기 다른 접근 방식과 이론을 도입하며, 이 분야의 발전에 크게 기여했습니다. 그들의 작업은 오늘날 무용 치료 실천에 여전히 영향을 미치고 있으며, 많은 무용 치료사들에게 영감을 주고 있습니다
1960년대와 1970년대에 걸쳐 무용 치료는 더욱 체계화되고 전문화되기 시

작했다. 이 시기에는 무용 치료 프로그램과 학과가 대학에 설립되기 시작했으며, 이는 이 분야의 학문적 기반을 마련했다. 또한, 무용 치료사 협회와 같은 전문 기관들이 생겨나면서 무용 치료의 표준과 교육, 연구가 강화되었다.

오늘날 무용 치료는 전 세계적으로 다양한 환경에서 활용되고 있다. 이 치료법은 특히 정서적, 행동적 문제를 가진 사람들뿐만 아니라 신체적 장애를 가진 이들을 돕는데 효과적이라고 평가받고 있다. 무용 치료사들은 개인뿐만 아니라 집단, 커뮤니티 단위의 세션을 통해 참가자들의 자기 표현과 자아 존중감 향상, 스트레스 해소 등을 지원하고 있다.

이렇게 무용 치료는 심리적, 신체적 건강 증진을 위한 중요한 도구로 인정받으며 계속해서 발전하고 있다.

#무용 콩쿠르

무용 콩쿠르는 무용 예술의 발전과 장려를 위해 개최되는 경연 대회로, 무용수들이 자신의 기술과 예술적 재능을 선보이는 장으로 활용된다. 이는 무용 예술의 수준을 높이고, 실력 있는 무용수들에게 경쟁의 기회를 제공하여 자신의 능력을 인정받을 수 있는 기회를 제공한다. 무용 콩쿠르는 무용수들이 그들의 기술, 창의성, 표현력을 평가받을 수 있는 경쟁 플랫폼이다. 이러한 경연 대회는 참가자들에게 자신의 능력을 증명하고, 전문적인 경력을 쌓을 수 있는 기회가 주어진다. 무용 콩쿠르는 일반적으로 다양한 연령대와 레벨을 대상으로 하며, 클래식 발레, 현대무용, 민속무용, 스트리트 댄스 등 여러 장르에서 개최된다. 이러한 대회는 무용계의 주요 인물들과 전문가들이 참여하여 심사하며, 우수한 춤과 예술성을 가진 참가자들에게는 상금이나 상장과 같은 장려상이 수여된다.

무용 콩쿠르는 무용 예술의 다양성과 창의성을 증진시키며, 무용 예술의 발전과 보급에 기여한다. 또한, 이러한 대회는 젊은 무용수들에게 무용을 전공하고 진로를 결정하는 데 도움이 되며, 무용계의 새로운 재능을 발굴하는 데도 중요한 역할을 한다. 이와 함께, 무용 콩쿠르는 무용 예술을 사랑하는 관객들에게도 다양한 춤과 예술적 경험을 제공하여 문화적 즐거움을 선사한다.

전 세계적으로 유명한 무용 콩쿠르로는 러시아의 '블라디보스토크 국제발레 콩쿠르', 미국의 '아메리칸 댄스 콩페티션', 프랑스의 '라 로잔 국제발레 콩쿠르' 등이 있다. 무용 콩쿠르는 무용수들에게 장학금, 학교 입학 기회, 전문 무용단과의 계약 기회 등을 제공할 수 있다. 이러한 경쟁을 통해 무용수는 자신의 경력을 발전시킬 수 있는 발판을 마련하며, 국제적인 네트워크를 구축하고 무용계의 발전에 기여할 수 있다.

#무용 학술대회

무용학술대회는 무용 이론, 교육, 역사, 비평, 그리고 관련 분야의 연구를 발표하고 토론하는 학술적 포럼이다. 이러한 대회는 연구자, 교육자, 무용수, 안무가, 그리고 무용 관련 다양한 전문가들이 최신 연구 성과를 공유하고 학문적 네트워크를 확장하는 장을 제공한다.

무용학술대회의 주된 목적은 무용 분야의 학문적 발전을 촉진하고 연구 성과를 교류하는 것이다. 이 대회들은 무용학의 다양한 측면을 조명하며, 이론과 실제가 만나는 접점에서 심도 있는 토론을 가능하게 한다. 또한, 학계와 전문 실무 사이의 다리 역할을 하여 무용 예술의 사회적, 문화적 가치를 향상시키는 데 기여한다.

무용학술대회에서 다루는 주제는 매우 다양하며, 다음과 같은 범주로 나눌 수 있다.

무용 이론: 무용의 철학적, 심리적, 사회학적 측면을 탐구한다.

무용 역사: 다양한 시대 및 문화에 걸친 무용의 역사적 발전을 조명한다.

무용 교육: 무용 교육 방법론, 교육 정책, 그리고 교육 프로그램의 설계와 평가에 관한 연구를 발표한다.

무용 치료: 무용이 인간의 신체적, 정신적 건강에 미치는 영향을 탐구한다.

기술과 무용: 무용 수행 및 창작에 있어서의 기술적 적용과 그 영향을 분석한다.

무용학술대회는 기조 강연, 발표 세션, 워크숍, 토론 패널, 그리고 네트워킹 이벤트로 구성된다. 발표는 구두 발표, 포스터 발표, 혹은 워크숍 형식으로 이루어지며, 참가자들은 자신의 연구를 공유하고 피드백을 받는다.

이러한 대회는 참가자들에게 자신의 연구를 국제적으로 노출시키고, 동료 평가를 받을 수 있는 기회를 제공한다. 또한, 최신 연구 동향을 파악하고, 국내외의 전문가들과 연구 협력 기회를 찾을 수 있다.

#무용과

무용과는 대학이나 예술학교에서 무용 예술의 기술적, 이론적, 창작적 측면을 교육하는 학과이다. 이 학과는 다양한 무용 스타일과 기법을 가르치며, 학생들이 전문 무용수, 안무가, 무용 교육자, 무용 평론가 등 다양한 직업에 종사할 수 있도록 준비시킨다.

무용과의 교육 내용은 기술 훈련: 클래식 발레, 현대무용, 재즈댄스, 민속무용 등 다양한 무용 스타일의 기술을 학습하고, 이론 교육: 무용의 역사, 무용 이론, 무용 비평, 무용학의 다양한 접근법에 대한 지식을 제공한다.

창작과 안무: 안무 기법, 공연 제작, 무대 디자인 등 창작 과정 전반에 대한 교육을 하고, 무용 치료: 신체적, 정신적 건강을 증진하기 위한 무용 치료 방법을 배운다.

현재 무용과의 동향을 살펴보면 다음과 같다.

기술과의 융합: 디지털 기술, 가상 현실(VR), 증강 현실(AR) 등 최신 기술을 무용 교육과 창작에 통합하는 경향이 증가하고 있습니다. 이러한 기술은 공연의 시각적 효과를 향상시키고, 새로운 유형의 무용 작품을 창출하는 데 사용된다.

다문화적 접근: 글로벌화의 영향으로 다양한 문화적 배경을 가진 무용 스타일과 기법이 무용과 교육에 통합되고 있다. 이는 학생들에게 보다 폭넓은 문화적 이해와 다양성을 강조한다.

사회적 이슈의 반영: 사회적, 정치적 이슈를 무용을 통해 표현하고 탐구하는 것이 일반화되고 있습니다. 예를 들어, 인종 차별, 성 평등, 환경 문제 등 현대 사회의 중요한 주제가 무용 작품의 주제로 다루어지고 있다.

건강과 웰빙에 대한 초점: 무용이 신체적, 정신적 건강에 미치는 긍정적인 영향을 인식하면서, 무용 치료 및 웰빙 프로그램이 강조되고 있다.

무용과는 예술과 학문적 연구가 만나는 교차점에서 학생들에게 깊이 있는 교육을 제공하며, 다양한 직업 경로로의 진출을 준비시킨다. 동시에 현재 동향을 반영하여 새로운 기술과 사회적 관심사를 통합함으로써, 무용 예술이 지속적으로 진화하고 새로운 차원을 모색하고 있다.

하지만 한국에서 대학의 무용과가 감소하는 이 현상은 한국뿐 아니라 다른 많은 나라에서도 예술 및 인문학 분야가 직면한 도전과 연결이 되어 있다.

학생 수 감소: 저출산과 인구 감소는 전반적인 학생 수를 줄이고 있으며, 이는 예술과 인문학 분야에 특히 영향을 미치고 있습니다. 무용과 같은 전공은 실용적이고 직업 지향적인 전공에 비해 상대적으로 지원자 수가 적을 수 있다.

취업률과 직업 안정성: 무용 전공자들의 취업률과 경력 안정성이 상대적으로 낮다는 인식이 있다. 이는 학생들과 학부모들이 무용과 같은 전공을 기피하는 원인이 될 수 있다.

대학 재정 압박: 경제적 압박을 받는 대학들은 비용 효율성과 수익성이 낮은 학과를 정리하거나 통폐합하는 경우가 많다. 무용과는 종종 이러한 재정적 선택의 대상이 될 수 있다.

학문적 우선순위의 변화: STEAM (Science, Technology, Engineering, Arts, Mathematics) 교육과 같이, 예술을 포함하되 기술적 및 과학적 요소와 결합하는 교육 모델이 강조됨에 따라, 순수 예술 분야보다는 다학제적 접근이 강조될 수 있다.

이러한 요인들은 한국에서 무용과를 비롯한 여러 예술 관련 학과가 직면한 어려움을 반영한다. 그러나 이와 동시에, 예술 교육의 중요성을 인식하고 이를 강화하기 위한 노력도 계속되고 있다. 예술과 문화의 사회적, 교육적 가치를 재확인하고 예술 교육의 지원을 강화하는 정책이 필요하다. 또한, 대학 및 정부 차원에서 예술 전공자들의 경력 개발과 안정성을 지원하는 프로그램을 개발하는 것도 중요한 과제이다.

#무용교육

무용 교육은 학생들에게 무용의 기술적, 예술적, 문화적 측면을 가르치며 창의력, 신체적 건강, 표현력을 향상시키는 교육 과정이다. 무용 교육은 다양한 연령대와 수준에서 제공되며, 학교 교육과정, 전문 무용학교, 사설 무용 스튜디오, 커뮤니티 센터 등 다양한 환경에서 이루어진다.

무용 교육의 주요 목표는 다음과 같다.

기술 개발: 기본적인 무용 기술에서부터 고급 기술까지 다양한 무용 스타일과 기법을 가르친다.

예술적 표현: 학생들이 자신의 감정과 생각을 무용을 통해 표현할 수 있도록 한다.

문화적 이해: 다양한 무용 스타일과 그것이 나타내는 문화적 배경에 대한 이해를 증진시킨다.

신체 건강과 웰빙: 무용을 통해 신체 활동을 증진시키고 정신적, 신체적 건강을 향상시킨다.

사회적 기술: 협업, 리더십, 상호작용 등 사회적 기술을 개발하고 팀워크를 강조한다.

무용 교육의 구성 요소는 다음과 같다.

기술 수업: 발레, 현대무용, 탭댄스, 민속무용 등 다양한 무용 장르의 기술적 수업을 한다.

안무와 창작: 학생들이 자신만의 무용 작품을 창작하고 안무를 배울 수 있는 기회를 제공한다.

이론 수업: 무용의 역사, 비평, 이론에 대한 교육을 포함하여 학생들의 학문적 이해를 넓힌다.

공연: 정기적인 공연 기회를 통해 무대 경험을 쌓고, 관객 앞에서 자신의 기술을 선보일 수 있다.

무용 평가: 학생들의 기술, 표현력, 창작능력을 평가하는 다양한 방법을 포함한다.

기술과의 통합: 최신 기술을 활용한 교육 방법, 예를 들어 가상 현실을 이

용한 무용 수업이나 온라인 플랫폼을 통한 원격 교육이 점차 확대되고 있다.

다문화 교육: 글로벌화와 다문화 사회의 반영으로 다양한 문화의 무용 스타일을 교육에 포함시키는 경향이 증가하고 있다.

인클루시브 교육: 모든 연령, 능력, 배경을 가진 사람들이 참여할 수 있는 포괄적인 무용 교육 프로그램 개발이 강조되고 있다.

무용 교육은 학생들에게 창의적이고 표현적인 능력을 발달시키는 동시에, 신체적 건강과 사회적 상호작용을 증진시키는 중요한 역할을 한다. 이러한 교육은 학생들이 전체적으로 균형 잡힌 발전을 이룰 수 있게 돕는다.

#무용사

무용사는 인류의 역사와 문화를 통틀어 다양한 무용 형태의 발전과 변화를 탐구하는 학문 분야이다. 무용은 인간의 기본적인 표현 수단 중 하나로서, 각 문화와 시대마다 다양한 사회적, 종교적, 예술적 역할을 수행해왔습니다. 무용사를 이해하는 것은 해당 문화의 가치, 정체성, 그리고 인간 간의 상호작용을 이해하는 데 중요한 열쇠를 제공한다.
원시 및 고대 무용은 주로 종교적 의식, 풍요를 기원하는 의례 등에서 중요한 역할을 했다. 이러한 무용은 자연과 신에 대한 존경과 감사의 표현이었다. 이집트에서는 무덤 벽화에 표현된 대로 종교적 의식 및 왕실 행사에서 무용이 사용되었고 고대 그리스에서는 연극의 일부로서 무용이 포함되었으며, 이는 스토리텔링과 신화 전달의 수단이었다. 중세 유럽은 기독교의 영향으로 무용의 많은 형태가 제한을 받았으나, 민속 무용은 계속해서 번성했다. 르네상스 시대에는 이탈리아와 프랑스의 궁정에서 무용이 예술 형태로 발전했다. 이 시기에는 발레의 초기 형태가 등장하고, 무용이 점차 정교해지고 기술적으로 발전했다. 발레가 더욱 발전하여 프랑스와 러시아에서 중요한 예술 형태로 자리 잡았다 무용은 더 많은 사람들에게 접근 기능해졌으며, 발레 뿐만 아니라 다양한 민속 무용이 유럽 전역에서 인기를 끌었다. 19세기는 발레의 황금기로, '로맨틱 발레'가 유행했다. 대표적으로 "지젤", "백조의 호수"와 같은 작품이 이 시기에 탄생했다. 20세기에 현대무용의 등장으로 이사도라 던컨과 마사 그라함 등이 현대무용의 개척자로 나서며 전통적인 발레와는 다른 새로운 형태의 무용이 등장했다.
현재의 무용은 예술적, 사회적, 치료적 영역에서 다양하게 활용되며, 전통적인 스타일과 현대적인 실험적 형태가 공존한다.
무용 교육과 학술 연구가 보다 체계화되고, 무용의 사회적 영향력이 강조되고 있다. 무용사는 인간의 역사와 문화를 이해하는 데 필수적인 요소로, 각 시대와 문화가 어떻게 서로 다른 방식으로 신체를 통한 표현을 해왔는지를 이해한다. 이는 무용의 발전과 혁신에 중요한 통찰을 제공한다.

#무용수

무용수는 예술적 표현을 몸짓과 움직임을 통해 펼치는 예술가로, 다양한 무용 장르에서 활동할 수 있다.
무용수는 극도의 신체적 능력과 기술을 요구한다. 정확한 발레 테크닉, 현대무용의 자유로운 움직임, 탭 댄스의 리듬감 등 각 장르의 기술을 숙련되게 수행할 수 있어야 한다. 안무가의 창의적 비전을 해석하고, 음악과 상호작용하며 감정과 이야기를 몸짓으로 전달한다. 이는 관객에게 강력한 감정적, 심미적 경험을 제공하는 중요한 역할이다. 무용수의 생활은 꾸준한 연습으로 이루어진다. 무용 기술을 유지하고 향상시키기 위해, 매일 몇 시간씩 연습하는 것이 일반적이다. 건강과 체력 관리: 신체적 요구가 매우 높은 직업이므로, 체력 유지와 부상 방지를 위한 철저한 신체 관리가 필수적이다.
많은 무용수들이 발레단, 현대무용단, 뮤지컬 극단 등 전문 무용단에서 활동도 하고 자유 계약을 통해 프로젝트마다 다른 공연에 참여하는 방식으로 일하기도 한다. 경험을 쌓은 무용수 중 일부는 자신의 작품을 창작하고 다른 무용수들을 지도하는 안무가로 전환하기도 한다.
무용학교, 학원, 대학 등에서 후진을 양성하는 교육자로 활동도 겸하며 무용계는 다양한 배경과 신체 유형을 가진 무용수들을 포용하는 방향으로 발전하고 있다.
기술의 통합으로 디지털 미디어, 가상 현실과 같은 기술이 무용 수행에 통합되면서, 무용수들은 새로운 유형의 공연 환경에 적응해야 하는 경우가 많다.
문화적 교류 또한 전 세계적인 교류가 활발해짐에 따라, 다양한 문화적 영향을 받은 새로운 무용 스타일과 협업이 증가하고 있다.
무용수는 체계적인 훈련과 열정을 바탕으로 예술의 경계를 확장하는 중요한 역할이며, 이는 감동적인 공연을 창출하여 관객에게 제공하는 데 결정적인 역할도 해야 한다.

#무용학

무용학은 무용 예술을 학문적으로 연구하는 분야로, 무용의 역사, 이론, 실습 및 응용을 종합적으로 다룬다. 이 학문은 무용을 단순한 신체 활동이나 예술 형태로 보는 것을 넘어서, 그 문화적, 사회적, 심리적, 교육적 맥락에서 중요하다.

무용학의 주요 연구 영역은 다음과 같다.

무용 기술과 실습: 다양한 무용 스타일과 기법을 실습을 통해 배우며, 신체적 기술과 표현력을 향상시키는 것이다. 발레, 현대무용, 재즈, 민속무용 등 다양한 장르가 포함된다.

무용 이론: 무용의 역사, 철학, 비평과 같은 이론적 접근을 통해 무용 작품을 분석하고, 무용의 사회적 및 문화적 의미를 분석한다.

무용 안무: 창작 과정과 안무 기법을 연구하여 새로운 무용 작품을 만드는 방법을 배운다. 학생들은 자신만의 안무를 창작하고 이를 공연하는 기회를 가질 수 있다.

무용 역사: 다양한 시대와 문화에서의 무용 발전을 과정을 이해하며 이는 고대 그리스의 무용부터 현대 무용에 이르기까지 광범위하다.

무용 치료: 무용이 신체적, 정신적 건강에 미치는 영향을 연구하며, 무용을 치료적 목적으로 활용하는 방법을 개발한다.

무용 교육: 다양한 교육 환경에서 무용 교육 방법론을 개발하고 적용하는 것을 배운다. 이는 학교 교육 프로그램에서부터 전문 무용 학교에 이르기까지 다양하다.

기술과의 통합: 최신 기술, 특히 디지털 미디어와 가상 현실을 무용 교육과 연구에 접목하여 새로운 유형의 무용 경험을 체험하고 있다.

사회적 문제의 반영: 사회적, 정치적 이슈를 무용을 통해 탐구하고, 이러한 주제들을 공연과 연구에 반영한다.

무용학은 무용을 통해 인간의 신체적, 정서적, 사회적 경험을 이해하고, 이를 바탕으로 인간과 사회를 더욱 깊이 있게 탐구하는 학문이다.

#무용의 현실

무용계가 직면한 현실적인 문제들을 해결하기 위해 다양한 접근법이 필요하다. 다음은 각 문제에 대한 해결 방안이다.

정부 지원 확대: 정부는 무용단과 무용가들에게 더 많은 재정 지원을 제공할 필요가 있다. 예술 및 문화 예산을 늘리고, 무용 예술에 대한 지원 프로그램을 확대해야 한다.

후원자 및 스폰서십 유치: 무용단은 기업 후원자와 개인 후원자를 적극적으로 유치하여 재정적 안정성을 확보할 수 있다. 이를 위해 무용단의 활동을 홍보하고, 후원자들에게 명확한 가치를 제공해야 한다.

티켓 판매 전략 개선: 다양한 할인 정책, 패키지 상품, 회원제 등을 도입하여 티켓 판매를 촉진하고, 수익을 극대화할 수 있다.

마케팅 강화: 디지털 마케팅, 소셜 미디어 캠페인, 인플루언서와 협업 등을 통해 무용 공연을 적극적으로 홍보해야 한다. 대중의 관심을 끌기 위한 다양한 콘텐츠를 제작하고 공유할 필요가 있다.

관객 참여 프로그램 개발: 워크숍, 클래스, 무용 체험 프로그램 등을 통해 관객이 직접 무용에 참여할 수 있는 기회를 제공하면 무용에 대한 관심을 높일 수 있다.

무용 교육 확대: 학교 및 지역사회에서 무용 교육 프로그램을 확대하여 더 많은 학생들이 무용을 배울 수 있는 기회를 제공해야 한다.

장학금 및 지원 프로그램 제공: 무용 전공 학생들을 위한 장학금과 지원 프로그램을 통해 경제적 부담을 줄이고, 무용 인재를 양성할 수 있다.

진로 상담 및 취업 지원: 무용 전공 학생들을 위한 진로 상담과 취업 지원 프로그램을 통해 졸업 후의 진로 불안을 해소할 수 있다.

건강 관리 프로그램 도입: 무용단은 정기적인 건강 검진, 물리치료, 심리상담 등의 건강 관리 프로그램을 도입하여 무용가의 건강을 보호할 필요가 있다.

부상 예방 교육: 부상을 예방하기 위한 올바른 연습 방법과 스트레칭, 근력 강화 운동 등을 교육하여 부상 위험을 줄일 수 있다.

정규직 채용 확대: 무용단은 가능한 한 많은 무용가를 정규직으로 채용하여 직업 안정성을 제공할 필요가 있다.
다양한 경력 개발 기회 제공: 무용가들이 무용 외에도 다양한 분야에서 경력을 개발할 수 있도록 교육 및 훈련 프로그램을 제공해야 한다.
문화 캠페인 전개: 무용의 예술적 가치를 널리 알리기 위한 문화 캠페인을 전개하여 대중의 인식을 개선할 필요가 있다.
미디어와의 협력 강화: TV, 라디오, 신문, 온라인 매체 등을 통해 무용에 대한 홍보를 강화하고, 무용 예술의 가치를 널리 알릴 수 있다.
디지털 플랫폼 활용: 온라인 스트리밍 서비스, 소셜 미디어 라이브 방송 등을 통해 더 넓은 관객층에 접근할 수 있도록 디지털 플랫폼을 적극적으로 활용해야 한다.
기술 투자 확대: VR, AR 등 새로운 기술을 활용한 공연 기획을 위해 필요한 투자를 확대하고, 이를 통해 관객들에게 새로운 경험을 제공할 수 있다.
기술 교육 및 훈련: 무용단과 무용가들이 새로운 기술에 적응할 수 있도록 기술 교육 및 훈련 프로그램을 제공해야 한다.
이러한 해결 방안을 통해 무용계는 현재의 문제들을 극복하고, 더 많은 사람들이 무용 예술을 즐기고 참여할 수 있는 환경을 조성할 수 있을 것이다

#문화적 이야기의 재해석

문화적 이야기의 재해석은 무용을 통해 고유한 방식으로 이루어질 수 있다. 무용은 역사적 사건, 전통적 이야기, 신화 등을 무대 위에서 새롭게 표현하고, 현대적 관점이나 새로운 문화적 맥락을 추가함으로써 관객에게 다른 시각을 제공하는 매체이다. 이런 과정을 통해 무용은 문화적 유산을 보존하고, 그 의미를 현대적으로 확장시키는 역할을 한다.

발레 "백조의 호수"의 현대적 재해석: 전통적인 발레 작품인 "백조의 호수"는 여러 안무가와 무용단에 의해 다양하게 재해석되어 왔다. 예를 들어, 매튜 본의 "Swan Lake"에서는 모든 백조 역할을 남성 무용수가 맡아 성 역할에 대한 기존 관념을 전복하고, 성 정체성과 사랑에 대한 현대적인 해석을 한다.

민속무용의 현대적 통합: 전 세계 많은 무용단들이 자국의 민속무용을 현대무용과 결합하여 새로운 작품을 창작하고 있다. 이런 작품들은 전통적인 무용 동작에 현대 무용의 자유로운 해석을 더해 전통과 현대가 어우러진 새로운 스타일을 만들어낸다.

신화와 역사적 이야기의 무대화: 고대 그리스 신화나 역사적 사건을 현대무용으로 재해석함으로써, 고전적 주제를 현대 관객이 공감할 수 있는 형태로 변환한다. 이런 과정에서, 무용은 시대를 초월한 주제들, 권력, 배신, 사랑을 탐구하고, 이를 현대적 감성으로 재조명한다.

재해석의 중요성으로는 문화적 대화 촉진: 재해석을 통해 무용은 다양한 문화적 배경을 가진 관객들과의 대화를 촉진하며, 서로 다른 문화 간의 이해와 교류를 증진시킨다. 사회적 메시지 전달: 현대 사회의 다양한 이슈를 무용을 통해 표현함으로써, 무용이 단순한 예술 활동을 넘어 사회적 메시지를 전달하는 플랫폼이 된다.

#문화적 적절성과 착취

무용을 통해 다른 문화의 움직임과 스타일을 차용할 때 문화적 적절성과 착취는 중요한 고려사항이다. 문화적 착취는 한 문화가 다른 문화의 요소를 무분별하게 사용해 자신의 이익을 위해 활용하는 행위를 말하며, 이는 해당 문화의 깊은 의미나 맥락을 무시하고, 종종 스테레오타입을 강화하는 결과를 낳는다. 반면, 문화적 적절성은 다른 문화의 요소를 존중하고 이해하면서 차용하는 접근 방식을 강조한다.

문화적 차용의 윤리적 접근을 살펴보면 다음과 같다.

연구와 이해: 무용수와 안무가는 차용하려는 문화의 역사, 의미, 그리고 무용의 사회적 맥락을 깊이 있게 연구해야 한다. 이를 통해, 그 문화에 대한 깊은 존중과 이해를 바탕으로 차용할 수 있다.

공동 창작과 협력: 차용하고자 하는 문화의 원주민이나 대표자와 협력해 작품을 만드는 것이 중요하다. 이 과정에서 그들의 목소리와 시각이 공연에 반영되어야 하며, 창작 과정에서 진정한 파트너십을 형성해야 한다.

책임과 목적의 명확성: 차용의 목적이 예술적 호기심이나 상업적 이득을 넘어서, 해당 문화에 대한 긍정적인 인식을 높이고, 교육적 가치를 제공하는 데에 있어야 한다. 무용수와 안무가는 자신의 작품이 그 문화에 어떤 영향을 미칠지, 어떤 메시지를 전달하는지 명확히 인식해야 한다.

적절한 대가 지불과 인정: 문화적 요소를 차용할 때, 그 문화의 원주민이나 대표자에게 적절한 대가를 지불하고, 공연이나 작품에서 그들의 기여를 명확히 인정해야 한다.

반응과 피드백 수용: 작품이 공개된 후에는 해당 문화 커뮤니티의 반응을 경청하고, 필요한 경우 수정하거나 사과하는 등 적극적으로 피드백을 수용해야 한다. 이러한 접근 방식은 무용수와 안무가들이 다른 문화의 무용 요소를 존중하면서 창의적으로 활용할 수 있는 기반을 마련해 준다.

#미니멀리즘

미니멀리즘은 20세기 중반에 등장한 예술과 음악, 무용에서 볼 수 있는 운동으로, 간결하고 기본적인 형태와 요소를 강조하는 것이 특징이다. 미니멀리즘 무용은 복잡성과 장식을 배제하고, 움직임의 기본적인 형태와 반복, 간결한 구조를 통해 관객의 경험을 극대화하려는 목적을 가지고 있다.

미니멀리즘 무용의 특징은 다음과 같다.

단순성과 반복: 미니멀리즘 무용은 종종 매우 단순하고 반복적인 움직임을 사용해 시각적 및 감정적 효과를 증폭시킨다. 이러한 반복은 명상적이거나 최면적인 효과를 낼 수 있으며, 관객이 움직임 자체에 더 깊이 몰입하도록 한다.

시간과 공간의 탐구: 이 운동은 시간과 공간에 대한 탐구에 중점을 둔다. 무용수들은 공간을 차지하고 이동하는 방식을 통해 시청자가 시간의 흐름을 인식하도록 한다. 이러한 접근은 종종 느리고 계획적인 움직임으로 특징지어진다.

추상성: 미니멀리즘 무용은 종종 구체적인 이야기나 감정을 직접적으로 표현하기보다는 추상적인 개념을 탐구한다. 이는 관객이 자신만의 해석을 할 수 있는 여지를 제공한다.

제한된 소재와 동작: 안무에서는 간단하고 제한된 수의 움직임이나 소품을 사용해 핵심 아이디어나 감정에 집중할 수 있다. 이러한 절제는 무용의 의미를 더욱 강렬하게 전달할 수 있게 한다.

미니멀리즘 무용은 복잡함과 장식을 거부하고, 무용의 기본적인 요소에 집중함으로써 예술의 본질적인 부분을 탐구한다. 이러한 접근은 관객이 무용을 경험하는 방식을 근본적으로 변화시키며, 더 넓은 예술적 맥락에서 강력한 표현력을 가진 형태로 자리 잡았다.

#미술속의 춤

미술과 춤은 각각 독특한 예술 형태지만, 두 매체가 교차할 때 강력한 시각적 및 감정적 표현이 탄생한다. 미술 속의 춤은 주로 회화, 조각, 사진 등에서 볼 수 있으며, 이러한 작품들은 움직임, 리듬, 그리고 순간의 아름다움을 포착하여 보는 이로 하여금 춤추는 순간을 체험하게 한다.

회화에서의 춤: 미술 속에서 춤을 표현하는 회화는 동적인 움직임과 강렬한 감정을 캔버스에 담는다. 예를 들어, 에드거 드가의 작품들에서 볼 수 있는 발레 무용수들은 그의 정교한 브러시 워크와 섬세한 색감을 통해 무대 위의 우아함과 순간의 긴장감을 생생하게 전달한다. 드가는 빛과 그림자를 활용하여 무용수의 자세와 움직임을 강조함으로써, 보는 이가 거의 음악을 들을 수 있을 것 같은 느낌을 받게 한다.

조각에서의 춤: 조각을 통해 춤은 공간 속에서 삼차원적으로 재현된다. 예를 들어, 장 뱅상 드 필로의 '춤' 조각은 동적인 포즈와 흐르는 듯한 선을 사용하여 춤추는 인물들의 움직임을 시간을 초월해 포착한다. 이러한 조각은 관람객에게 둘러싸여 다양한 각도에서 작품을 경험하게 하며, 마치 춤추는 순간 속으로 끌어들이는 듯한 효과를 준다.

사진에서의 춤: 사진은 춤의 순간적인 아름다움을 영원히 고정시키는 매체다. 사진가들은 종종 결정적인 순간을 포착하여 무용수의 에너지와 감정을 담아낸다. 이러한 사진들은 동작의 속도와 리듬을 시각적으로 전달하며, 종종 무용수의 표정에서 느껴지는 강렬한 감정의 전달력을 높인다.

미술 속의 춤은 단순히 아름다운 동작을 넘어서서 인간의 감정과 정신을 탐구하는 수단이 된다. 예술가들은 이를 통해 인간의 몸이 표현할 수 있는 리듬과 조화, 감정의 폭을 탐색하고, 이를 통해 관객에게 강력한 감정적 공감과 시각적 경험을 제공한다.

#미시적과 거시적

무용을 미시적과 거시적 관점에서 내면적인 예술개념으로 설명하면, 이는 개인의 깊은 자아 탐색과 사회적, 문화적 맥락에서의 예술적 표현을 포괄한다. 무용은 단순한 신체 활동을 넘어서서, 내면의 감정과 사상을 형상화하고, 광범위한 사회적 및 문화적 이슈와 대화하는 매개체로 작용한다.

미시적 관점에서 무용은 개인의 내면 세계를 탐구하고 표현하는 매우 개인적인 예술 형태다. 여기서 주요 포인트는 다음과 같다.

자아표현 수단으로 무용수는 자신의 신체를 사용하여 개인적 경험, 감정, 생각을 표현한다. 이는 관객에게 개인의 내면을 직접적으로 보여주는 창이다. 감정의 이동 경로로 무용은 감정을 신체적 움직임으로 변환하는 과정을 포함한다. 이를 통해 무용수는 기쁨, 슬픔, 분노 등 복잡한 감정들을 무대 위에서 재현하고 관객과 공유한다. 몸은 말로 표현할 수 없는 내용을 전달할 수 있는 몸의 언어로써 강력한 수단이다. 무용을 통해 무용수는 자신의 몸을 사용하여 깊은 개인적 메시지를 전달할 수 있다.

거시적 관점에서 무용은 사회적, 문화적 맥락에서 의미와 메시지를 전달하는 수단이다. 이 관점에서 중요한 요소는 다음과 같다.

무용은 문화적 전통을 보존하고 전달하는 역할을 한다. 동시에, 새로운 문화적 혁신을 통해 끊임없이 변화하고 발전한다.

무용은 사회적 이슈나 메시지를 효과적으로 전달할 수 있는 매체이다. 예를 들어, 사회적 불의, 정치적 이슈, 환경 문제 등을 무대에서 다루어 관객에게 강력한 영향을 줄 수 있다. 공연은 집단적인 경험을 제공하며, 이를 통해 사회적 유대감과 공동체 의식을 강화한다. 무용 공연을 통해 사람들은 공통의 문화적 경험을 공유하며 서로 연결될 수 있다.

무용이라는 예술 형태는 이렇게 개인의 내면적 감정과 사회적, 문화적 맥락 사이의 다리 역할을 하면서, 심오하고 다층적인 예술적 경험을 제공한다. 미시적으로는 개인의 깊은 감정과 사상을 탐구하며, 거시적으로는 더 넓은 사회와 문화에 대한 반성과 대화를 이끌어 낸다.

#미하일 바리시니코프

미하일 바리시니코프는 20세기 후반 가장 유명한 발레 무용수 중 한 명으로, 놀라운 기술과 표현력, 그리고 현대무용에 대한 기여로 널리 알려져 있다. 그는 발레뿐만 아니라 다양한 예술 형태에 참여하며 문화계에 큰 영향을 미쳤다. 1948년 1월 27일 라트비아의 리가에서 태어난 바리시니코프는 레닌그라드 발레학교(현재의 바가노바 발레 아카데미)에서 공부하며 뛰어난 재능을 보였다. 1967년 키로프 발레단(현재의 마린스키 발레단)에 입단해 주요 솔리스트로 활동하기 시작했다. 1974년 캐나다 투어 중 소련을 탈출하여 서방으로 망명을 요청했고, 이후 미국 시민권을 획득했다. 미국에서는 아메리칸 발레 시어터(ABT)와 뉴욕 시티 발레에서 활동하며 서구 발레 커뮤니티에서 큰 명성을 얻었다.
그는 뛰어난 점프와 회전 기술로 유명했다. 무대 위 움직임은 매우 정밀하고 힘이 넘쳤으며, 그의 공연은 항상 기술적으로 완벽에 가까웠다. 발레뿐만 아니라 현대무용에도 깊은 관심을 가진 그는 트위라 소프와 같은 현대무용 안무가들과 협력했다. 이러한 다양한 스타일의 춤에 대한 그의 접근은 무용계에 새로운 활력을 불어넣었고, 발레와 현대무용의 경계를 허물었다. 아메리칸 발레 시어터의 예술 감독을 역임하며, 발레단의 레퍼토리 확장과 새로운 작품 창출에 중요한 역할을 했다. 그의 지도 하에 ABT는 세계적인 발레단으로서의 위상을 공고히 했고 무용 외에도 영화, TV, 그리고 다른 예술 형태에서도 활동하며 넓은 범위의 문화적 영향력을 미쳤다. 그는 "화이트나이츠", "더 터닝 포인트" 등 여러 영화에 출연하며 더 많은 대중에게 발레를 알리는 데 기여했다. 현재 바리시니코프는 여전히 예술 활동에 적극적으로 참여하고 있으며, 바리시니코프 아트센터를 통해 젊은 예술가들을 지원하고 다양한 문화 프로그램을 제공하고 있다. 그의 예술에 대한 헌신과 다양한 장르에서의 활동은 그를 현대 무용과 발레의 상징적 인물로 남게 했다.

#민속무용

민속무용은 특정 지역이나 민족의 전통적인 문화, 역사, 그리고 사회적 관습이 반영된 춤으로, 그 지역의 사람들에 의해 세대에서 세대로 전해지며 발전해 온 무용이다. 이러한 무용은 각 지역의 특색과 전통을 나타내며, 종종 축제, 의례, 기념행사 등의 사회적 행사에서 수행된다.
주요 특징으로는 문화적 전승 차원으로 민속무용은 특정 문화 또는 민족의 정체성을 반영하고 보존하는 역할을 한다. 이 춤은 공동체의 역사적 경험, 신념 체계, 가치관을 상징적으로 표현하며, 세대 간에 이러한 문화적 유산을 전달하는 수단으로 기능하다.
지역적 특색을 가지고 있으며 각 민속무용은 그것이 발생한 지역의 환경, 생활 방식, 사회적 구조에 따라 독특한 스타일과 형태를 갖는다. 이는 의상, 음악, 그리고 춤 동작에서도 잘 드러난다. 또한 많은 민속무용은 전통적인 의례와 축제의 일부로 수행된다. 예를 들어, 결혼식, 수확 축제, 종교적 행사 등에서 중요한 역할을 하며, 이러한 축제는 공동체의 일원으로서의 일체감을 강화하고 사회적 결속을 촉진한다. 민속무용은 고유의 동작과 리듬을 지니며, 이는 그 지역의 음악적 전통과 긴밀하게 연결된다. 종종 이러한 춤은 특정한 악기 사용과 노래를 포함하며, 전통적인 의상을 착용하고 수행된다.
민속무용은 단순한 엔터테인먼트를 넘어서 그 지역의 문화적 자산을 보존하고, 공동체 구성원들 사이의 사회적 유대와 정체성을 강화하는 중요한 역할을 한다. 현대에 이르러서도 많은 민속무용이 현대적 요소와 결합되어 새롭게 해석되고 있지만, 그 기본적인 특성과 전통적 가치는 여전히 유지되고 있다.
민속무용은 전 세계적으로 다양한 형태로 존재하며, 각 문화마다 독특한 전통 무용을 가지고 있다. 여기 몇 가지 대표적인 민속무용의 예를 들어보자.
플라멩코 (Flamenco) - 스페인: 플라멩코는 스페인 안달루시아 지방에서 발전한 무용으로, 강렬한 감정 표현과 복잡한 발 동작, 손놀림이 특징이다.

이 춤은 기타 연주, 손뼉, 발 구르기 등의 리듬과 함께 수행되며, 스페인 문화의 대표적인 상징 중 하나다.
카잘리 (Kathakali) - 인도: 카잘리는 남인도의 케랄라 주에서 유래한 고전적인 무용극 형태다. 이 춤은 화려한 의상, 세밀한 메이크업, 그리고 과장된 표정과 손짓으로 유명하다. 카잘리는 주로 힌두교의 전설과 신화를 바탕으로 한 이야기를 연기하며, 각 캐릭터의 성격과 감정을 풍부하게 표현한다.
사모아 (Siva Samoa) - 사모아: 사모아의 전통 무용인 '사모아'는 사모아 문화에서 중요한 역할을 한다. 이 춤은 손, 팔, 상체의 우아한 움직임을 강조하며, 전통적인 축제나 의식에서 자주 공연된다.
칸카누 (Călușari) - 루마니아: 칸카누는 루마니아의 전통적인 남성 무용으로, 동적이고 활력 넘치는 점프와 발동작이 특징이다. 이 춤은 원래 봄의 도래를 축하하고 악령을 쫓는 의미를 가지고 있으며, 매우 역동적인 공연으로 유명하다.
아이리시 댄스 (Irish Dance) - 아일랜드: 아일랜드의 전통 무용으로, 발과 다리의 빠른 움직임이 돋보이며 상체는 상대적으로 정지된 상태로 유지된다. 아일이시 댄스는 솔로 댄스와 그룹 댄스 모두에서 인기가 있으며, 리버 댄스와 같은 현대적 공연으로도 발전했다.
이러한 민속무용은 각국의 문화와 역사를 반영하는 중요한 예술 형태로, 전통적인 축제와 의례에 중요한 역할을 하며, 각 문화의 독특한 정체성을 유지하는 데 기여한다.

#바디 랭귀지

바디 랭귀지, 즉 몸짓 언어는 비언어적 커뮤니케이션의 핵심 요소로서, 감정, 태도, 또는 상황을 표현하는 데 사용된다. 무용은 이러한 몸짓 언어를 예술적 형태로 승화시켜 감정과 이야기를 전달하는 매체로 활용한다.

표정과 감정의 전달: 무용수는 얼굴 표정을 통해 다양한 감정을 표현한다. 무용 작품에서 이러한 표정은 관객에게 작품의 감정적 상태를 전달하고, 스토리의 맥락을 이해시키는 중요한 요소다.

제스처와 상징: 무용에서의 동작과 자세는 특정 메시지나 상징을 전달하는 데 사용된다. 예를 들어, 손을 들어 올리는 동작은 자유나 승리를 상징할 수 있으며, 몸을 웅크리는 동작은 보호나 슬픔을 나타낼 수 있다.

공간적 관계와 소통: 무용수들은 공간을 사용하여 관계와 이야기의 흐름을 만들어 낸다. 무용수 간의 거리와 위치는 그들 사이의 관계성, 갈등, 혹은 조화를 시각적으로 표현한다.

동적 퀄리티: 움직임의 속도와 강도는 감정의 강도를 반영한다. 빠르고 격렬한 움직임은 강한 감정이나 긴박한 상황을, 느리고 부드러운 움직임은 평화롭고 차분한 감정을 표현할 수 있다.

무용과 바디 랭귀지의 상호 작용은 무용에서 몸짓 언어의 사용은 단순히 예술적 표현을 넘어서, 관객과의 깊은 감정적 교류를 가능하게 한다. 무용수는 자신의 몸을 사용하여 이야기를 들려주고, 감정을 전달하며, 관객이 공연을 통해 자신의 감정을 반영하고 탐색하도록 한다. 이는 무용이 단순한 엔터테인먼트를 넘어서 강력한 커뮤니케이션 도구로 작용하게 만든다.

이처럼, 바디 랭귀지는 무용에서 중요한 역할을 하며, 무용수의 기술과 표현력이 관객의 이해와 감동을 극대화하는 데 결정적인 역할을 한다.

#바디 컨디셔닝

바디 컨디셔닝은 무용수의 체력, 유연성, 근력을 향상시키고 부상을 예방하기 위해 신체의 다양한 부분을 훈련시키는 과정을 말한다. 이는 무용수가 고도의 기술을 안전하고 효과적으로 수행할 수 있게 하는 데 중요한 역할을 한다. 바디 컨디셔닝의 필요성은 다음과 같다.

강화된 체력: 무용은 매우 신체적으로 요구가 많은 활동이다. 높은 체력은 무용수가 긴 연습과 공연을 견딜 수 있게 해주며, 피로로 인한 부상 위험을 줄인다.

유연성 향상: 유연성은 무용에서 필수적이고 무용수가 더 넓은 움직임의 범위를 달성하게 해주며, 더 복잡하고 기술적인 동작을 가능하게 한다.

근력 개발: 특정 근육 그룹의 강화는 무용 동작의 정확성과 효과를 높이며, 점프 높이와 같은 동작의 힘을 증가시킨다. 또한, 강한 근육은 관절을 보호하여 부상 위험을 감소시킨다.

바디 컨디셔닝 프로그램으로는 다음과 같다.

필라테스: 필라테스는 중심 근육을 강화하고 전체적인 근력 및 유연성을 향상시키는데 도움을 준다. 이는 무용수의 자세를 향상시키고, 더 안정적인 움직임을 가능하게 한다.

요가: 요가는 유연성과 근력을 동시에 증진시킬 수 있는 훌륭한 방법이다. 다양한 자세는 균형 감각을 개선하고, 신체의 각성 인식을 높인다.

스트렝스 트레이닝: 무게를 들어 올리는 운동은 근육을 강화하고, 무용수가 더 많은 에너지와 힘을 발휘할 수 있도록 돕는다.

카디오 트레이닝: 심장 운동은 체력을 높이고 지구력을 개선한다. 이는 긴 무용 공연 동안 무용수가 지치지 않고 활동할 수 있게 한다.

적절한 바디 컨디셔닝은 효과는 무용수가 더 나은 성능을 발휘할 수 있게 하며, 동시에 과도한 스트레스와 부상으로부터 몸을 보호한다. 이는 무용수가 더 오랜 기간 동안 무용 활동을 지속할 수 있게 하고, 경력을 연장하는 데 기여한다. 전반적으로, 바디 컨디셔닝은 무용수가 기술적으로 뛰어나고 예술적으로 표현력 있는 무용을 할 수 있는 기반을 마련한다.

#바로크 댄스

바로크 댄스는 17세기와 18세기 유럽, 특히 프랑스에서 유행했던 댄스 형태로, 이 시대의 문화, 예술, 음악과 밀접하게 연결되어 있었다. 이 무용 형태는 왕실과 귀족 사회의 중요한 사교 및 예술적 활동으로 자리 잡았으며, 정교함과 세련됨을 상징했다. 다음과 같은 특징을 있다.

형식과 정교함: 바로크 댄스는 매우 형식적이며 규칙에 얽매인 스타일을 지녔다. 댄스의 각 동작은 상징적이며 당시의 사회적 계급과 예절을 반영했다.

음악과의 연계: 이 댄스는 종종 바로크 시대의 음악과 함께 수행되었으며, 작곡가들은 특정 댄스를 위해 음악을 작곡하기도 했다. 대표적인 예로 장-바티스트 륄(Baptiste Lully)와 조르주 프리데리크 헨델(George Frideric Handel)의 작품들이 있다.

복잡한 발동작과 우아한 손동작: 비로크 댄스는 복잡한 발동작과 우아한 손동작을 특징으로 한다. 이는 댄서들이 정교하게 계획된 패턴 내에서 뛰어난 기술과 우아함을 보여줘야 했음을 의미한다.

미뉴엣Minuet): 미뉴엣는 3/4박의 우아한 리듬을 가진 댄스로, 17세기와 18세기에 걸쳐 귀족 사회에서 매우 인기 있었다. 이 댄스는 개인의 우아함과 기품을 보여줄 기회를 제공했다.

사라방드(Sarabande): 느린 3/4박의 댄스로, 스페인 기원의 댄스이며 바로크 시대에 널리 퍼졌다. 이 댄스는 감정적이고 표현적인 움직임이 특징이다.

지그(Gigue): 빠르고 활기찬 6/8박 댄스로, 영국과 아일랜드에서 유래했다고 알려져 있다. 지그는 기술적으로 도전적이며 활력이 넘친다.

바로크 댄스는 당시의 사회적 예절과 계층 구조를 보여주는 중요한 매체였다. 귀족들은 이러한 댄스를 통해 자신의 사회적 지위와 정치적 영향력을 과시할 수 있었다. 또한, 왕실 행사나 궁정 축제에서는 바로크 댄스가 중요한 역할을 하며, 사회적 연결고리를 형성하는 데 기여했다.

#발레

발레의 역사는 르네상스 시대의 이탈리아에서 시작해 프랑스로 전파되며 발전한 고전적인 무용 형태이다. 역사적인 흐름에 따라 주요 인물들을 포함하여 발레의 발전을 구체적으로 살펴본다.
발레는 15세기 이탈리아 궁정에서 시작되었고, 16세기에 프랑스로 전해졌다. 가장 초기의 발레 형태인 발레 드 쿠르는 프랑스 국왕 루이 14세의 후원으로 크게 발전했다. 루이 14세는 발레 애호가이자 뛰어난 무용수로서, 자신의 권력과 위엄을 과시하기 위해 발레를 사용했다. 1661년에 파리 오페라 발레 학교를 설립하여 발레 교육의 체계화를 이루었다.
18세기에는 발레가 예술적 형태로서 더욱 세련되고 기술적으로 발전했다. 이 시기에 장조르주 노베르가 중요한 인물로 등장한다. 그는 발레의 테크닉을 체계화하고 스토리텔링을 강조하는 안무를 만들어 발레를 한 단계 발전시켰다. 발레 슬리퍼와 튀튀의 초기 형태가 등장하며, 발레가 더욱 극적인 예술로 발전하기 시작했다.
낭만주의 발레는 19세기낭만주의 시대는 발레에 큰 변화를 가져왔다. 이 시기에는 마리 탈리오니 같은 발레리나들이 스타로 떠올랐고, 여성 무용수가 중심이 되는 작품들이 인기를 끌었다. 대표작으로는 "지젤", "라 실피드" 등이 있으며, 이 시기 발레는 스토리가 강조되고 초자연적 요소가 포함되었다. 발레 튀튀와 포인트슈즈의 사용이 일반화되었다.
현대 발레의 등장 20세기에 들어서면서 발레는 더욱 다양한 스타일과 형태로 발전했다. 미하일 폴고니예프와 조지 발란신 같은 인물들이 등장하며, 발레에 현대적 요소를 도입했다. 발란신은 뉴욕 시티 발레를 설립하고 "아폴론 무제트"와 같은 작품으로 현대 발레의 기초를 마련했다. 마사 그라함과 머스 커닝엄과 같은 현대 무용의 선구자들도 발레의 영향을 받아 자신만의 독특한 스타일을 창조했다.
글로벌 발레 현대에 이르러서는 전 세계적으로 발레가 보급되며 다양한 문화적 영향을 받고 있다. 발레는 전통적인 경계를 넘어서 현대 무용, 민족 무용 등과도 결합되며 새로운 형태의 예술을 창조하고 있다. 발레는 여전히 전 세계의 많은 이들에게 사랑받는 예술 형태로 자리매김하고 있다.

발레의 역사는 각 시대의 문화적, 사회적 배경과 긴밀하게 연관되어 있으며, 각 시대의 중요 인물들이 발레의 발전에 크게 기여하였다.

프랑스 왕 루이 14세는 발레의 발전에 결정적인 역할을 한 인물이다. 그는 발레를 사랑했으며 직접 무대에 오르기도 했다. 그의 후원으로 1661년에 파리 오페라 발레 학교가 설립되었고, 이 학교는 발레 교육의 표준을 정립하는 데 중요한 역할을 했다.

18세기에 활동한 장 조르주 노베르: 는 발레의 기술과 형태를 체계화한 인물로, 많은 클래식 발레 기법의 근간을 마련했다. 그의 작품은 발레가 단순한 궁정 무용에서 예술적 표현의 수단으로 발전하는 데 기여했다.

마리 탈리오니는 19세기 낭만주의 발레의 대표적 인물로, 포인트슈즈를 사용하여 발레의 기술적 범위를 확장했다. 그녀의 연기와 기술은 발레가 예술적으로 깊이와 복잡성을 갖추도록 만드는 데 중요한 역할을 했다.

20세기 초 러시아의 세르게이 디아길레프는 발레 뤼스를 창단하고 현대 발레의 혁신적인 작품들을 제작했다. 그의 혁신적인 접근은 발레에 현대 예술의 요소를 도입하고, 다양한 예술가들과의 협업을 통해 발레의 경계를 확장시켰다. 조지 발란신은 현대 발레의 아버지라 불리며, 기술적으로 정밀하고 속도감 있는 안무로 유명하다. 그는 뉴욕 시티 발레를 설립하고, 발레 교육 및 안무에 현대적인 접근을 도입하여 발레의 발전에 크게 기여했다.

이 인물들 각각은 발레의 역사에서 독특하고 혁신적인 방식으로 그들의 흔적을 남겼으며, 각자의 시대에 발레가 더욱 풍부하고 다양한 예술 형태로 성장하도록 도왔다.

#발레 마스터

발레 마스터는 발레 회사에서 중요한 역할을 수행하는 직책으로, 발레단의 일상적인 운영, 연습, 퍼포먼스 준비를 감독하며, 발레단의 예술적 수준을 유지하고 향상시키는 데 기여한다. 발레 마스터의 역할은 아티스틱 디렉터와 함께 단체의 예술적 비전을 실현하는 데 다음과 같은 중요한 역할을 한다.

연습 지도: 발레 마스터는 발레단의 일일 연습을 감독하고 지도한다. 이는 무용수들의 기술을 개선하고, 공연 준비를 위한 안무를 가다듬는 일을 포함한다.

안무 전달: 새로운 작품이나 기존의 레퍼토리를 무용수들에게 전달하는 중요한 역할을 한다. 이는 안무가의 비전을 정확히 이해하고 무용수들에게 전달하는 과정을 포함한다.

공연 감독: 공연 도중 발레 마스터는 무대 뒤에서 공연이 원활하게 진행되도록 감독한다. 공연의 품질을 유지하고, 필요한 조정을 신속하게 처리하는 역할을 한다.

무용수 평가 및 피드백: 발레 마스터는 무용수들의 성장과 발전을 지원하기 위해 정기적으로 평가하고 개인적인 피드백을 제공한다.

예술적 협력: 발레 마스터는 안무가, 아티스틱 디렉터, 음악 감독 등 다른 예술가들과 협력하여 공연의 예술적 통합성을 보장한다.

발레 마스터는 발레단의 예술적 품질과 일관성을 유지하는 데 결정적인 역할을 한다. 그들의 지도 하에 무용수들은 기술적, 예술적 성장을 이루며, 발레단 전체의 공연 수준이 향상된다. 발레 마스터의 전문성과 리더십은 발레단이 예술적 목표를 달성하는 데 필수적이다.

많은 발레 마스터들은 성공적인 무용수 경력을 쌓은 후 이 직책을 맡는다. 이러한 경험은 그들이 무용수의 도전과 필요를 이해하고, 공연의 기술적 및 예술적 측면을 효과적으로 발레단의 성취에 중요한 기여를 한다.

#발레 미스트레스

발레 미스트레스는 발레 회사에서 중요한 역할을 맡는 직책으로, 주로 발레 마스터와 비슷한 업무를 수행하며, 특히 여성 무용수들의 훈련과 지도에 중점을 둔다. 발레 미스트레스는 무용수들의 기술적 발전을 돕고, 공연 준비를 감독하며, 레퍼토리의 안무를 가다듬는 역할을 한다.

일일 연습 감독: 발레 미스트레스는 여성 무용수들을 위한 일일 연습을 계획하고 지도한다. 이를 통해 무용수들의 기술을 지속적으로 향상시키고, 공연에 필요한 준비를 할 수 있게 한다.

안무 지도 및 전달: 새로운 공연이나 기존 공연의 레퍼토리에 대해 정확하게 안무를 전달하고, 안무가의 비전을 이해하며 무용수들에게 전달하는 역할을 수행한다.

공연 감독: 공연 중 발레 미스트레스는 무대 뒤에서 공연이 원활하게 진행되도록 감독한다. 공연의 품질을 유지하고, 필요한 조정을 신속하게 처리하는 역할을 한다.

무용수 평가 및 피드백: 발레 미스트레스는 무용수들의 기술과 발전을 평가하고 개인적인 피드백을 제공하여 그들의 성장을 지원한다.

예술적 협력: 발레 미스트레스는 안무가, 발레 마스터, 음악 감독 등 다른 예술가들과 협력하여 공연의 예술적 통합성을 보장한다.

발레 미스트레스는 발레단의 예술적 품질과 일관성을 유지하는 데 중요한 역할을 하며, 특히 여성 무용수들의 기술과 예술성을 끌어올리는 데 중점을 둔다. 그들의 전문성과 리더십은 발레단이 예술적 목표를 달성하는 데 필수적이다.

#발레뤼스

발레뤼스(Ballets Russes)는 20세기 초반에 활동했던 러시아 발레단으로써, 예술적 혁신과 발레의 현대화를 주도하며 큰 영향을 끼친 중심세력이다. 1909년 세르게이 디아길레프에 의해 설립되었으며, 파리를 중심으로 활동했다.

예술적 혁신: 발레뤼스는 발레, 음악, 미술의 경계를 허물며 혁신적인 공연을 선보였다. 디아길레프는 발레 안무가, 작곡가, 화가 등 여러 분야의 예술가들을 모아 공연마다 독창적이고 실험적인 작업을 추구했다.

예술가들과의 협력: 이그나티우스 파딘스키, 미하일 파블로프 같은 발레 안무가들과 더불어 이고르 스트라빈스키, 세르게이 프로코피예프 같은 작곡가들, 피카소와 마티스 같은 시각 예술가들이 참여했다. 이들은 발레뤼스의 공연을 통해 각자의 재능을 발휘하며 혁신적인 작품을 만들었다.

영향력 있는 작품들: 발레뤼스는 "봄의 제전", "파리의 신", "잠자는 숲속의 미녀"와 같은 작품을 통해 세계적인 명성을 얻었다. 특히 "봄의 제전"은 발레 역사상 가장 파격적인 작품으로 평가받으며 클래식 발레의 전통적 형식을 깨뜨렸다.

국제적 영향: 발레뤼스는 프랑스, 영국, 미국 등 여러 국가에서 공연을 하며 전 세계에 현대 발레의 새로운 가능성을 전파했다. 이들의 활동은 많은 국가의 발레 예술 발전에 큰 영향을 끼쳤다.

발레뤼스는 발레 예술에 대한 현대적 접근을 도입하고 여러 예술 장르의 융합을 시도함으로써 발레 역사에 지울 수 없는 획을 그은 그룹이다. 그들의 실험적이고 혁신적인 접근 방식은 오늘날에도 여전히 많은 발레 작품과 안무가들에게 영감을 주고 있다.

#발레리나

발레리나는 발레 공연에서 주요 여성 무용수를 의미한다. 전문적으로 훈련받은 발레리나는 클래식 발레 작품에서 중심적인 역할을 수행하며, 높은 기술적 기량과 표현력을 갖추어야 한다.
발레리나의 특징과 요구되는 기술적 역량: 발레리나는 발레의 기본기인 포즈, 스텝, 점프, 회전 등을 완벽하게 수행할 수 있어야 한다. 이러한 기술은 수년간의 엄격한 훈련과 연습을 통해 달성된다.
감정 표현: 발레리나는 몸짓과 얼굴 표정을 통해 감정을 효과적으로 전달할 수 있어야 한다. 공연 중 감정의 깊이와 뉘앙스를 표현하는 것은 발레리나의 중요한 역할 중 하나다.
체력과 유연성: 뛰어난 체력과 유연성은 발레리나에게 필수적이다. 공연 동안 지속적으로 높은 에너지를 유지하고, 다양한 동작을 유연하게 수행할 수 있어야 한다.
공연 예술로서의 재능: 발레리나는 단순한 기술 수행을 넘어, 공연을 통해 이야기를 전달하고 관객과 소통할 수 있는 예술적 재능을 가져야 한다.
학습과 훈련: 발레리나는 보통 어린 나이에 발레 학교에 입학하여 기본기와 고급 기술을 배운다. 이 과정에서 체계적인 훈련과 교육을 받으며, 발레리나로서의 자질을 갖춘다.
단계적 진급: 발레 학교를 졸업한 후, 발레리나는 발레단에 입단하여 여러 단계를 거치며 경력을 쌓는다. 초급 무용수에서 시작하여 솔리스트, 그리고 주연 무용수로 발전할 수 있다.
다양한 공연 경험: 발레리나는 클래식 발레는 물론 현대 발레, 네오 클래식 등 다양한 스타일의 발레 작품에 참여하며 자신의 예술적 범위를 넓혀간다.
그들의 헌신과 열정은 발레 공연의 아름다움과 감동을 관객에게 전달하는 데 결정적인 역할을 한다.

#백조의 호수

"백조의 호수"는 표트르 일리치 차이콥스키가 작곡하고, 율리우스 라이진거가 처음으로 안무한 발레 작품이다. 이 작품은 1877년 모스크바의 볼쇼이 극장에서 초연되었으나, 처음에는 큰 성공을 거두지 못했다. 그러나 1895년 세인트피터스버그에서 마리우스 프티파와 레프 이바노프가 새롭게 안무를 담당하여 재 공연된 이후, "백조의 호수"는 가장 유명하고 사랑받는 클래식 발레 중 하나로 자리 잡았다.
"백조의 호수"의 줄거리는 오딜리아, 백조 공주와 그녀에게 저주를 건 악당 로트바르트 그리고 젊은 왕자 지크프리트의 이야기를 다룬다. 지크프리트 왕자는 사냥 중에 백조로 변한 아름다운 여인 오데트를 만나고 사랑에 빠진다. 오데트는 밤이 되면 백조에서 인간의 모습으로 돌아오지만, 낮에는 백조로 지내야 하는 저주를 받은 상태이다. 이 저주는 진실한 사랑으로만 풀 수 있다. 하지만, 로트바르트는 지크프리트 왕자가 오데트와 결혼하는 것을 막기 위해 딸 오딜리아를 오데트로 가장시켜 왕자를 속인다. 결국, 오해를 깨닫고 모든 것을 바로잡으려는 지크프리트와 오데트는 함께 죽음을 택하며, 그들의 사랑은 저주를 깨뜨리고 영원히 이어진다. 차이콥스키의 음악은 "백조의 호수"를 더욱 드라마틱하고 감동적인 작품으로 승화시켰다. 그의 음악은 각 장면의 감정을 섬세하게 표현하며 관객들을 작품 속으로 끌어당긴다. 특히, 백조들의 춤 '백조의 호수'는 클래식 발레 음악 중 가장 유명한 부분으로, 이 곡을 배경으로 한 군무는 전세계적으로 사랑받고 있다. 프티파와 이바노프의 안무는 이 작품의 성공에 결정적인 역할을 했다. 이 장면에서 무용수들은 섬세하고 우아하게 움직이며 백조의 이미지를 완벽하게 표현한다. 이 안무는 후대의 많은 발레 안무가들에게 영감을 주었으며, "백조의 호수"를 상징하는 중요한 요소가 되었다.

#벨리댄스

벨리댄스는 고대 이집트에서 발전한 전통적인 무용 스타일로, 여성의 몸을 중심으로 한 유연한 움직임과 복부의 격렬한 동작이 특징이다. 이 댄스는 개인의 표현을 강조하며, 공연자의 신체 조절 능력과 감정 표현을 중시한다. 벨리댄스의 특징은 다음과 같다.

신체 움직임: 벨리댄스는 특히 복부, 엉덩이, 가슴을 사용한 움직임이 돋보인다. 이 움직임들은 종종 매우 섬세하고 유연하며, 때로는 강렬하게 수행된다. 고릴라 댄스, 쉬미(엉덩이 떨기), 그리고 힙 드롭 등 다양한 기술이 사용된다.

의상: 벨리댄스의 의상은 매우 화려하고 세밀한 장식이 특징이다. 종종 브라 탑과 힙 스카프로 구성되며, 여러 층의 스커트나 투명한 팬츠가 사용된다. 의상은 무용수의 움직임을 강조하고, 보석이나 금속 조각 등으로 장식된 벨트가 흔히 사용되어 눈길을 끈다.

음악: 벨리댄스에 사용되는 음악은 중동의 전통 음악이 주를 이루며, 리듬과 멜로디가 댄스의 감정과 움직임을 강조한다. 드럼과 현악기, 때로는 플루트와 같은 목관악기가 풍부한 음색을 제공한다.

문화적 맥락: 벨리댄스는 원래 사교적 또는 축제의 일환으로 수행되었다. 오늘날에는 이 댄스가 여성의 몸과 성을 긍정적으로 표현하는 수단으로 여겨지기도 하며, 전 세계적으로 건강과 피트니스, 예술적 표현의 형태로 인기를 얻고 있다.

국제적 수용: 벨리댄스는 전 세계적으로 수행되며, 각기 다른 문화적 해석을 통해 지역적 특색을 반영한 스타일이 나타나고 있다. 이는 국제적인 워크샵, 축제, 대회 등을 통해 더욱 널리 퍼지고 있다.

벨리댄스는 그 자체로 예술적, 문화적, 신체적으로 풍부한 무용 스타일로, 개인의 자기 표현과 건강 증진에 기여하는 독특한 예술 형태로 인정받고 있다.

#부토

부토(Butoh)는 20세기 중반 일본에서 탄생한 전위적이고 실험적인 무용 형태로, 전통적인 무용 스타일과 극적으로 다른 독특한 표현방식을 사용한다. 부토는 기존의 미적 기준과 무용의 형태를 깨고, 강렬하고 때로는 충격적인 시각적 이미지와 움직임을 통해 깊은 감정과 상징적 의미를 탐구한다.

부토의 특징은 다음과 같다.

신체적 표현: 부토의 움직임은 극도로 느리고 고의적이며, 때때로 불규칙하거나 경련적일 수 있다. 이는 무용수의 신체가 강한 감정이나 상징적인 이미지를 표현하는 매체로 사용됨을 의미한다. 부토는 무용수의 신체를 통해 깊은 내면의 감정과 본능적인 상태를 탐색한다.

시각적 스타일: 부토 무용수는 종종 전신을 흰색으로 칠하고, 표현력이 강조된 얼굴 표정을 사용한다. 의상은 간소하거나 일상적인 옷에서부터 기괴하고 초현실적인 복장에 이르기까지 다양하다.

공연의 주제: 부토는 종종 죽음, 부패, 부활, 자연과 같은 주제를 다룬다. 이러한 주제는 무용수의 동작과 공연에서 사용되는 소품, 무대 설정을 통해 안무된다.

공간과 상호작용: 부토는 공연장의 전통적인 경계를 허물고, 관객과의 직접적인 상호작용을 포함할 수 있다. 공연은 종종 무대 위, 무대 아래, 또는 관객이 있는 공간 어디에서나 이루어질 수 있다.

부토의 창시자들은 전통 무용과 서구의 현대 무용에서 벗어나려는 시도에서 이러한 독특한 스타일을 창조했다. 초기 부토는 사회적, 정치적 메시지를 강하게 담고 있었지만, 시간이 지남에 따라 더 개인적이고 내면적인 탐구의 수단으로 발전했다. 부토는 일본을 넘어 전 세계적으로 퍼져 나가면서 다양한 해석과 스타일을 보여주고 있다. 이 무용 형태는 세계적으로 많은 무용수와 안무가에게 영감을 주었으며, 무용의 한 장르로 자리 잡았다.

#불새

"불새"는 이고르 스트라빈스키(Igor Stravinsky)가 작곡한 발레 음악으로, 1910년에 초연되었다. 이 작품은 스트라빈스키의 이름을 세계적으로 알린 주요 작품 중 하나로, 러시아의 전설과 신화를 바탕으로 한 스토리텔링과 혁신적인 음악적 요소로 유명하다. "불새"는 스트라빈스키가 세르게이 디아길레프의 러시아 발레단을 위해 작곡한 첫 번째 발레 음악이며, 이 작품을 통해 그는 국제적 명성을 확립하게 된다.
"불새"의 스토리는 러시아 민담에서 가져왔으며, 젊은 왕자 이반 츠레비치가 마법의 정원에서 불새를 포획하고 그것을 풀어주는 대신 불새의 깃털 한 개를 받는 것으로 시작된다. 이 깃털은 위험에 처했을 때 불새를 부를 수 있는 힘을 가지고 있다. 왕자는 이후 마법에 걸린 공주와 다른 포로들을 구하는 모험을 겪으며, 마법사 코쉐이와 대결을 펼친다. 결국 불새의 도움으로 코쉐이의 마법을 파괴하고 왕자와 공주는 결혼하여 행복하게 산다.
스트라빈스키의 "불새"는 그의 특징적인 음악 스타일인 복잡한 리듬, 강렬한 조화, 그리고 색채감 넘치는 오케스트레이션을 보여준다. 특히, 불새의 비행을 묘사하는 부분에서는 몽환적이고 화려한 오케스트라의 사운드가 인상적이다.
"불새"는 발레 음악으로 사용되기도 했지만 콘서트 홀에서도 자주 연주되는 곡이 되었다. 스트라빈스키는 이 작품의 성공을 기반으로 후속 발레 작품인 "페트루슈카"와 "봄의 제전"을 작곡하며, 20세기 초 현대 음악의 중요한 인물로 자리매김하게 된다. 또한, "불새"는 여러 영화, TV 프로그램, 비디오 게임에서 인용되며 대중 문화 속에서도 그 영향력을 보여준다.
"불새"는 스트라빈스키의 창작 능력과 혁신적인 음악적 접근을 보여주는 작품으로, 발레 음악뿐만 아니라 클래식 음악 전반에 큰 영향을 미친 작품으로 평가받고 있다.

#비트박스 댄스

비트박스 댄스는 비트박싱과 댄스를 결합한 공연 형식으로, 특히 스트리트 댄스와 함께 비트박스(입과 목소리를 사용해 리듬과 비트를 만들어내는 기술)를 결합하여 독특하고 역동적인 공연을 창출한다. 이 형식은 힙합 문화의 일부로 발전했으며, 댄서들이 비트박스의 리듬에 맞추어 다양한 댄스 무브먼트를 선보이는 것이다. 비트박스 댄스의 주요 특징은 다음과 같다.

리듬과 동작의 결합: 비트박스 댄스는 비트박서가 만들어내는 강렬하고 리듬감 있는 사운드를 바탕으로 댄서들이 움직임을 수행한다. 이 과정에서 음악적 요소와 물리적 동작이 긴밀하게 결합되어, 시각적으로도 흥미롭고 리듬감 있는 공연을 만들어낸다.

자유로운 스타일: 비트박스 댄스는 특정한 형식에 구애받지 않고 다양한 댄스 스타일을 포용한다. 브레이크댄스, 팝핑, 락킹 등 다양한 스트리트 댄스 스타일이 비트박스와 결합하여 창의적이고 개성 있는 공연을 만들어낸다.

상호작용: 비트박스와 댄스 사이의 상호작용은 이 공연의 중심적인 요소다. 비트박서와 댄서 간의 즉흥적인 상호 반응은 공연을 더욱 역동적으로 만들며, 관객과의 교감도 강화시킨다.

문화적 표현: 비트박스 댄스는 힙합 문화의 일환으로, 젊은 세대의 창의성과 자기 표현의 욕구를 반영한다. 이는 도시 문화와 길거리 예술의 형태로, 젊은이들 사이에서 특히 인기가 있다.

국제적 인기: 비트박스 댄스는 전 세계적으로 많은 팬을 확보하고 있으며, 국제 대회나 페스티벌에서도 종종 볼 수 있다. 이러한 행사들은 비트박스 댄스를 더 널리 알리고, 새로운 재능을 발굴하는 기회를 제공한다.

비트박스 댄스는 음악과 댄스의 결합을 통해 새로운 예술 형태를 창조하며, 참여자들에게 자유로운 표현의 장을 제공한다. 이 공연 형식은 관객에게도 색다른 경험을 제공하며, 특히 젊은 세대에게 큰 인기를 얻고 있다.

#비평

무용 비평(dance criticism)은 무용 작품을 분석하고 평가하는 과정으로, 작품의 예술적 가치, 기술적 완성도, 창의성, 표현력, 문화적 의미 등을 다양한 관점에서 고찰한다. 이 분야는 무용 작품이 지닌 다층적 요소들을 비평적 시각으로 해석하고, 더 넓은 예술 및 사회 문화적 맥락에서의 위치를 평가하는 것을 목표로 한다.

학문적 비평은 무용 이론, 역사, 철학을 바탕으로 한 깊은 분석을 제공한다. 이 접근 방식에서는 작품의 구조, 형식, 내용을 중점적으로 다루며, 작품이 지닌 예술적 및 문화적 맥락을 탐구한다. 이 유형의 비평은 특히 학계에서 중요하게 여겨진다.

전문가 비평은 무용 평론가나 전문가가 작품의 기술적, 예술적 측면을 평가하는 방식이다. 기술적 우수성, 안무의 창의성, 음악과의 조화, 무대 디자인의 효과 등을 중점적으로 살펴본다. 이러한 비평은 주로 대중 매체나 전문 무용 저널에서 발견할 수 있다.

대중 비평은 일반 관객이 자신의 경험과 감상을 바탕으로 작품을 평가하는 비공식적인 방식이다. 소셜 미디어, 블로그, 온라인 포럼 등에서 자주 볼 수 있으며, 개인적인 감상이나 반응을 중심으로 이루어진다.

이론적 비평은 무용 작품을 특정 이론적 틀이나 철학적 개념을 사용하여 해석하는 방식이다. 구조주의, 포스트모더니즘, 페미니즘 등 다양한 이론적 관점을 적용하여 작품의 의미와 목적을 분석한다.

비교 비평은 두 개 이상의 무용 작품을 비교하며 각 작품의 장단점을 평가한다. 이 접근 방식은 특히 서로 다른 스타일, 시대, 문화의 작품들을 대조적으로 분석할 때 유용하다.

각 유형의 비평은 무용 작품을 다각도로 이해하고 해석하는 데 기여한다. 이러한 다양한 접근 방식을 책에 포함시키면 독자들에게 무용 작품을 보다 깊이 있고 폭넓게 이해할 수 있는 기회를 제공할 수 있을 것이다.

또한 무용 비평은 안무, 무용수의 기술, 음악과의 조화, 무대 디자인, 조명 등을 종합적으로 평가하여 그 작품이 전달하고자 하는 예술적 의도와 감성을 비평적으로 재해석하는 활동이다. 이 과정은 작품이 제작된 문화적, 역사적 배경을 이해하고, 관객에게 전달하는 감각적 및 지적 영향을 분석하는 것을 포함한다.

무용 비평의 주된 목적은 작품의 내재적 가치와 외재적 영향을 평가하여, 무용을 체계적으로 이해하고 그 가치를 높이는 데 기여하는 것이다. 비평가는 자신의 관점과 전문 지식을 사용하여 작품에 대한 통찰력을 제공하고, 독자나 관객이 작품을 더 깊이 이해하고 감상할 수 있도록 돕는다.

교육적 기능으로는 관객이 작품을 이해하고 감상하는 데 도움을 주어, 무용 예술에 대한 깊이 있는 지식과 감상 능력을 향상시킨다.

문화적 기능은 무용 작품이 제작된 사회문화적 맥락을 해석하고, 그것이 현대 사회에 어떤 의미를 가지는지를 설명한다.

예술적 기능은 무용 작품의 예술적 질과 표현력을 평가하고, 그 중요성을 비평적으로 분석하여 예술계 내에서의 논의를 촉진한다.

무용 비평은 무용 작품 뿐만 아니라 무용수, 안무가, 그리고 무용계 전반에 걸친 발전과 혁신에 중요한 역할을 한다. 이는 무용 예술이 지속적으로 성장하고 다양한 문화적 표현 방식으로 발전할 수 있는 기반을 마련해 준다.

#사이버댄스

사이버댄스(Cyberdance)는 디지털 기술과 무용을 결합한 형태의 예술로, 인터넷이나 기타 디지털 미디어를 활용하여 무용을 창작하고 전파하는 것을 말한다. 이 개념은 1990년대 초반에 등장했으며, 디지털 테크놀로지의 발전과 함께 점차 확장되었다.

사이버댄스의 특징은 다음과 같다.

디지털 플랫폼 활용: 사이버댄스는 인터넷, 컴퓨터 소프트웨어, 비디오 기술 등을 활용하여 무용 공연을 생성하고 배포한다. 이를 통해 전 세계 관객과 소통할 수 있으며, 무용수와 안무가는 실제 무대가 아닌 가상 공간에서 공연을 펼친다.

상호작용성: 다양한 디지털 도구를 사용함으로써 관객과의 상호작용이 강조될 수 있다. 관객이 공연의 일부분을 조작하거나, 공연에 직접 참여하는 형태 등이 가능하다.

실험적인 표현: 사이버댄스는 전통적인 무용의 한계를 넘어서 디지털 기술을 통한 새로운 움직임과 표현 방식을 탐구한다. 이는 안무가에게 무한한 창의적 가능성을 제공한다.

온라인 무용 수업과 워크숍: 인터넷을 통해 전 세계 어디에서나 무용 수업을 제공하고, 다양한 사람들과 연결할 수 있다.

인터랙티브 무용 공연: 관객이 공연의 진행 방향을 결정하거나, 공연에 직접 참여하는 형태로 진행될 수 있다.

가상 현실(VR)과 증강 현실(AR) 무용: 가상 현실이나 증강 현실 기술을 사용하여 더욱 몰입감 있는 무용 경험을 제공한다.

사이버댄스는 기술과 예술의 경계를 허물며 무용의 새로운 가능성을 열어가고 있다. 이는 전통적인 무대를 넘어서 디지털 영역에서 무용 예술이 어떻게 발전할 수 있는지를 보여준다.

#사회적 퍼포먼스

사회적 퍼포먼스는 예술, 특히 무용을 활용해 사회적 또는 정치적 메시지를 전달하려는 목적을 가진다. 이런 퍼포먼스는 사회의 변화를 촉구하거나 관객이 특정 이슈에 대해 생각하고 행동하도록 동기를 부여한다.

이는 다음과 같은 작용을 한다.

적극적 참여 유도: 사회적 퍼포먼스는 무용수가 단순히 무대 위에서 춤을 추는 것을 넘어서 관객이 직접 참여하도록 만드는 전략을 사용한다. 예를 들어, 무용수와 관객 간의 직접적인 상호작용을 통해 관객이 이슈에 대해 더 깊이 생각하고, 감정적으로 연결되도록 한다.

공공장소에서의 공연: 전통적인 극장이 아닌 공원, 광장, 거리와 같은 공공 장소에서 퍼포먼스를 진행함으로써 일상 공간에서 예상치 못한 예술적 경험을 제공한다. 이는 예술을 일상에 접목시켜 더 많은 사람들이 메시지에 접근할 수 있게 하며, 공공의 장소에서 사회적 이슈를 드러내고 토론을 유도한다.

기술과 미디어의 통합: 비디오 프로젝션, 사운드 아트, 소셜 미디어를 통한 생중계 등 현대 기술을 활용해 퍼포먼스의 도달 범위를 확장하고, 시각적으로 강렬한 메시지를 전달한다. 이러한 기술적 요소들은 무용의 표현력을 향상시키고, 더 넓은 관객에게 영향을 미칠 수 있는 효과적인 수단이 된다.

이처럼 사회적 퍼포먼스를 통한 무용은 단순한 예술적 표현을 넘어 사회적 대화를 촉진하고, 문제를 공론화하며, 변화를 이끌어내는 강력한 도구로 작용한다.

#살풀이

살풀이춤은 한국의 전통 무용 중 하나로, 사람의 마음속에 쌓인 액운이나 나쁜 기운을 풀어주는 의미를 지닌 춤이다. 이 춤은 한민족의 정서와 밀접하게 연결되어 있으며, 깊은 감정의 표현과 치유의 과정을 예술적으로 드러낸다.

살풀이춤의 동작은 매우 유연하고 섬세하다. 무용수는 부드러운 몸놀림과 손동작을 사용하여 내면의 감정을 표현한다. 특히 손끝에서 나타나는 미묘한 움직임은 춤의 감정 표현에서 중요한 역할을 한다.

살풀이춤은 반복적인 움직임을 통해 관객에게 명상적이고 치유적인 경험을 동작으로 전달하고 절제된 감정의 표현을 통해 내면의 깊은 슬픔이나 애통을 점진적으로 해소하는 과정을 나타낸다.

살풀이춤을 출 때 사용되는 음악은 춤의 감정 표현과 긴밀하게 연결되어 있으며, 독특하고 몰입감 있는 경험을 한다. 이 음악은 주로 한국 전통 악기들로 구성되어 춤의 동작과 함께 감정의 깊이를 더해준다. 살풀이춤의 음악은 즉흥성이 강조되는데 가장 중요한 음악적 요소인 계면조는 한국 전통음악에서 사용되는 조성 중 하나로, 음악의 기본적인 톤을 설정한다. 계면조는 조금 더 낮은 톤으로, 음악에 깊이와 서정성을 부여하며, 민요나 전통 무용에 깊이와 애잔함을 더해준다.

또한 살풀이춤에서 수건의 역할은 춤의 시각적인 아름다움을 크게 증폭시키는 요소 중 하나다. 무용수가 움직일 때 공간 속에 다양한 형태의 곡선을 만들어내고 그 곡선들은 춤의 리듬과 함께 관객의 시각을 사로잡으며, 춤의 흐름과 감정을 강조한다. 이는 무용수의 감정 표현을 보다 드라마틱하게 하고 부드러운 움직임에서 갑작스러운 휘두름까지, 그 움직임은 무대와 무용수를 더욱 극대화시키는 역할을 한다.

살풀이 수건이 공기 중에서 그리는 곡선과 패턴은 시각적으로 매우 아름답다. 이러한 시각적 요소는 춤의 전체적인 미적 가치를 높이며, 전통적인 의상의 아름다움을 전달한다. 무대 위에서의 이러한 의상은 한국의 전통 무용이 지닌 역사적 및 문화적 맥락을 강조하는 중요한 요소다.

#성평등

성평등은 사회의 모든 영역에서 성별에 따른 차별이 없이 모든 사람이 동등한 권리와 기회를 갖는 것을 목표로 한다. 무용계에서도 이러한 성평등의 문제는 중요한 주제로 다루어지며, 다양한 방식으로 성별의 구분 없이 더 포괄적이고 평등한 환경을 조성하기 위한 노력이 진행되고 있다.
안무와 표현의 다양성: 무용계에서 성평등을 추구하는 중요한 방법 중 하나는 안무에서의 성별 고정관념을 해체하는 것이다. 전통적으로 무용수의 성별에 따라 특정 역할이나 스타일이 할당되었으나, 현대 무용은 이러한 구분을 허물고 다양한 표현을 통해 더 폭넓은 관점을 제시한다. 예를 들어, 여성 무용수가 힘과 독립을 상징하는 역할을 수행하거나, 남성 무용수가 감성적이고 섬세한 퍼포먼스를 선보이는 경우가 증가하고 있다.
리더십과 권한의 균등 분배: 무용계 내에서도 성평등을 실현하기 위해 지도자 및 창작자 역할에 여성의 참여를 확대하는 움직임이 있다. 안무가, 감독, 무용단의 리더로서 여성이 더 많이 활동함으로써 다양한 시각과 경험이 반영된 작품들이 만들어지고, 이는 관객에게도 다양한 관점을 제공한다.
교육과 워크숍은 무용 교육 프로그램과 워크숍에서 성평등을 강조하는 것은 미래 세대 무용수들에게 성별에 구애받지 않는 자유로운 창의력을 발휘할 수 있는 기반을 마련해 준다. 성별 고정관념에서 벗어난 교육은 학생들이 무용을 통해 자신의 정체성을 탐구하고 표현하는 데 있어 더 넓은 범위의 가능성을 열어준다.
다양한 배경과 성별의 안무가들이 참여하는 행사는 무용을 통해 성평등의 메시지를 전달하고, 사회적 변화를 촉진하는 데 기여한다.
성평등은 무용을 통해 사회적 변화를 이끌어낼 수 있는 강력한 테마로 작용하며, 이는 예술을 통해 우리 사회의 다양성과 포괄성을 증진시키는 중요한 역할을 한다.

#소셜 미디어 콜라보레이션

소셜 미디어와 무용의 콜라보레이션은 현대 무용계에서 주목받는 트렌드 중 하나이다. 이런 협업은 무용수나 무용단이 소셜 미디어 플랫폼을 활용해 자신들의 작품을 더 넓은 관객에게 소개하고, 창작 과정을 공유하며, 새로운 형태의 예술적 표현을 탐구하는 방식이다. 이러한 방식은 무용 예술을 다양한 관객층에게 접근 가능하게 하고, 예술가들에게는 새로운 창작 기회와 네트워킹의 장을 제공한다. 또한, 소셜 미디어를 통한 인터랙티브한 요소는 관객들이 예술 작품에 보다 적극적으로 참여하도록 유도하는데 기여한다.

또한, 소셜 미디어 플랫폼들은 무용 작품을 다양한 형식으로 제작하고 전달할 수 있는 유연성을 제공한다. 예를 들어, 인스타그램이나 틱톡 같은 플랫폼에서는 짧은 동영상을 통해 강렬한 무용 장면을 캡처하거나, 라이브 스트리밍을 통해 실시간으로 공연을 전 세계에 송출할 수 있다. 이러한 디지털 플랫폼의 활용은 전통적인 공연장을 벗어나 무용 예술을 일상 속에서 쉽게 접할 수 있게 하며, 무용수들에게는 글로벌한 관객과 직접 소통할 수 있는 기회를 제공한다.

이런 현대적 접근 방식은 특히 젊은 관객층을 유치하고, 무용 예술의 현대적인 맥락에서의 발전 가능성을 보여준다. 소셜 미디어를 통해 무용이 일상 속에 자연스럽게 녹아 들게 함으로써, 무용 예술 자체의 접근성과 관련성을 높이는 데 크게 기여한다.

#수피댄스

수피 댄스, 또는 세마(whirling)는 주로 터키의 메블라나 수피집단인 메블비 수피즘에서 수행되는 영적인 무용이다. 수피 댄스는 자신을 찾고 신과의 일체감을 경험하기 위한 명상적인 춤으로, 이 과정에서 무용수들은 자아를 초월하고 영적인 성숙을 추구한다. 수피 댄스의 가장 두드러진 특징은 지속적인 회전이다. 이 회전은 우주의 조화와 신성한 사랑을 상징하며, 끊임없이 돌면서 영적 상승을 추구한다. 신과 우주와의 연결을 의미하고 또한 세상의 모든 존재와 연결되어 있음을 표현하며, 자아를 초월하는 경험으로 이어진다. 수피 댄스는 단순한 물리적 활동이 아니라 깊은 명상과 영적 의미의 기도의 형태이다. 전통적인 수피 댄스 의상은 긴 흰색 겉옷과 넓은 검은색 또는 흰색 모자로 구성된다. 이 의상은 순수와 겸손을 상징하며, 춤을 추는 동안 흰색 겉옷은 우아하게 펼쳐져 마치 하늘을 나는 듯한 인상을 준다. 무용수들은 자신의 존재를 넘어서 신과의 깊은 연결을 추구하며, 이러한 경험은 그들에게 깊은 평화와 영적 깨달음을 가져다준다. 수피 댄스는 단순한 예술적 표현을 넘어서는 깊은 영적 경험이며, 전 세계 많은 사람들에게 영감을 주는 행위로 남아 있다. 수피 댄스에서 무용수의 손 위치는 깊은 상징적 의미를 지닌다. 오른손은 하늘을 향해 신으로부터의 축복을 받아들이는 자세이며, 왼손은 땅을 향해 그 축복을 세상에 전달한다. 이러한 비대칭 자세는 우주의 균형과 조화를 유지하고자 하는 수피즘의 교리를 반영한다. 유동적인 의상은 흰색 긴 겉옷은 무용수가 회전할 때 아름답게 펼쳐지며, 이는 영적인 순수함과 내면의 평화를 시각화 한다. 의상은 무용의 시각적 요소를 강화하며, 영적인 경험을 더욱 몰입감 있게 만든다. 발의 움직임은 일반적으로 조심스럽고 계획된 패턴을 따르며, 무용수가 지속적인 회전 중에도 균형을 유지할 수 있도록 돕는다. 이는 무용수가 물리적 세계와 영적 세계 사이에서 안정감을 유지하며 움직일 수 있게 한다. 이러한 움직임들은 모두 수피 댄스가 단순한 물리적 활동을 넘어서 영적 명상과 연결되는 방식을 강조하며, 무용수는 이를 통해 자신의 내면과 신과의 깊은 연결을 경험하게 된다

#스팟댄스

스팟 댄스(Spot Dance)는 특정 장소에서 짧은 시간 동안 수행되는 무용 공연을 지칭하는 용어로 사용될 수 있다. 이는 공식적인 무대나 극장이 아닌, 공공장소나 특별한 이벤트에서 갑작스럽게 이루어지는 퍼포먼스를 말한다. 주로 리듬에 맞춰 짧은 구간이나 정해진 장소에서 춤을 추기 때문에 '스팟(spot)'이라는 단어가 붙었다. 이 형태의 춤은 다양한 춤 스타일에서 나타나며, 주로 라틴 댄스나 힙합, 팝 댄스 등에서 많이 볼 수 있다. 스팟댄스의 핵심은 제한된 공간 안에서 얼마나 창의적으로 춤을 표현할 수 있느냐에 달려 있다. 그래서 춤추는 사람이 공간을 효율적으로 활용하고 다양한 동작을 연출하는 게 중요하다.
스팟 댄스는 플래시몹이나 특정 축제의 일환으로 구성될 수 있으며, 주변 환경과 상호 작용하는 형태로 진행될 수 있다.
스팟 댄스는 춤을 일상 속에 자연스럽게 녹여내고, 보다 많은 사람들이 즐길 수 있는 기회를 만들어낸다. 이를 통해 무용의 움직임인 돌기 형태가 대중화로써 예술의 가치를 새롭게 조명할 수 있다.
현재 스팟댄스는 특히 SNS와 동영상 플랫폼의 발달로 인해 큰 인기를 끌고 있다. 짧은 영상 형식의 플랫폼인 틱톡(TikTok)이나 인스타그램 릴스(Reels)에서 다양한 스팟댄스 챌린지가 유행하고 있다. 이런 플랫폼에서 사용자들이 짧은 시간 안에 자신만의 춤을 보여주고 공유하는 게 일상이 되면서, 스팟댄스는 더욱 대중화되고 있다.
또한, 댄스 배틀이나 페스티벌에서도 스팟댄스가 많이 활용되고 있어 참가자들이 제한된 공간 안에서 독창적이고 개성 넘치는 춤을 보여주면서 서로 경쟁하는 형태를 띤다. 이러한 경향은 앞으로도 계속될 것으로 보이며 스팟댄스는 춤의 한 장르로서 꾸준히 발전할 것이다.

#승무

승무는 한국의 전통 무용 중 하나로, 그 뿌리는 조선 시대 승려들의 불교 의식에서 비롯되었다. 이 무용은 한국의 불교 문화와 깊은 연관이 있으며, 원래는 승려들이 불교 의식 중에 추던 춤에서 발전했다고 알려져 있다. 승무는 감정 표현이 절제되고 섬세한 동작이 특징적이며, 그 우아함과 함께 내면의 침착함을 표현하는 데 중점을 둔다.

승무는 고요하고 절제된 분위기 속에서 시작되어 서서히 강도가 높아지는 구조를 가지고 있다. 무용수는 대개 흰색 한복을 입고, 머리에는 꽃 모양의 장식을 하며, 손에는 긴 붉은 리본이 달린 북을 들고 춘다. 이 리본은 춤을 추는 동안 무용수의 움직임을 강조하며, 무용수는 이 리본을 활용하여 다양한 형태와 패턴을 그리며 춤을 추는데, 이는 승무의 시각적인 아름다움을 더한다.

승무의 음악은 주로 북, 징, 장구, 해금 등으로 구성된 사물놀이에 맞춰 진행된다. 이 음악은 리듬과 속도가 변화무쌍하며, 무용수의 동작과 완벽하게 조화를 이루어 긴장감과 해방감을 동시에 제공한다. 춤의 동작은 천천히 시작하여 점차 빨라지며, 마지막에는 강렬하고 역동적인 움직임으로 클라이맥스에 이른다.

승무는 그 예술성과 기술적인 면에서 높이 평가받는 한국의 대표적인 전통 춤으로, 불교적 요소와 함께 한국적 아름다움을 표현하는 데 중요한 역할을 한다. 또한, 이 춤은 한국 문화의 정수를 보여주는 중요한 예술 형태로서, 전통과 현대를 아우르는 다양한 문화 행사나 국제 무대에서도 자주 선보이며 한국의 문화적 정체성을 전 세계에 알리는 데 기여하고 있다.

#신체화

신체화(Embodiment)는 무용과 같은 신체 기반 예술에서 중요한 연구 주제로, 신체를 통해 개인의 정체성, 감정, 사회적 경험을 표현하고 경험하는 과정을 탐구한다. 이 개념은 무용수가 자신의 신체를 사용하여 내면의 감정이나 사회적 정체성을 어떻게 표현하는지, 그리고 이것이 관객에게 어떻게 전달되는지 이해하는 데 도움을 준다.
첫째로 정체성의 표현을 무용에서 신체화는 무용수가 자신의 문화적, 성별, 인종적 정체성을 신체를 통해 어떻게 드러내는지를 분석한다. 신체의 움직임, 자세, 제스처는 개인의 정체성을 구성하는 요소들을 비언어적으로 커뮤니케이션하는 수단이 된다. 감정의 전달은 무용수의 신체는 감정을 표현하는 매개체로 기능한다. 표정, 신체의 긴장도, 움직임의 속도와 리듬은 무용수의 내면적 감정 상태를 관객에게 전달한다. 이러한 감정의 전달은 관객이 공연을 통해 감정적으로 반응하게 만드는 주요 요소 중 하나다. 사회적 경험의 반영의 신체화는 무용수가 자신의 사회적 경험을 어떻게 무용으로 표현하는지를 탐구한다. 예를 들어, 억압이나 자유, 축제 등 사회적 현상이나 이슈들이 신체의 움직임에 어떻게 반영되는지 연구할 수 있다. 이는 특정한 사회적 맥락이나 역사적 배경에 대한 깊은 이해를 필요로 한다. 인터랙티브한 요소를 통해서 현대 무용에서는 관객과의 상호작용을 통해 신체화를 실험하기도 한다. 관객의 반응이나 참여가 무용수의 움직임에 영향을 주거나, 반대로 무용수의 움직임이 관객의 반응을 유도하는 방식 등이 연구될 수 있다. 신체화를 통한 무용 연구는 이렇게 다양한 관점에서 신체가 어떻게 정체성, 감정, 사회적 경험을 표현하는지 이해하려고 한다. 이는 무용을 단순한 예술적 표현을 넘어, 복잡한 인간 경험의 해석과 전달의 수단으로 보는 데 기여한다.
무용에서의 신체화는 신체 활동을 통해 정신적, 감정적 문제를 해소하는 과정을 말한다. 무용을 통해 무용수들은 자신의 감정과 경험을 '몸으로 말하기'를 실천하며, 이는 치료적인 효과를 가져올 수 있다. 신체화 과정은 무용수가 자신의 감정을 더 잘 이해하고 관리할 수 있도록 돕는다.

#실기반 연구법

실기기반 연구법(practice-based research)은 주로 예술, 디자인, 공연 등 창조적 활동을 통해 지식을 생산하는 연구 접근법이다. 이 연구 방법론은 실제 창작 과정이나 실기 활동 자체에서 발생하는 이론적, 실천적 지식을 탐구하고 이를 체계화하는 것을 목표로 한다. 실기기반 연구의 중요성은 다음과 같은 여러 측면에서 확인할 수 있다.

실기기반 연구는 전통적인 연구 방법으로는 접근하기 어려운 예술과 디자인의 특성과 과정을 탐구한다. 연구자는 자신의 창작 활동을 통해 새로운 지식이나 이해를 발전시키며, 이 과정에서 기존 이론을 확장하거나 새로운 이론을 제안할 수 있다. 연구 과정은 창작 활동과 밀접하게 연결되어 있으며, 연구자는 자신의 실천을 지속적으로 반성하고 평가한다. 이를 통해 연구자는 자신의 작업 방법, 사용하는 재료, 창작 과정에서의 선택 등을 체계적으로 분석하고 문서화할 수 있다.

실기기반 연구의 결과물은 전통적인 학술 논문 형태뿐만 아니라 전시, 공연, 설치 작업, 포트폴리오 등 다양한 형태로 나타날 수 있다. 이러한 결과물은 관객이나 다른 연구자들에게 직접적인 경험을 제공하며, 이를 통해 연구 내용을 더 깊이 이해할 수 있다.

실기기반 연구는 연구 방법 자체에도 혁신을 가져온다. 창작 과정에서 발생하는 예측 불가능한 사건이나 실험적인 접근은 연구 방법론을 다양화하고, 새로운 형태의 연구 질문과 접근 방식을 개발하는 데 기여한다.

이 연구 방법은 예술이나 디자인 실천 자체의 가치와 중요성을 학문적으로 정당화한다. 창작 활동이 단순히 기술적 실행에 그치지 않고, 복잡한 사고 과정과 지식의 형성에 중요한 역할을 한다는 것을 입증한다.

실기기반 연구법은 창조적인 활동이 지닌 학문적 가치와 사회적 기여를 인정받고, 보다 넓은 학문적 대화에 참여할 수 있다.

#실비 길렘

실비 길렘은 1965년 프랑스 파리에서 태어났다. 그녀는 16살에 파리 오페라 발레 학교에 입학했고, 불과 19세에 파리 오페라 발레단에서 역사상 가장 어린 프리마 발레리나가 되었다. 이러한 초고속 승진은 그녀의 탁월한 기술과 무대 장악력을 반영한다.
실비 길렘(Sylvie Guillem)은 프랑스 출신의 발레리나로, 20세기와 21세기를 대표하는 무용수 중 한 명이다. 기술적 완벽함에 가까울 정도로 매우 뛰어난 기술적 능력을 가지고 있다. 그녀의 발레 테크닉은 정확하고, 특히 높은 점프와 유연한 동작으로 유명하다. 그녀의 유연성은 발레 세계에서 전설적이라고 할 수 있다. 기술뿐만 아니라 감정과 이야기를 전달하는 능력도 뛰어나 그녀는 춤을 통해 감정을 강렬하게 표현하고, 관객을 무대 위의 이야기로 끌어들이는 능력이 있다. 이는 그녀가 단순히 기술적으로 뛰어난 무용수를 넘어 예술가로서 인정받는 이유이다.
1989년, 길렘은 로얄 발레단으로 이적하면서 국제적인 무대에 더 넓게 진출했다. 그녀는 고전 발레뿐만 아니라 현대 발레에서도 혁신적인 작업을 선보이며, 발레 무용수로서의 경계를 허물었다. 그녀는 윌리엄 포사이스와 같은 현대 발레 안무가와의 협업을 통해 전통적인 발레 형식에서 벗어난 다양한 작품을 선보였다. 그녀는 항상 새로운 것에 도전하고 혁신을 추구했다. 길렘은 자신만의 독창적인 스타일과 높은 기술력으로 '발레계의 반항아'라는 명성을 얻었으며, 발레를 통해 예술적 표현의 새로운 지평을 열었다. 그녀는 또한 철저한 자기 관리와 훈련으로 오랫동안 최고 수준의 무대를 유지했다. 2015년에 공식적으로 은퇴했지만, 그녀가 발레계에 끼친 영향은 지속적으로 회자되고 있다.
이는 새로운 무대와 안무에 도전하면서 발레의 경계를 확장하여 이로 인해 많은 후배 무용수들에게 영감을 주었다.
길렘은 다수의 현대 발레 작품과 고전 작품에서 중요한 역할을 맡으며, 발레계에서 그녀만의 영향력은 지금도 무용계에서 확고한 자리에 있다. 그녀의 공연은 전통과 혁신 사이의 균형을 잘 보여주는 예로 평가받는다.

#실시간 퍼포먼스 기술

실시간 퍼포먼스 기술은 무용과 결합하며 창의적이고 혁신적인 무대 경험을 제공한다. 이 기술은 무용수의 움직임을 실시간으로 추적하고 분석하여, 그 데이터를 활용해 무대 위의 시각적 효과나 음향을 즉각적으로 변화시키는 방식이다. 예를 들어, 모션 캡처 기술을 이용하면 무용수의 움직임을 정밀하게 캡처하여 디지털 환경에서 재현할 수 있고, 이 데이터를 기반으로 인터랙티브한 비디오나 빛의 효과를 만들어낼 수 있다.
이런 기술의 사용은 무대와 무용수 사이의 상호작용을 강화하고, 관객에게 보다 몰입감 있는 경험을 제공한다. 예를 들어, 무용수의 움직임에 따라 무대의 조명 색깔이 변하거나, 무용수가 특정 지점을 밟았을 때 사운드가 발생하는 등의 효과가 가능하다. 이는 관객에게 무용수와 같은 공간에 있는 듯한 느낌을 주어, 공연에 대한 감정 이입을 높인다.
또한, 실시간 퍼포먼스 기술은 무용수가 무대 위에서 즉흥적으로 창작하는 데도 활용될 수 있다. 기술이 제공하는 실시간 피드백을 통해 무용수는 자신의 움직임을 보다 창의적으로 확장하고 실험할 수 있으며, 이는 공연의 독창성과 예술성을 극대화하는 데 기여한다.
이 기술의 활용은 전통적인 무용의 경계를 넓히고, 새로운 형태의 예술적 표현을 가능하게 함으로써 무용예술의 미래를 밝히는 중요한 역할을 한다. 따라서, 실시간 퍼포먼스 기술은 무용과 기술의 융합을 통해 현대 예술의 새로운 지평을 열고 있으며, 이는 무용계에 새로운 창의적 가능성을 제공하고 있다.

#심리학

무용의 심리학은 무용수의 정신 상태, 감정, 인지 과정과 무용 수행 및 감상에 대한 심리적 측면을 연구하는 학문이다. 이 분야는 무용수가 어떻게 감정을 경험하고 표현하는지, 무용이 관객과 무용수 자신에게 어떤 심리적 영향을 미치는지를 탐구한다.

무용수는 심리적으로 종종 고도의 신체적, 정신적 압박을 겪는다. 무대 뒤의 경쟁, 완벽을 향한 지속적인 추구, 그리고 자주 발생하는 부상은 무용수들에게 큰 스트레스를 준다. 이러한 스트레스는 무용수의 정신 건강에 영향을 미치며, 자존감 문제, 불안, 심지어 우울증을 일으킬 수 있다. 심리학자들은 이러한 문제를 관리하고 극복하는 데 도움을 주기 위해 무용수들과 함께 일한다.

무용은 강력한 감정 표현 수단이다. 무용수는 자신의 몸을 사용하여 기쁨, 슬픔, 분노 등 다양한 감정을 표현한다. 이 과정에서 내면의 감정을 외부로 표출함으로써 정신적인 해방감을 경험할 수 있다. 또한, 무용을 통해 경험한 감정은 관객에게도 전달되어, 공연을 보는 이들이 비슷한 감정을 경험하게 만든다.

무용 심리학은 무용 치료에서도 중요한 역할을 한다. 무용 치료는 개인이 자신의 감정, 사고, 행동을 탐구할 수 있도록 돕는 심리 치료의 한 형태다. 이 치료법은 신체적 움직임을 통해 정신 건강 문제를 해결하고, 개인의 자기 인식을 증진시키는데 사용된다.

무용의 심리학은 무용을 단순히 예술적 표현의 수단으로 보지 않고, 그것이 개인의 정신 건강과 감정 표현에 미치는 영향을 과학적으로 이해하려는 시도다. 이를 통해 무용수들이 자신의 심리적, 정서적 문제를 더 잘 관리하고, 무용의 치료적 가능성을 탐구할 수 있다.

#아라베스크

아라베스크는 발레에서 사용되는 대표적인 포즈 중 하나로, 균형과 우아함을 동시에 요구하는 기술이다. 이 포즈에서 발레 무용수는 한 발로 지면에 서고 다른 한 발은 뒤쪽으로 곧게 뻗으면서 몸통은 앞으로 기울어진다. 팔은 보통 앞으로 하나가 뻗고 다른 하나는 옆이나 뒤로 뻗는 형태를 취한다. 이렇게 함으로써 몸 전체가 긴 선을 형성하게 된다.
아라베스크의 목적은 무용수의 선을 강조하고, 몸의 길이와 우아함을 최대로 표현하는 것이다. 이 포즈는 다양한 발레 동작에서 사용되며, 안무에 따라 여러 변형이 있을 수 있다. 아라베스크는 발레뿐만 아니라 현대무용에서도 자주 사용되며, 각 무용 스타일에 맞춰 조금씩 변형되어 사용된다. 아라베스크를 잘 수행하기 위해서는 핵심적인 몇 가지 기술적 요소가 필요하다.
아라베스크에서는 한 발로 서 있어야 하기 때문에 뛰어난 균형 능력이 필수적이다. 몸의 각 부분을 조화롭게 움직여야 하며, 특히 등, 다리, 팔의 연장선을 유지해야 한다. 다리를 높이 들어 올리고 몸을 앞으로 기울이면서도 선을 유지하려면 힘과 유연성이 모두 필요하다.
아라베스크는 발레 무용수의 기술과 예술성을 보여주는 중요한 동작으로, 발레의 많은 클래식 작품에서 이 포즈를 통해 감정과 이야기가 전달된다.

#아방가르드

아방가르드는 예술에서 혁신적이고 실험적인 경향을 나타내는 용어로, 무용에 있어서도 중요한 역할을 한다. 아방가르드 무용은 전통적인 형식과 기술에서 벗어나 새로운 움직임, 표현, 테마를 탐구하며, 예술의 한계를 넓히고 관객에게 새로운 시각적 경험을 제공한다.

아방가르드 무용의 특징 중 하나는 규범과 전통에 대한 도전이다. 이는 기존의 무용 양식이나 기술적 규칙에 얽매이지 않고, 무용수의 몸을 통해 새로운 이야기를 만들어내고자 하는 실험적 시도를 포함한다. 예를 들어, 비선형적인 서사구조, 비정형적인 공간 활용, 그리고 기존의 음악이나 음향과 다르게 소음이나 일상적인 소리를 사용하는 것 등이 있을 수 있다.

또한, 아방가르드 무용은 시각 예술, 드라마, 기술과 같은 다른 예술 형태와의 통합을 모색한다. 이러한 다학제적 접근은 무대 위에서 시각적, 청각적, 심지어 감각적인 경험을 혁신적으로 변화시킬 수 있으며, 관객에게 예술에 대한 새로운 인식을 제공한다.

예술적인 실험과 혁신을 중시하는 아방가르드 무용은 때로는 논란의 대상이 되기도 하지만, 그것은 무용과 예술 전반에 걸쳐 지속적인 대화와 발전을 촉진하는 중요한 역할을 한다. 이러한 혁신적 접근 방식은 예술계에서의 새로운 트렌드와 방향을 설정하고, 무용의 사회적, 문화적 맥락을 재해석하는 데 기여한다. 아방가르드 무용은 관객들에게 단순히 미적 즐거움을 넘어서서 사고와 감정을 자극하는 깊은 예술적 경험을 제공한다.

#아크로바틱

아크로바틱은 고도의 체력과 유연성을 필요로 하는 체조의 한 형태로, 무용과 결합할 때는 특히 흥미롭고 독특한 예술적 표현을 만들어낼 수 있다. 아크로바틱 무용은 전통적인 무용 요소와 아크로바틱의 고난도 기술을 융합하여, 보다 역동적이고 시각적으로 인상적인 퍼포먼스를 창출한다. 아크로바틱 무용의 특징은 다음과 같다.

융합의 예술성: 아크로바틱 무용은 무용과 체조를 결합하여 두 분야 간의 경계를 허물고 새로운 예술 형태를 탐구한다. 무용수는 기술적인 무용 동작과 아크로바틱의 장엄한 공중기술 및 균형 잡힌 포즈를 결합하여 표현력을 극대화한다.

신체적 요구사항: 이 유형의 무용은 무용수에게 상당한 신체적 요구를 한다. 높은 체력, 유연성, 힘을 필요로 하며, 이는 정교한 동작을 안전하게 수행할 수 있는 능력을 요구한다.

시각적 장관: 아크로바틱 무용은 관객에게 시각적으로 매우 매력적이다. 복잡하고 아름다운 공중 묘기와 함께, 무용의 전통적인 우아함을 통해 무대 위에서 진정한 시각적 장관을 연출한다.

감정적 깊이: 아크로바틱 기술을 사용함으로써 무용수는 감정의 강도를 높일 수 있다. 공중에서 수행하는 드라마틱한 동작들은 관객에게 강렬한 감정적 반응을 유도할 수 있으며, 이는 공연의 전반적인 감정적 깊이를 증가시킨다.

아크로바틱 무용의 예술적 가능성을 살펴보면 아크로바틱 무용은 무용과 아크로바틱의 경계를 넘나들며, 무대 예술의 새로운 영역을 개척한다. 이 융합은 전통적인 무용의 내러티브를 풍부하게 하고, 현대 무용의 실험적인 면모를 강조한다. 아크로바틱 기술을 통합한 무용 작품은 보다 다층적인 해석과 감상을 가능하게 하며, 무용 예술의 새로운 차원을 제공한다.

#아프리카 댄스

아프리카 댄스는 다양한 아프리카 대륙의 문화에서 비롯된 풍부한 무용 전통춤을 말한다. 이 춤들은 종종 특정 부족이나 지역 사회의 사회적, 문화적, 종교적 신념과 긴밀하게 연결되어 있으며, 생활의 모든 측면을 반영한다. 각기 다른 아프리카 국가와 부족은 자신들만의 독특한 무용 스타일과 전통을 가지고 있고 아프리카 댄스 종류는 는 매우 다양하다.
아프리카 댄스의 특징은 다음과 같다.
공동체 중심: 아프리카 댄스는 주로 공동체의 참여와 결속을 강조한다. 이러한 춤은 종종 집단 활동으로, 결혼식, 수확 축제, 왕관식, 종교 의식 등 공동체의 중요 이벤트에서 수행된다.
음악과의 긴밀한 관계: 드럼과 다른 전통 악기들은 아프리카 댄스에서 중요한 역할을 한다. 리듬은 춤의 움직임을 지시하며, 때로는 무용수가 악기의 리듬에 맞춰 발을 구르거나 몸을 움직이는 등, 음악과 완전히 통합된다.
신체의 사용: 아프리카 댄스는 전신을 사용하며, 특히 골반과 엉덩이의 움직임이 특징적이다. 강조된 신체 부위는 지역에 따라 다르며, 어떤 춤은 어깨 운동에 중점을 둘 수도 있다.
아프리카 댄스의 생활, 신념, 역사와 깊이 연결되어 있어, 춤을 통해 공동체 구성원들은 서로를 이해하고 강한 유대감을 형성하는 데 도움을 받는다. 이러한 춤은 세대 간 전승을 통해 보존되며, 젊은이들에게 조상들의 지혜와 전통을 전달하는 수단이 된다.
아프리카 댄스의 현대적 적용은 더욱 다양한 형태로 진화하고 있다. 아프리카 대륙뿐만 아니라 전 세계적으로 아프리카 댄스가 융합되고, 현대 무용, 힙합, 재즈와 같은 다른 춤 스타일과 결합되어 새로운 형태의 예술적 표현을 만들어내고 있다. 예를 들어, '아프로비트'는 전통적인 아프리카 음악과 움직임을 현대적인 음악과 결합한 춤으로, 전 세계적으로 인기를 얻고 있다.
이와 같은 현대적인 변형은 아프리카 댄스가 단지 과거의 유산이 아니라,

계속해서 새로운 문화적 맥락과 함께 진화하고 발전하는 살아있는 예술 형태임을 보여준다. 아프리카 댄스의 이러한 융합과 발전은 전 세계 사람들이 아프리카의 풍부한 문화를 경험하고 이해할 수 있는 기회를 제공하며, 세계 무대에서 아프리카 문화의 보편적 가치와 독창성을 인정받는 데 기여하고 있다.

아프리카 댄스의 보존과 혁신은 이 예술 형태가 지닌 생명력과 변화의 가능성을 강조한다. 이는 또한 아프리카 대륙의 다양한 문화가 어떻게 현대 세계와 상호 작용하고, 글로벌 아트 커뮤니티 내에서 중요한 위치를 차지하는지를 보여주는 좋은 예이다.

#안나 파블로바

안나 파블로바(Anna Pavlova)는 러시아 출신의 세계적으로 유명한 발레 무용수였으며, 발레 역사상 가장 주목받는 인물 중 한 명으로 평가받는다. 그녀의 춤은 그녀의 시대를 넘어서 발레 예술의 발전과 대중화에 크게 기여했다.

안나 파블로바는 1881년 2월 12일 러시아의 상트페테르부르크에서 태어났다. 어린 시절부터 발레에 큰 관심을 보인 그녀는 10세 때 상트페테르부르크의 유명한 발레 학교인 임페리얼 발레 스쿨에 입학했다. 그녀의 발레 기술은 뛰어났고, 특히 그녀의 가벼운 몸놀림과 우아한 표현력이 돋보였다.

파블로바는 1906년 마리스키 극장의 프리마 발레리나가 되었고, 이후 전 세계를 돌며 공연했다. 그녀는 발레를 고급 예술의 영역에서 더 넓은 대중에게 소개하는 데 중점을 뒀고, 자신만의 무용단을 조직하여 런던을 기반으로 활동했다. 그녀의 국제 투어는 발레의 대중화에 크게 기여했으며, 많은 나라에서 발레가 문화적 활동으로 자리 잡는 데 영향을 미쳤다.

안나 파블로바의 대표 작품 중 하나는 "죽음의 백조"로, 이 작품은 그녀와 동의어처럼 사용된다. "죽음의 백조"는 미켈 파우키니가 그녀를 위해 안무한 솔로 댄스 작품이며, 캉파넬리 작곡의 음악에 맞춰 춤추는 백조의 마지막 모습을 아름답게 표현했다. 이 춤은 파블로바의 이미지를 상징하며, 그녀의 우아함과 기술을 잘 보여준다. 파블로바는 또한 여러 전통 발레 작품에서 중요한 역할을 맡으며 발레 레퍼토리를 확장하는 데 기여했다.

안나 파블로바의 유산은 발레 예술을 현대의 중요한 문화 현상으로 변모시키는 데 중요한 역할을 했다. 그녀는 전 세계적으로 발레 학교와 극장의 설립했으며, 발레를 사랑하는 새로운 세대의 관객과 무용수들에게 영감을 주었다. 그녀의 죽음 이후에도 그녀의 이름은 발레와 동의어로 남아있으며, 오늘날에도 많은 발레 무용수와 애호가들에게 깊은 존경을 받고 있다.

#안느 테레사 드 케이르스마커

안느 테레사 드 케이르스마커(Anne Teresa De Keersmaeker)는 벨기에 출신의 현대 무용 안무가이자, 현대무용의 선두주자 중 한 명으로 꼽힌다. 그녀는 특히 구조적이고 수학적인 접근 방식으로 춤을 창작하며, 음악, 시간, 공간을 적극적으로 활용하는 것으로 유명하다.

안느 테레사 드 케이르스마커는 1960년 벨기에에서 태어났다. 브뤼셀과 뉴욕에서 무용을 공부하고, 1980년대 초에 자신의 무용단인 로사스(Rosas)를 창단했다. 이 무용단은 급격히 성장하여 유럽과 전 세계에서 활발히 활동하게 되었다.

드 케이르스마커는 초기 작품 '페이즈(1982)'를 통해 크게 주목받기 시작했다. 이 작품은 스티브 라이히의 미니멀 음악에 맞춰 정교하게 구성된 움직임을 특징으로 하며, 음악과 완벽하게 동기화된 안무로 현대 무용에 큰 영향을 미쳤다. 이후 그녀는 다양한 음악가들과 협력하면서, 음악적 구조를 무용에 통합하는 방법을 지속적으로 탐구해왔다.

그녀의 작품들은 종종 음악, 특히 고전 음악과의 깊은 연관성을 보인다.

케이르스마커의 예술적 접근은 매우 분석적이며, 종종 수학적이고 기하학적인 패턴을 사용하여 무대를 구성한다. 그녀의 안무는 무용수들 사이의 공간적 관계, 몸의 움직임, 그리고 음악의 리듬과 멜로디가 서로 긴밀하게 얽혀 있는 것이 특징이다. 그녀는 또한 텍스트와 멀티미디어 요소를 통합하여, 관객에게 다층적인 경험을 제공한다.

케이르스마커는 현대 무용에서의 선구자적 역할뿐만 아니라, 브뤼셀 댄스 스쿨(P.A.R.T.S., Performing Arts Research and Training Studios)의 설립자이기도 하다. 이 학교는 현대 무용 교육에서 중요한 역할을 하며, 세계적으로 인정받는 무용수와 안무가들을 배출해내고 있다.

안느 테레사 드 케이르스마커의 작업은 현대 무용 분야에서 그녀의 독창적인 스타일과 철학적 접근으로 큰 존경을 받고 있으며, 그녀의 영향력은 오늘날에도 계속되고 있다.

#안무

무용의 안무는 춤을 창조하는 예술적 과정으로, 무용수의 움직임을 설계하고 조합하여 완성된 무용 작품을 만들어 내는 작업이다. 안무는 무용의 핵심적인 구성 요소이며, 안무가의 창의력과 의도에 따라 다양한 형태와 스타일을 취할 수 있다.

안무는 무용 작품의 구조와 내용을 결정하는 과정으로, 움직임의 선택, 순서, 타이밍, 그리고 공간적 배치를 포함한다. 이 과정은 무용수의 신체적 표현과 감정적 전달을 목표로 하며, 관객에게 시각적이고 감성적인 경험을 제공하기 위해 음악, 드라마, 시각 예술 등 다른 예술 형태와의 상호작용을 포함할 수 있다.

안무의 가장 기본적인 요소로 신체가 포함된다. 그리고 무용수가 무대 위에서 사용하는 공간의 경로와 패턴을 결정한다. 공간 사용은 작품의 시각적 효과를 크게 좌우하며, 무용수 간의 관계와 작품의 전체적인 흐름을 형성한다. 시간은 움직임의 속도와 리듬, 그리고 작품 전체의 길이를 포함한다. 음악의 비트에 맞춰 움직임을 조정하거나, 고의적으로 음악과 다른 속도로 움직여 대비를 이룰 수 있다. 에너지는 움직임의 강도와 질감을 결정한다. 에너지의 사용은 무용의 감정적 표현력을 강화하고, 작품의 드라마틱한 효과를 높인다.

안무는 형태는 솔로 무용, 듀엣, 그룹 무용 등 다양한 형태로 구성될 수 있다. 각 형태는 작품의 주제와 분위기, 무용수의 능력에 따라 다르게 접근될 수 있다.

현재 안무는 단순히 움직임의 배열을 넘어서 개념의 실체화로 발전하고 있다. 이는 안무가가 더 이상 움직임 자체에만 초점을 맞추지 않고, 보다 광범위한 개념이나 주제를 물질화하고 형상화하는 데 중점을 두고 있다는 것을 의미한다. 예를 들어, 사회적, 정치적 이슈나 개인적 경험과 같은 추상적 개념을 춤을 통해 구현하려는 시도가 확대되고 있다.

또한 이 안무에서 기술과의 통합의 사용이 증가하고 있다. 비디오, 가상현실, 인터랙티브 미디어 등 다양한 디지털 기술이 안무에 통합되어, 무대 예술의 새로운 형태를 탐색하고 있다. 이러한 기술 통합은 관객에게 더 몰입감 있고 독특한 경험을 제공하며, 무용수의 움직임과 상호 작용하는 새로운 방식을 창출한다.
현대 안무는 점점 더 다학제적 협업을 통한 접근을 채택하고 있다. 이는 안무가, 무용수, 음악가, 시각 예술가, 기술 전문가 등 다양한 분야의 예술가들이 함께 작업하여, 각자의 전문성을 활용해 보다 풍부하고 다층적인 작품을 만들어 내는 과정을 포함한다.
안무의 주제와 내용이 환경 보호, 사회 정의, 인권 등 지속가능성과 사회적 영향을 고려한 방향으로 확장되고 있다. 이는 예술을 통해 사회적 변화를 촉진하고, 보다 넓은 관객과의 대화를 시도하는 경향을 반영한다.
이러한 동향들은 안무가들이 전통적인 춤의 경계를 넘어서며, 현대 사회와 문화에 보다 깊이 연결되고 반응하는 방식으로 작업을 진행하고 있음을 보여준다. 이는 무용이 단순한 개념적인 형식을 넘어서 중요한 문화적 및 사회적 역할을 수행할 수 있음을 의미한다 따라서 안무는 무용 작품을 통해 메시지를 전달하고 감정을 표현하는 중요한 수단이며, 안무가의 창의성과 무용수의 해석에 따라 무한한 가능성을 지닌 예술 형태이다.

#알렉산더 테크닉

알렉산더 테크닉은 자세와 움직임을 개선하기 위한 교육적인 방법으로, F. M. 알렉산더(Frederick Matthias Alexander)에 의해 개발됐다. 알렉산더는 1869년 호주에서 태어난 연극 배우였고, 자신의 성대 문제를 해결하기 위해 이 기술을 개발했다. 그는 자신의 긴장과 습관적인 불필요한 근육 사용이 성대 문제의 근본 원인임을 발견하고, 이를 극복하기 위한 방법을 찾아냈다.
알렉산더 테크닉의 주요 원리는 다음과 같다.
알렉산더 테크닉은 자기 인식을 통해 불필요한 근육 긴장을 줄이고 더 효율적이며 건강한 방식으로 몸을 사용하는 데 초점을 맞춘다. 이 기술은 몸과 마음의 조화를 이루고, 자세와 움직임을 최적화하는 데 도움을 준다.
자기 인식: 알렉산더 테크닉은 몸의 습관적인 패턴을 인식하고 이를 조절할 수 있는 능력을 개발한다.
방해 중지(Inhibition): 자동적인 반응을 인식하고 중지시키는 연습을 통해 더 나은 선택을 할 수 있는 기회를 제공한다.
방향성(Direction): 더 좋은 근육 사용과 자세를 위해 특정한 방향을 몸에 제시한다.
일체감(Unity): 몸 전체가 조화롭게 움직이도록 한다.
알렉산더 테크닉의 적용은 테크닉은 연기, 무용, 음악 연주와 같은 예술 분야 뿐만 아니라 일상생활에서의 자세 개선에도 매우 유용하다. 또한 만성 통증 관리, 스트레스 감소, 호흡 개선 등 건강 증진에도 도움을 준다.
알렉산더 테크닉은 그 사용자가 몸의 불필요한 긴장을 줄이고 더 자연스럽고 효율적인 움직임을 할 수 있도록 돕는 효과적인 방법이다. 이는 궁극적으로 전체적인 웰빙과 성능 향상에 기여한다.

#연극적요소

무용에서 연극적 요소는 무용수가 무대 위에서 표현하는 다양한 방법과 수단을 포함한다. 이러한 요소들은 무용 작품이 단순한 움직임을 넘어서서 강렬한 감정이나 깊은 메시지를 전달하는 데 중요한 역할을 한다. 다음은 무용에서 중요한 연극적 요소들이다.

무용수의 얼굴 표정과 몸짓은 내면의 감정을 표현하는 중요한 수단이다. 이를 통해 관객은 무용수의 감정 상태나 작품의 분위기를 더욱 깊이 이해할 수 있다. 특정 제스처나 포즈는 특별한 의미를 전달하거나, 특정 상황을 연상시키는 데 사용된다. 이러한 요소들은 관객에게 더욱 명확한 메시지를 전달하는 데 도움을 준다.

무용수는 무대 위에서 특정 캐릭터나 역할을 수행할 수 있다. 이는 무용 작품이 단순한 움직임의 나열을 넘어서서, 극적인 이야기를 전달하거나 복잡한 인간 관계를 탐구하는 데 기여한다.

많은 무용 작품들이 명확한 시작, 중간, 그리고 결말을 가진 서사 구조를 따른다. 이러한 구조는 관객이 작품을 이해하고 감정적으로 연결될 수 있도록 돕는다. 음악은 무용에서 극적 분위기를 조성하고 감정의 흐름을 조절하는 데 중요한 역할을 한다. 또한 사운드 이펙트는 특정 장면이나 감정을 강조하는 데 사용될 수 있다. 무대 배경, 소품, 조명 등은 작품의 톤과 분위기를 설정하고, 특정 시간이나 장소를 연상시키는 데 중요하다. 이러한 요소들은 무용수의 움직임과 함께 작품의 전체적인 연극적 효과를 만들어낸다.

의상은 캐릭터의 성격이나 작품의 시대적 배경을 표현하는 데 중요하다. 또한, 색상과 스타일은 작품의 전반적인 톤과 메시지를 강조하는 데 사용된다.

이러한 연극적 요소들은 무용을 단순한 신체 활동을 넘어서서, 강력한 예술적 표현의 형태로 승화시키는 데 기여한다. 관객은 이러한 요소들을 통해 작품의 깊이를 더욱 풍부하게 체험할 수 있게 된다.

#에너지

무용과 에너지는 매우 밀접한 관계를 가지고 있으며, 무용은 에너지를 표현하고 전달하는 예술 형태로 볼 수 있다. 무용에서 에너지는 물리적, 감정적, 심리적 요소들을 포함하여 다양한 차원에서 다음과 같이 나타난다.

물리적 에너지: 무용에서 가장 명백한 에너지의 형태는 물리적 에너지다. 무용수는 자신의 몸을 사용하여 동작을 수행함으로써 에너지를 발산한다. 이는 점프, 회전, 스텝 등 다양한 무용 기술을 통해 표현된다. 물리적 에너지의 관리는 무용수가 무대 위에서 지속적으로 활동할 수 있게 하는 핵심 요소이며, 퍼포먼스의 강도와 지속성을 결정짓는다.

감정적 에너지: 무용은 감정을 표현하는 강력한 매체이다. 무용수는 자신의 움직임을 통해 기쁨, 슬픔, 분노 등 다양한 감정을 관객에게 전달한다. 이 감정적 에너지는 관객이 무용수와 공감하고 그들의 퍼포먼스에 몰입할 수 있게 만든다. 감정적 에너지의 효과적인 사용은 무용수가 각 동작에 의미를 부여하고, 무용 작품 전체의 서사를 강화하는 데 기여한다.

심리적 에너지: 무용수의 집중력, 의지력, 자신감과 같은 내면의 힘을 의미한다. 무용수는 높은 수준의 심리적 에너지를 유지함으로써 복잡한 안무를 정확하게 수행하고, 무대 위의 압박감을 극복한다. 또한, 심리적 에너지는 무용수가 더 강렬하고 의미 있는 퍼포먼스를 만들어내는 데 필수적이다.

에너지의 교류: 무용 공연은 무용수와 관객 사이의 에너지 교류의 장이다. 무용수의 에너지가 관객에게 전달되고, 관객의 반응이 다시 무용수에게 영향을 미치면서 상호 작용이 이루어진다. 이러한 에너지의 흐름은 공연의 강렬함과 기억에 남는 경험을 만드는 데 중요한 역할을 한다.

무용에서의 에너지 사용과 관리는 무용수의 기술적 능력뿐만 아니라 예술적 표현의 깊이와 범위를 확장하는 데 중요한 요소이다.

#엑스프레션

엑스프레션(expression), 즉 표현은 무용에서 핵심적인 요소 중 하나로, 무용수가 자신의 감정, 생각, 이야기를 신체 움직임과 표정을 통해 관객에게 전달하는 과정을 의미한다. 무용에서의 엑스프레션은 단순히 기술적인 동작의 수행을 넘어서, 그 동작들이 갖는 깊은 의미와 감정을 효과적으로 표현하는 데 중점을 둔다.

엑스프레션은 무용을 예술로 승화시키는 중요한 요소이다.

신체 언어로서 무용수는 자신의 몸을 사용하여 감정이나 상황을 표현한다. 각각의 움직임, 자세, 포즈는 특정 감정이나 메시지를 전달하는 수단이 될 수 있다. 얼굴 표정은 무용에서의 엑스프레션을 강화하는 중요한 요소이다. 기쁨, 슬픔, 고통, 열정 등 다양한 감정을 표현함으로써, 무용수는 관객과의 감정적 연결을 상승시킨다. 따라서 무용수는 신체와 표정을 통해 깊은 감정을 전달하고 이러한 감정적 표현은 작품의 내용을 관객에게 더욱 명확하게 전달하고, 공연의 몰입도를 높인다.

다양한 무용 장르에서 엑스프레션의 사용 방법은 다를 수 있다. 예를 들어, 발레에서는 종종 정교하고 과장된 표정과 포즈를 사용하여 이야기를 드라마틱하게 전달하는 반면, 현대무용에서는 자연스러운 신체 움직임을 통해 더욱 섬세하고 개인적인 감정을 탐구할 수 있다.

엑스프레션은 무용수의 기술적 능력 위에 구축된다. 강력한 기술적 기반 없이는 엑스프레션의 깊이와 범위가 제한될 수 있다. 따라서, 훈련 과정에서 기술을 연마하는 것과 동시에 감정과 이야기를 효과적으로 전달할 수 있는 방법을 학습하는 것이 중요하다.

엑스프레션을 통해, 무용수는 단순한 움직임을 넘어서 예술적인 메시지를 전달하며, 무용을 보는 이들에게 깊은 감동과 생각을 불러일으킬 수 있다. 이러한 무용의 표현적 측면은 관객이 작품을 통해 다양한 감정과 경험을 체험하게 하며, 무용이 단순한 육체적 활동을 넘어서 예술의 영역으로 인정받는 데 핵심적인 역할을 한다.

#에코 콘셔스 댄스

환경 의식을 바탕으로 한 춤과 움직임을 통해 자연과의 연결을 강화하고, 지속 가능한 생활 방식을 촉진하는 예술적 표현 방식이다. 이 춤의 철학은 자연을 존중하고, 환경 보호를 중요시하며, 인간과 자연의 조화로운 공존을 추구하는 데 중점을 둔다.

에코 콘셔스 댄스는 몇 가지 주요 개념과 원칙을 기반으로 한다.

첫째, 자연과의 연결을 강조하는데, 이는 숲, 바다, 산 등 자연 환경에서 춤을 추면서 자연의 에너지를 느끼고 표현하는 것을 의미한다. 자연 속에서의 움직임을 통해 인간이 자연의 일부임을 깨닫게 하는 것이다. 둘째, 지속 가능성을 중요시한다. 이는 자연을 보호하고 보존하는 방식으로 춤을 추며, 환경에 해를 끼치지 않는 장소와 재료를 사용하는 것을 포함한다. 예를 들어, 플라스틱이나 비생분해성 소재를 피하고, 자연에서 얻을 수 있는 재료를 사용한다.

셋째, 사회적 및 환경적 책임을 다하는 것을 목표로 한다. 에코 콘셔스 댄스는 개인뿐만 아니라 공동체의 환경 의식을 높이기 위해 노력하며, 춤을 통해 환경 보호 메시지를 전달하고 사람들에게 지속 가능한 생활 방식을 권장한다. 넷째, 창의적 표현과 교육을 중요시한다. 자연에서 영감을 받은 움직임과 안무를 통해 창의성을 표현하고, 워크숍이나 퍼포먼스를 통해 환경 문제에 대한 교육과 인식을 높인다.

에코 콘셔스 댄스는 자연 속에서의 춤, 환경 보호 퍼포먼스, 지속 가능한 워크숍 등 다양한 활동을 통해 실천된다. 춤은 숲, 해변, 공원 등 자연 환경에서 춤을 추면서 자연과 하나 되는 경험을 제공하며, 자연의 소리와 풍경을 배경으로 춤을 추며 자연의 에너지와 리듬을 느끼게 한다. 환경 보호 퍼포먼스는 환경 보호 메시지를 담은 퍼포먼스를 기획하여 예를 들어, 플라스틱 오염 문제를 주제로 한 춤 공연을 통해 관객들에게 환경 문제의 심각성을 알릴 수 있다. 지속 가능한 워크숍은 재활용 가능하거나 자연 친화적인 재료를 사용한 춤 워크숍을 개최하여 참여자들에게 환경 보호의 중요성을 교육하고, 실천할 수 있는 방법을 공유한다.

에코 콘셔스 댄스는 단순히 춤을 추는 것을 넘어, 환경 보호와 지속 가능한 생활 방식을 추구하는 철학을 담고 있다. 자연과의 연결을 강화하고, 사회적 책임을 다하며, 창의적인 방법으로 환경 보호 메시지를 전달하는 이 춤은 현대 사회에서 매우 의미 있는 예술적 실천이다. 자연과 인간의 조화로운 공존을 목표로 하는 에코 콘셔스 댄스는 환경 의식을 높이고 지속 가능한 생활 방식을 장려하는 중요한 역할을 한다고 할 수 있다.

#온라인 댄스 커뮤니티

온라인 댄스 커뮤니티는 전 세계의 무용수와 무용 애호가들이 모여 소통하고, 정보를 교환하며, 서로를 지지하는 디지털 플랫폼이다. 이러한 커뮤니티는 다양한 형태로 존재할 수 있으며, 소셜 미디어 그룹, 전용 웹 포럼, 비디오 플랫폼 등을 통해 만들어진다. 이러한 플랫폼들은 댄스 교육, 퍼포먼스 스트리밍, 커뮤니티 구축, 이벤트 정보 제공 등 여러 기능을 통해 사용자들에게 접근성을 높이고 댄스 커뮤니티를 확장하는 역할을 한다. 댄스 온라인 커뮤니티는 무용에 관한 다양한 자원을 제공하고, 글로벌 댄스 커뮤니티의 일원으로서 개인의 댄스 경험을 풍부하게 만드는 데 중요한 역할을 한다.

지식 공유 및 학습 기회: 무용수들은 온라인 커뮤니티를 통해 안무 아이디어, 무용 기술, 트레이닝 팁 등을 공유할 수 있다. 또한, 워크숍이나 온라인 강좌 같은 학습 기회를 통해 기술을 향상시킬 수 있다.

댄스 교육과 워크숍: 온라인 강의, 튜토리얼, 마스터 클래스를 제공하여 댄스 기술을 배우거나 개선할 수 있는 기회를 제공한다. 이러한 서비스는 초보자부터 전문 무용수까지 다양한 수준의 댄서들을 대상으로 한다.

커뮤니티 구축: 포럼, 채팅방, 소셜 미디어 통합 기능을 통해 댄스에 대한 토론, 경험 공유, 네트워킹을 촉진한다. 이는 무용수들 사이의 상호작용과 협력을 돕는다.

네트워킹: 전 세계의 무용수들과 연결되어 경험을 나누고, 협업을 모색하며, 새로운 기회를 찾을 수 있다.

퍼포먼스 스트리밍: 무용 공연, 경연 대회, 리허설 등을 실시간 스트리밍하거나 온디맨드로 제공한다. 이를 통해 전 세계 어디에서나 고품질의 댄스 공연을 관람할 수 있다.

영감과 창의력: 다른 무용수들의 작품을 보고 영감을 받거나, 자신의 창작물을 공유하여 피드백을 받는 것은 창의적인 성장에 도움이 된다.

공연 및 이벤트 정보: 국내외 댄스 공연, 대회, 워크숍 등 다양한 이벤트에 대한 정보를 쉽게 얻을 수 있다.

지지와 동기부여: 댄스 커뮤니티는 멤버들에게 정서적 지지를 제공하며, 목표 달성을 위한 동기를 부여한다.

소셜 미디어: Facebook, Instagram, TikTok 등의 플랫폼에서는 댄스 관련 그룹과 채널이 활발하게 운영되고 있다. 이러한 플랫폼들은 손쉬운 접근성과 광범위한 네트워크를 제공한다.

이벤트 정보와 참여: 워크숍, 오디션, 댄스 페스티벌 및 기타 이벤트에 대한 정보를 제공하고, 온라인으로 참여할 수 있는 기회를 제공한다.

전문 포럼과 웹사이트: Dance.net, Ballet Talk 등 전문 댄스 커뮤니티 사이트는 무용수들이 보다 구체적인 정보를 나누고 심층적인 토론을 할 수 있는 공간을 제공한다.

비디오 플랫폼: YouTube, Vimeo 등에서는 댄스 튜토리얼, 공연 영상, 리뷰 등을 제공하여 학습과 영감을 동시에 얻을 수 있다.

댄스 온라인 커뮤니티는 무용을 사랑하는 사람들이 서로 연결되어 상호작용하며 성장할 수 있는 공간으로, 무용 생태계 내에서 중요한 역할을 수행한다. 이 커뮤니티는 정보를 교환하고, 영감을 주고받으며, 댄스 커리어를 지원하는 플랫폼으로서 활용되고 있다.

이러한 온라인 댄스 플랫폼은 무용수들이 자신의 기술을 개발하고, 새로운 댄스 스타일을 배우며, 전 세계의 무용 커뮤니티와 연결될 수 있는 중요한 수단이다. 또한, 이 플랫폼들은 무용 산업의 발전과 대중화에 크게 기여하고 있다.

#인공지능 안무

인공지능(AI) 기술을 사용하여 춤의 동작, 패턴, 안무를 설계하고 창작하는 분야를 말한다. 이 분야는 최신 기술과 예술의 융합으로 새로운 형태의 춤과 예술적 표현을 가능하게 한다. 인공지능 안무는 전통적인 안무 방식에 혁신을 가져오며, 춤의 창작 과정에 다양한 가능성을 제공한다.
주요 기술과 방법론은 다음과 같다.
딥러닝 및 머신러닝: 딥러닝과 머신러닝 알고리즘은 대량의 춤 데이터를 학습하여 새로운 춤 동작과 패턴을 생성하는 데 사용된다. 예를 들어, 수천 개의 춤 비디오를 학습한 인공지능 모델은 새로운 동작을 창작하거나 기존 동작을 변형하여 새로운 안무를 만들어낼 수 있다.
모션 캡처 및 데이터 분석: 모션 캡처 기술은 춤추는 사람의 동작을 3D 데이터로 변환하여 인공지능이 분석할 수 있게 한다. 이러한 데이터는 인공지능이 춤의 다양한 요소를 이해하고, 이를 바탕으로 새로운 안무를 설계하는 데 사용된다.
자연어 처리 (NLP): 자연어 처리는 춤의 개념과 아이디어를 텍스트로 입력 받아 이를 바탕으로 안무를 생성하는 데 사용될 수 있다. 예를 들어, 특정 감정이나 주제를 설명하는 문장을 입력하면, 인공지능이 이에 맞는 춤 동작을 제안할 수 있다.
강화 학습 (Reinforcement Learning): 강화 학습은 인공지능이 주어진 목표를 달성하기 위해 최적의 동작을 학습하는 방법이다. 춤에서는 특정 음악에 맞춰 가장 적합한 동작을 찾는 데 사용할 수 있다. 인공지능은 수많은 시도와 오류를 통해 점점 더 정교한 안무를 생성하게 된다.
공연 예술: 인공지능 안무는 무대 공연에서 새로운 춤 스타일과 동작을 도입하는 데 사용될 수 있다. 예술가들은 인공지능이 생성한 안무를 통해 창의적인 영감을 얻고, 이를 바탕으로 독창적인 공연을 만들어낼 수 있다.
교육 및 훈련: 인공지능 안무는 춤 교육과 훈련에서도 활용될 수 있다. 초보자는 인공지능이 제공하는 단계별 가이드를 따라가며 춤을 배우고, 전문가는 새로운 기술을 학습하고 연습할 수 있다. 또한, 인공지능은 학습자

의 동작을 분석하여 피드백을 제공함으로써 학습 효과를 극대화할 수 있다.
인터랙티브 엔터테인먼트: 인공지능 안무는 게임이나 가상현실(VR)과 같은 인터랙티브 엔터테인먼트에서도 중요한 역할을 한다. 사용자와 상호작용하며 실시간으로 안무를 생성하고, 이를 통해 더욱 몰입감 있는 경험을 제공할 수 있다.
창작 도구: 인공지능은 안무가들에게 창작 도구로 활용될 수 있다. 안무가는 인공지능이 생성한 다양한 동작과 패턴을 조합하여 새로운 안무를 만들 수 있으며, 이를 통해 창작 과정에서의 시간과 노력을 절약할 수 있다.
인공지능은 기존에 없던 새로운 동작과 패턴을 생성하여 창의성을 극대화할 수 있고 사용하면 안무 생성 과정에서 시간과 노력을 절약할 수 있을 뿐만 아니라 새로운 춤에 대한 도전이 될 것이다.

#이사도라 던컨

이사도라 던컨은 그녀의 독특한 스타일과 철학으로 인해 점차 무용계에서 중요한 인물로 자리 잡았으며, 시간이 지남에 따라 그녀의 관객들로부터 큰 호응을 얻었다.
그녀는 1877년 미국 샌프란시스코에서 태어났으며, 어린 시절부터 자연스러운 움직임에 대한 탐구를 시작했다.
이사도라 던컨은 현대 무용의 어머니로 불리며, 그녀의 혁신적인 무용 스타일과 철학은 전통적인 발레와는 완전히 다른 방향을 제시하며 무용계에 큰 변화를 가져왔다. 이사도라 던컨은 전통적인 발레에 대한 근본적인 반발로부터 자신만의 무용 스타일을 창조했다. 발레의 엄격하고 규제된 움직임이 아닌, 보다 자유롭고 자연스러운 움직임을 통해 인간의 감정과 영혼을 표현하고자 했다.
이사도라는 그리스 고대 문화에서 영감을 받아 자신의 무용 철학을 구축했다. 그녀는 그리스 조각상과 벽화 속의 자유롭고 유연한 신체 표현에서 아이디어를 얻었다. 그녀의 춤은 자연의 원리, 즉 바람과 파도의 움직임을 모방하려 했고, 이는 그녀가 '신의 춤'이라고 불렀던 것의 본질이었다.
이사도라 던컨의 대표작 중 하나인 "나르시스"는 자기애와 자기 반성의 테마를 탐구한다. 이 작품에서 던컨은 자연스러운 몸짓과 표정으로 나르시스의 심리적 갈등을 깊이 있게 표현했다. 또 다른 작품 "모차르트 레퀴엠"에서는 죽음과 영혼의 여정을 주제로, 깊은 감정적 울림과 함께 인간 존재의 본질에 대한 성찰을 제시한다.
던컨은 어린 시절부터 전통적인 발레 수업을 받았으나, 그 규제된 움직임과 엄격한 기술에 억제감을 느꼈다. 그녀는 발레가 인간의 자연스러운 욕구와 감정의 표현을 제한한다고 생각했다. 이로 인해 그녀는 발레의 '토슈즈'을 벗어던지고 맨발로 춤추기 시작했다. 이것은 상징적인 행동이었으며, 그녀의 예술적 독립을 선언하는 순간이었다. 이사도라 던컨의 첫 작품과 초기 공연들은 관객들에게 상당한 충격을 주었다. 전통적인 발레에 익숙한 사람들 사이에서 그녀의 맨발 춤과 자연스러운 움직임은 당황스럽고 때로는 충격적으로 받아들여졌다. 그녀의 접근 방식은 보수적인 무용 애호가들에게 이해하기 어려운 변화였고, 일부 비평가들은 그녀의 춤을 '근본 없는' 춤이라고 평가하기도 했다. 하지만 동시에 많은 사람들은 그녀의 공연을 신선하고 혁신적인 예술로 받아들였다. 그녀가 추구한 자유로움과 감정의 표현은 특히 예술가들과 진보적인 영향력은 더욱 확대되었다. 그녀의 작품은 무용에 대한 새로운 관점을 제시하며, 현대 무용의 발전에 중요한 기반을 마련했다.

새로운 예술적 관점과 혁신으로 이사도라 던컨은 발레의 엄격하고 기계적인 테크닉 대신, 더 자유롭고 자연스러운 움직임을 추구했다. 그녀는 그리스 고대 예술과 철학에서 영감을 받아 신체의 자연스러운 흐름과 리듬을 강조하는 춤을 창조했다. 그녀의 무용은 신체의 자유로운 표현을 중시하며, 감정과 영혼의 직관적 표현을 중요하게 여겼다. 이는 당시의 무용계에서 보수적인 관념과는 상당히 대조되는 접근이었다.

이사도라 던컨은 여러 작품에서 그녀의 예술 철학을 구현했다. 그녀의 대표적인 무용 중에는 "탄헤우저의 초원", "나르시스", "모차르트 레퀴엠" 등이 있다. 그녀의 무용은 단순한 미적 즐거움을 넘어, 교육적이고 철학적인 메시지를 담고 있어 관객에게 깊은 인상을 남겼다.

이사도라 던컨의 무용 철학과 스타일은 전 세계 많은 무용수와 안무가에게 영감을 주었다. 그녀는 자연과 예술이 조화를 이루는 삶을 지향했으며, 이는 무용을 통해 인간의 자유와 개성을 탐구하려는 현대 무용의 기초를 마련했다. 던컨의 접근 방식은 무용의 교육적, 치유적 가능성을 확장시키는 데 기여했으며, 그녀의 방법과 철학은 오늘날에도 여전히 많은 현대 무용가들에게 중요한 영향을 미치고 있다.

#인터페이시즘

인터페이시즘(Interfacism)은 통상적으로 인터페이스디자인이나 인터랙티브 미디어에서 사용되는 개념이지만, 이를 무용과 연결 지어 생각해 볼 때, 무용에서도 관객과 무용수, 혹은 무용수와 무용수 간의 인터페이스, 즉 상호작용의 표면을 탐구하는 데 적용할 수 있다. 인터페이스는 정보, 감정, 또는 에너지의 교환을 가능하게 하는 매개체로 기능한다. 무용에서의 인터페이시즘은 무용수들 사이, 또는 무용수와 관객 사이의 연결과 상호작용을 통해 발생하는 예술적 의사소통을 다룬다.

무용수와 무용수 간의 인터페이스: 무용수들 사이의 상호작용은 종종 공연의 중심적인 요소가 된다. 이들의 움직임이 서로에게 어떻게 영향을 미치는지, 동기화되고 조화를 이루는 과정에서 발생하는 에너지는 관객에게도 전달된다.

무용수와 공간의 인터페이스: 무용수는 공연 공간과도 상호작용한다. 무대 위의 위치, 조명, 무대 디자인과의 관계 등이 모두 무용수의 표현과 관객의 인식에 영향을 준다. 공간은 무용수의 움직임을 강조하거나 제약할 수 있으며, 이러한 상호작용은 작품의 해석과 경험에 중요한 영향을 미친다.

무용수와 관객의 인터페이스: 무용 공연은 관객과 무용수 간의 강력한 에모셔널 교류를 통해 완성된다. 무용수의 표현력과 관객의 감정적 반응 사이에 형성되는 이 인터페이스는 공연의 성공 여부를 좌우하는 결정적 요소가 될 수 있다. 예를 들어, 관객의 반응이 무용수에게 에너지를 주고 이는 다시 관객에게 강렬한 감정적 반응을 이끌어내는 상호 작용적 사이클을 형성한다.

기술과의 인터페이스: 최신 무용 공연에서는 비디오, 사운드, 라이트 등 다양한 기술적 요소가 도입되어 이러한 기술과 무용수가 어떻게 상호작용하는지도 중요한 연구 주제이다. 이를 통해 무용과 기술의 경계가 허물어지고 새로운 형식의 예술적 표현이 가능해진다.

#임프로바이제이션

임프로바이제이션, 즉 즉흥은 무용에서 창의성과 자유로운 표현의 핵심 요소로 사용된다. 이 기법은 무용수가 사전에 계획된 안무 없이 순간의 영감과 감정에 따라 움직임을 창출하도록 한다. 즉흥은 무용의 다양한 장르에서 사용되며, 무용수의 개인적인 스타일과 창의력을 탐구하고 발전시키는 데 중요한 역할을 한다.
창의적 표현으로 즉흥은 무용수에게 자유롭게 자신의 감정과 생각을 표현할 수 있는 기회를 제공한다. 이는 표준화된 기술과 안무에서 벗어나 개인의 독창성을 탐구할 수 있게 해준다. 기술 개발로 즉흥을 통해 무용수는 더욱 유연하고 반응적인 움직임을 개발할 수 있다. 이 과정에서 무용수는 다양한 신체적, 공간적, 리듬적 가능성을 실험하게 되며, 이는 기술적 능력을 향상시킨다. 즉흥은 무용수가 자신의 내면을 탐구하고 스트레스를 해소하는 수단이 될 수 있다. 자유로운 움직임을 통해 심리적 긴장을 완화하고 자기 표현의 자유를 경험한다.
공연에서의 활용: 많은 현대무용 작품들이 즉흥을 통해 발전된다. 무용수의 즉흥적인 움직임은 작품에 독특한 캐릭터와 생동감을 부여하며, 이는 공연의 독창성을 높인다.
즉흥의 다양한 측면은 다음과 같다.
무용수가 혼자서 음악이나 조용한 환경에서 자신만의 움직임을 탐색하는 과정. 이는 내면의 감정과 생각을 반영하며 자기 자신을 더 깊게 이해하는 데 도움을 준다. 여러 무용수가 함께 즉흥을 행할 때, 이는 그룹 내의 상호 작용과 의사소통을 촉진한다. 무용수들은 서로의 움직임에 반응하면서 공동의 창작 과정에 참여한다. 일정한 규칙이나 제약을 가지고 수행하는 즉흥. 예를 들어, 특정한 테마나 움직임의 제한을 두고 수행하면, 무용수는 주어진 조건 내에서 창의적인 해결책을 찾아야 한다.
즉흥 무용은 무용수가 자신의 기술적, 예술적 한계를 넘어서는 데 도움을 준다. 이 과정에서 개인의 창의력, 표현력, 신체 인식이 향상되며, 무용 작품과 공연에 풍부한 감정과 독창성을 더할 수 있다.

#작품분석

무용 작품 분석을 할 때, 고려해야 할 주요 요소들을 살펴보면 작품이 만들어진 배경과 그 시대적, 문화적 맥락을 파악하는 것이 중요하다. 이는 작품의 주제나 메시지를 이해하는 데 큰 도움이 된다. 작품의 주제가 무엇인지, 작품을 통해 전달하고자 하는 메시지나 감정은 무엇인지 분석한다.

안무의 구성 방식을 분석하여, 어떻게 움직임이 전체적인 작품의 주제나 감정을 표현하고 있는지 살펴본다.

동작의 선택, 그 동작들이 만들어내는 형태와 리듬, 그리고 이들이 어떻게 서로 연결되어 있는지 주목한다.

음악 선택이 작품의 분위기와 어떻게 맞물리는지, 음악의 리듬과 멜로디가 무용수의 움직임과 어떻게 상호작용하는지 분석한다.

무용 중 사용되는 기타 음향 효과들도 작품에 어떤 영향을 주는지 고려한다.

공간 사용이 작품의 내용 전달에 어떻게 기여하는지, 무대 구성 요소들이 전체적인 표현에 어떻게 스며드는지 살펴본다.

무대 디자인이 관객에게 어떤 시각적 인상을 주는지, 그리고 이것이 작품의 테마와 어떻게 조화를 이루는지 분석한다.

의상 선택이 작품의 시대적 배경이나 주제를 어떻게 보여주는지, 의상이 무용수의 움직임에 어떤 영향을 미치는지 고찰한다.

개별 무용수의 기술과 표현력이 작품 전체의 퀄리티에 어떻게 기여하는지 평가한다.

각 무용수의 역동적인 움직임과 감정 표현이 작품의 전달력을 어떻게 강화하는지 분석한다.

이러한 요소들을 종합적으로 고려하여 무용 작품을 분석하면, 작품의 깊이를 보다 풍부하게 이해할 수 있으며, 작품이 전달하고자 하는 예술적 가치와 메시지를 더욱 세밀하게 포착할 수 있다.

#잠자는 숲 속의 미녀

"잠자는 숲 속의 미녀"는 표트르 일리치 차이콥스키가 작곡한 발레 음악으로, 1889년에 완성되었다. 이 작품은 차이콥스키의 세 대표적인 발레 작품 중 하나로, "백조의 호수"와 "호두까기 인형"과 함께 자주 연주되며 매우 인기가 있다. "잠자는 숲속의 미녀"는 프랑스 작가 샤를 페로의 동화를 바탕으로 하고 있으며, 공주가 마법에 걸려 100년 동안 잠을 자다가 왕자의 키스로 깨어나는 이야기를 담고 있다.
이 발레의 초연은 1890년 상트페테르부르크의 마린스키 극장에서 이루어졌으며, 마리우스 프티파가 안무를 맡았다. 프티파와 차이콥스키의 협업으로 탄생한 이 발레는 당시에 큰 성공을 거두었고, 발레 음악과 안무의 완벽한 조화로 평가받는다. 특히 차이콥스키의 음악은 그의 특유의 멜로디와 조화로운 오케스트레이션으로 인해 많은 사랑을 받고 있다.
역사적으로 이 작품은 발레 음악에서 오케스트라를 활용한 깊이와 복잡성을 새롭게 보여주었으며, 발레를 한 단계 높은 예술 형태로 끌어올렸다는 평가를 받는다. 또한, 이 발레는 세트 디자인과 의상에서도 혁신을 보여주었으며, 당대 최고의 무용수들이 참여하여 무대를 더욱 화려하게 장식했다.
시간이 지남에 따라, "잠자는 숲 속의 미녀"는 여러 차례 재해석되고 새로운 안무가 추가되었지만, 원작의 음악과 기본적인 구성은 여전히 많은 발레단에서 공연되고 있다. 이 작품은 전 세계적으로 발레 애호가들에게 사랑받는 클래식 발레로, 많은 발레학교에서도 기본 교육 과정으로 채택되고 있다.

#장 조루즈 노베르

장 조르주 노베르는 18세기 프랑스에서 활동한 발레의 안무가이자 발레 이론가로, 발레의 기술과 형태를 체계화한 인물로 알려져 있다. 1727년에 파리에서 태어난 노베르는 프랑스 발레의 황금기를 이끌었으며, 그의 작품과 이론은 발레의 기술적 발전과 예술적 표현을 현대적인 방향으로 이끌었다.
노베르는 1748년 파리 오페라 발레의 무용수로 경력을 시작했으며, 이후 안무가로 전향하여 다수의 발레 작품을 창작했다. 그의 가장 유명한 작품은 1756년에 초연된 "라 필 말가르데(La Fille mal gardée)"로, 당시로서는 매우 혁신적인 작품이었다. 이 작품은 농촌을 배경으로 한 일상적인 이야기를 다루면서 발레에 리얼리즘을 도입한 첫 번째 사례로 평가받는다.
노베르는 발레 기술을 정교화하고 극적인 요소를 강화하는 데 큰 기여를 했다. 그는 발레 동작의 규칙과 체계를 정립하고, 빌레 수업 방식을 표준화하는 데 앞장섰다. 그의 이론적 저작인 "레트르 쉬르 라 당스(편지에서의 춤)"에서는 발레 동작의 정확성과 표현의 중요성을 강조하며, 이를 통해 무용수가 관객에게 깊은 감정을 전달할 수 있다고 주장했다.
노베르는 또한 발레 스쿨의 교육 프로그램을 개발하고 발레 교육의 질을 향상시키는 데 기여했다. 그의 교육 방법은 단순히 기술적인 면을 넘어서 무용수가 감정을 표현하고 이야기를 전달할 수 있도록 했다. 그의 접근 방식은 후대의 발레 교육에 큰 영향을 끼쳤으며, 그의 이론과 실천은 오늘날까지도 발레 교육의 기초로 남아 있다.
장 조르주 노베르는 발레라는 예술 형태를 기술적으로 발전시키고 예술적으로 심화시킨 역사적인 인물로, 그의 작품과 이론은 발레 발전의 중추적인 역할을 했다. 그의 죽음 후에도 그의 영향력은 계속되어 발레계에 큰 발자취를 남겼다.
현재에도 장 조르주 노베르의 발레 기법과 교육 철학은 현재에도 매우 중요한 영향을 미치고 있다. 그의 작업은 발레의 교육과 안무에 있어서 기초적인 틀을 제공하며, 현대 발레 교육의 많은 부분이 그의 이론에 기반을 두고 있다.

노베르가 제시한 체계적인 교육 방법과 테크닉은 여전히 전 세계의 발레 학교와 아카데미에서 기본 교육 과정으로 사용되고 있다. 발레 테크닉의 정확성, 신체의 정렬 및 자세, 그리고 감정 표현의 중요성을 강조하는 그의 접근 방식은 오늘날 발레 교육의 핵심 요소로 간주된다.

노베르의 안무 작업은 리얼리즘과 이야기 전달에 중점을 둔 것으로, 이러한 접근은 현대 발레 안무가들에게도 계속해서 영감을 주고 있다. 많은 현대 발레 작품들이 노베르의 리얼리즘적 접근 방식을 받아들이고 있으며, 그의 작품들은 여전히 전 세계의 발레 회사에서 꾸준히 재연되고 있다.

노베르의 이론은 발레가 단순히 기술적인 면 만을 강조하는 것이 아니라, 무용수가 감정을 표현하고 관객과의 깊은 연결을 형성할 수 있도록 해야 한다는 점에서 현대 발레에 큰 영향을 미쳤다. 현대 발레 안

장 조르주 노베르는 발레의 기술적, 예술적 측면 뿐만 아니라 교육적 측면에서도 지속되고 있으며, 그의 철학은 발레가 계속 발전하고 현대화되는 과정에서 중요한 기반을 제공하고 있다.

#정신 건강 문제

무용은 고도의 경쟁적인 분야로, 무용수들은 자주 스트레스와 불안 같은 정신 건강 문제에 직면할 수 있다. 무용은 신체적인 훈련과 더불어 감정적인 표현을 요구하기 때문에, 종종 무용수들은 자신의 감정과 몸의 상태를 조절하는 데 어려움을 겪을 수 있다.
경쟁이 치열한 무용계에서는 완벽주의와 자기 비난의 압력이 상승할 수 있다. 무용수들은 자신의 실력과 외모에 대한 높은 기대를 안고 있으며, 이는 종종 자아 존중감을 저하시키고 우울증을 유발할 수 있다. 또한, 무용은 부상의 위험이 높은 운동이기도 하며, 부상으로 인한 신체적 고통은 정신적인 스트레스를 증가시킬 수 있다.
무용계에서는 이러한 정신 건강 문제에 대한 인식이 점차 증가하고 있으며, 많은 무용 단체와 학교에서는 무용수들에게 정신 건강 지원을 제공하고 있다. 이는 상담 서비스, 정신 건강 교육 프로그램, 그리고 스트레스 관리 기술 등을 포함할 수 있다. 또한, 무용 수업이나 연습 시간에 휴식과 회복을 위한 시간을 제공하는 등의 방법으로 무용수들의 정신적 안녕을 챙기는 노력이 이루어지고 있다. 이러한 지원을 통해 무용수들은 자신의 정신 건강을 관리하고, 건강한 상태로 예술 활동을 이어 나갈 수 있다.
무용수는 신체적, 정신적으로 많은 압박과 스트레스를 경험할 수 있기 때문에 정신건강 문제를 해결하기 위해 여러 가지 접근 방법을 사용해야 한다. 정기적인 심리 상담으로 무용수들이 정기적으로 심리 상담을 받는 것은 매우 중요하다. 전문가와의 대화를 통해 스트레스와 불안을 관리하고, 감정적인 지원을 받을 수 있다. 경력 있는 무용수나 교사들이 젊은 무용수들에게 조언을 제공하는 멘토링 프로그램은 큰 도움이 될 수 있다. 이는 무용수들이 자신의 문제를 공유하고 해결책을 찾는 데 도움을 줄 수 있어. 개인적 목표 설정은 무용수들이 현실적이고 달성 가능한 목표를 설정하고 이에 도달하는 과정에서 성취감을 느끼는 것이 중요하다. 이는 자기효능감을 높이고 정신적 건강에 긍정적인 영향을 줄 수 있다.
그들의 예술적 표현과 삶의 질을 향상시키는 데 기여할 수 있다.

#정재

정재는 조선 시대 궁중에서 행해진 전통 무용으로, '궁중무용'이라고도 한다. 이는 주로 왕실의 중요한 행사나 국가적인 축제에서 행해졌으며, 무용의 내용은 종교적, 의례적인 요소를 포함하고 있어 단순한 예술적 표현을 넘어 신에 대한 제사나 왕에 대한 충성을 나타내는 의미를 담고 있다.
정재의 기원은 고려 시대로 거슬러 올라갈 수 있으나, 조선 시대에 이르러서 체계적으로 발전하고 궁중 의식과 행사에 정식으로 포함되기 시작했다. 조선 초기에는 중국의 영향을 받은 무용들이 많았으나, 점차 독자적인 한국적 요소가 강화되었다.
정재는 '문무'로, 이는 문신과 무신이 참여하는 무용으로 왕이나 국가의 안녕을 기원하는 의례적 성격이 강하다.
정재는 향약정재와 당악정재는 조선 시대 궁중에서 행해진 두 가지 유형의 정재(정식 궁중 무용)로 나뉜다. 향약정재는 조선 시대에 발전한 한국 고유의 궁중 음악과 무용을 사용하는 정재다. '향약'이라는 용어는 '향약(鄕樂)' 즉, '향촌의 음악'이라는 뜻에서 파생된 것으로, 한국 전통 음악을 의미한다. 향약정재는 순수한 한국식 장단과 박자를 사용하며, 궁중에서 열리는 의례나 축제에서 한국적 정서를 강조하여 공연된다. 이 형태의 정재는 한국의 정체성과 문화적 독립성을 상징하며, 조선 왕실의 권위와 신성을 내세우는 데 중요한 역할을 했다. 당악정재는 중국에서 유래한 음악과 무용을 사용하는 정재로, '당악(唐樂)'은 '당나라의 음악'을 의미하며, 고려 시대에 중국에서 전래된 것이다. 당악정재는 중국의 영향을 받은 음악과 춤으로 구성되어 있다.
오늘날 정재는 한국 전통 문화의 보존과 계승 측면에서 매우 중요하게 여겨지며, 전통 예술을 통해 역사적 정체성과 민족의 자긍심을 고취시키는 역할을 하고 있다. 이러한 전통 무용은 다양한 문화 행사나 국제적인 무대에서도 소개되어 한국의 무용 예술을 세계에 알리는 데 기여하고 있다.

#조명 디자인

무용에서 조명 디자인은 공연의 시각적 효과를 극대화하고, 감정과 분위기를 전달하는 중요한 요소이다. 조명은 단순히 무대를 밝히는 것 이상의 역할을 하며, 공연의 내용을 강조하고, 무용수의 움직임을 더욱 드라마틱하게 만드는 데 기여한다. 다음은 무용에서 조명 디자인의 몇 가지 핵심적인 기능이다.

감정과 분위기 조성: 조명은 무대 위의 감정적 상황을 반영하여 관객에게 느낌을 전달하는 데 중요한 역할을 한다. 예를 들어, 따뜻한 조명은 편안하고 친밀한 분위기를, 차가운 조명은 외로움이나 고독과 같은 감정을 효과적으로 전달할 수 있다.

공간의 정의와 조작: 조명을 통해 무대의 특정 부분을 강조하거나, 공간의 경계를 만들어내는 것이 가능하다. 이를 통해 무용수들이 공간을 어떻게 사용하고 있는지, 또는 스토리가 어떤 공간에서 진행되고 있는지를 시각적으로 나타낼 수 있다.

무용수의 동작 강조: 조명은 무용수의 몸동작을 더욱 뚜렷이 보여주기 위해 사용된다. 적절한 조명은 무용수의 신체적 형태와 동작의 아름다움을 강조하여 시각적으로 인상적인 이미지를 만들어낸다.

시간과 공간의 전환: 공연 중에 시간의 흐름이나 장소의 변화를 나타내기 위해 조명을 활용할 수 있다. 조명 변화만으로도 낮에서 밤으로의 전환, 실내에서 실외로의 장면 변경 등을 효과적으로 표현할 수 있다.

기술적 효과와 창의성: 현대 무용에서는 종종 고급 기술을 사용한 조명 효과가 도입된다. LED 조명, 프로젝션 매핑, 인터랙티브 조명 등은 무대에 새로운 차원의 시각적 효과를 추가하며 창의적인 표현을 가능하게 한다.

결론적으로, 조명 디자인은 무용 공연에서 단순히 보조적인 요소가 아닌 핵심적인 예술적 표현 수단이다. 조명을 통해 무용수의 표현력은 물론, 전체적인 공연의 몰입감과 예술성이 극대화된다.

#조지 발란신

조지 발란신(George Balanchine, 1904년 1월 22일 ~ 1983년 4월 30일)은 러시아 출신으로 미국에서 활동한 세계적인 발레 안무가이자 극장 감독이었다. 그는 20세기 발레의 혁신가로 널리 알려져 있으며, 특히 현대 발레의 아버지로 불린다.
발란신은 러시아의 상트페테르부르크에서 태어났다. 그는 어린 나이에 황실 극장 학교에 입학하여 발레를 배웠고, 이후에도 무용과 음악 교육을 계속 받았다.
발란신은 처음에는 러시아와 유럽에서 안무가로 활동했다. 그러다가 미국으로 이민을 가서 그의 가장 주목할 만한 업적 중 하나는 뉴욕 시티 발레단을 설립하고 예술적인 리더로서 이 발레단을 세계적인 수준으로 끌어올린 것입니다. 이 발레단은 그의 대표작과 혁신적인 작품들로 빠르게 명성을 얻었다.
그는 클래식 발레의 전통적인 형식을 벗어나 현대적 요소를 도입했으며, 이를 통해 발레를 더욱 다양하고 동적인 예술 형태로 발전시켰다.
발란신은 400여 편이 넘는 발레 작품을 창작했고, 이 중 '세레나데', '발레의 사계', '아폴론' 등이 특히 유명하다.
그의 안무는 발레의 기술적 정교함과 음악적 해석에 대한 깊은 이해를 바탕으로 하고 있어, 많은 발레 안무가와 무용수에게 영향을 미쳤다.
발란신의 사후에도 그의 작품과 교육 철학은 전 세계의 발레 학교와 단체에서 계속해서 연구되고 수행되고 있다.
뉴욕시 발레단은 발란신의 유산을 계승하며 세계적인 발레 단체로서의 입지를 굳건히 하고 있다.
발란신은 20세기 발레에 현대적이고 추상적인 요소를 도입하여, 전통적인 내러티브 중심의 발레에서 벗어나 음악과 움직임 자체에 집중하는 새로운 스타일을 창조했다. 그의 안무 작업은 기술적으로 매우 요구되며, 동시에 신체의 아름다움을 극대화하는 데 중점을 두었다.
또한, 발란신은 다양한 음악가들과의 협력을 통해 발레 음악에 있어서도 혁신을 추구하였다. 특히, 이고르 스트라빈스키와의 긴밀한 협력은 발란신 발레의 음악적 특징을 정의하는 데 중요한 역할을 했으며, 스트라빈스키의 음악을 사용한 많은 발레 작품들이 그의 대표작으로 꼽힌다.
그의 대표작으로는 "세레나데", "아폴론 무제테", "백조의 호수", "호두까기 인형"과 같은 작품들이 있으며, 이 작품들은 오늘날에도 전 세계 많은 발레단의 레퍼토리로 남아 있다. 발란신은 그의 업적을 통해 미국 발레를 세계 무대로 이끌었고, 현대 발레의 아버지로 여겨지며 그의 예술적 유산은 오늘날에도 계속해서 발레 세계에 영향을 미치고 있다.
발란신은 발레라는 예술 형태를 현대적인 관점으로 재해석하고, 그 경계를 확장한 안무가로서 그의 영향력은 오늘날에도 계속되고 있다.
발란신의 버전은 뉴욕시 발레단을 위해 1954년에 새롭게 안무한 버전은 특히 유명하다. 이 버전은 매년 뉴욕에서 공연되며, 발란신의 창의적인 안무가 돋보인다. 다른 유명한 버전으로는 영국 왕립 발레단, 볼쇼이 발레단 등 세계 유수의 발레 단체들이 자체적인 해석을 가미해 공연하는 경우가 많다. 이 발레는 그 자체로도 훌륭한 예술 작품이지만, 차이콥스키의 음악과 결합되어 더욱 매력적인 공연 예술로 자리매김하였다. 매년 크리스마스 시즌이 되면 전 세계 많은 도시에서 이 발레가 상연되며, 다양한 연령대의 관객들에게 크리스마스의 마법 같은 분위기를 선사한다.

#주관성

주관성은 무용 퍼포먼스에서 매우 중요한 요소로, 각 개인의 경험과 감정이 공연의 해석과 표현에 깊이 영향을 미칠 수 있다. 무용수 개인의 경험과 감정은 그들의 움직임, 표정, 그리고 공연의 전반적인 감정 전달에 중요한 역할을 하며, 이는 관객에게 전달되는 감동과 메시지를 형성하는 데 기여한다.
무용수는 자신의 개인적인 경험을 바탕으로 특정 동작이나 연기를 더 깊이 있게 표현할 수 있다. 예를 들어, 슬픔이나 기쁨과 같은 감정을 직접 경험한 무용수는 그 감정을 더 사실적이고 감동적으로 표현할 수 있다. 이러한 개인적인 감정의 투영은 공연을 더욱 풍부하고 다층적으로 만들며, 관객이 그 감정을 공감하고 느낄 수 있는 다리 역할을 한다.
이처럼 무용에서의 주관성은 공연의 창작과 수용 모두에서 중심적인 역할을 하며, 무용의 다양성과 깊이를 더하는 중요한 요소로 작용한다.
주관성은 무용수들이 자신의 감정, 생각, 경험을 춤을 통해 표현할 수 있게 해. 이는 무용수 각자가 독특한 스타일과 해석을 만들어내는 데 중요한 요소이다. 같은 안무를 여러 무용수가 춘다고 해도, 주관성에 따라 춤의 느낌과 메시지가 달라질 수 있다.
주관성은 무용에서 창의성과 혁신을 촉진해. 무용수와 안무가가 자신의 주관적 경험과 시각을 바탕으로 새로운 동작과 스타일을 개발할 수 있어. 이는 무용 예술의 발전과 다양성을 이루는 데 중요한 역할을 한다.
공연에 진정성을 높여. 무용수가 진심으로 느끼고 경험하는 감정을 춤에 담으면, 관객은 그 진정성을 느끼고 깊은 감동을 받을 수 있다. 이는 무용 공연의 감동과 공감을 극대화하는 데 중요한 요소이다.
주관성은 무용에서 개인의 독특한 시각과 감정을 표현하게 함으로써, 무용 예술의 풍요로움과 깊이를 더해. 이는 무용수가 단순히 동작을 수행하는 것을 넘어, 예술가로서 자신의 이야기를 전달하는 중요한 요소이다.

#즉흥

즉흥 무용은 안무가 미리 정해져 있지 않고, 무용수가 그 순간의 감정이나 음악, 주변 환경에 반응하여 즉석에서 움직임을 창조하는 춤의 형태다. 이러한 즉흥적인 움직임은 무용수가 자신의 신체적, 정서적 상태를 탐구하고 표현하는 데 깊이 있고 독창적인 방법을 제공한다.

개인적 표현의 자유오서의 즉흥 무용은 무용수에게 안무의 구속에서 벗어나 자유롭게 자신의 감정과 생각을 표현할 수 있는 기회를 준다. 이 과정에서 무용수는 순간의 영감을 바탕으로 독특하고 개인적인 춤을 만들어낸다.

창의성과 상호작용은 즉흥 무용은 무용수의 창의성을 극대화한다. 또한, 다른 무용수나 관객, 심지어는 주변 환경과의 상호작용을 통해 움직임이 형성될 수 있다. 이러한 상호작용은 매 순간 다른 결과를 낳으며, 무용수는 이를 통해 계속해서 새로운 아이디어를 탐색하고 실험한다.

음악과의 혹은 무음과 직접적으로 연계되어 있는 즉흥은 종종 특정 음악이나 소리에 맞춰 수행된다. 음악의 리듬, 멜로디, 강도 등이 무용수의 움직임을 자극하고 영감을 준다. 음악은 즉흥 춤의 방향이나 감정의 흐름을 결정하는 중요한 요소가 될 수 있다.

예술적 가치로 살펴보면 즉흥 무용은 무용수가 신체와 마음의 깊은 연결을 경험하게 하며, 이는 곧 자기 인식과 자기 표현의 향상으로 이어진다. 이 과정에서 무용수는 내면의 세계를 탐구하고, 더 깊은 자기 이해를 얻으며, 감정을 섬세하게 조절하는 방법을 배운다. 또한, 즉흥 무용은 관객에게도 예측 불가능한 독특한 경험을 제공하며, 무용수와의 진정한 감정적 교류를 가능하게 한다. 즉흥 무용은 전통적인 무용 공연과 달리 매 순간 새로운 예술 작품을 창조하는 과정이므로, 이는 무용수뿐만 아니라 관객에게도 계속해서 새로운 감각적, 정서적 경험을 제공한다. 이로 인해 즉흥 무용은 현대 무용계에서 중요한 위치를 차지하며, 예술적 탐구와 개인적 성장의 도구로 활용된다.

즉흥무용은 교육적 측면에서도 매우 중요한 역할을 수행한다. 학생들에게 자유로운 표현의 기회를 제공함으로써 창의력, 자신감, 그리고 신체적, 정신적 인식을 향상시키는 즉흥무용은 교육적 측면에서 매우 중요한 역할을 수행한다. 학생들에게 자유로운 표현의 기회를 제공함으로써 창의력, 자신감, 그리고 신체적, 정신적 인식을 향상시키는 데 기여한다.

창의력 개발 측면에서는 즉흥무용은 정해진 안무나 규칙 없이 움직임을 창조하도록 요구하기 때문에, 학생들은 자신만의 독창적인 춤을 만들어내야 한다. 이 과정에서 학생들은 다양한 신체적 움직임과 표현 방법을 실험하게 되며, 이는 창의력을 자극하고 발전시키는 데 매우 효과적이다. 학생들은 또한 음악이나 주변 환경과 상호작용하면서 순간적으로 반응하는 법을 배운다. 학생들이 자신의 신체와 감정에 대해 더 깊이 인식하도록 돕는다. 춤을 추면서 발생하는 감정을 탐색하고 이를 표현하는 과정을 통해, 학생들은 자신의 감정을 이해하고 관리하는 방법을 배운다. 이러한 경험은 학생들이 더 강한 자기 인식을 개발하고, 자신의 감정을 건강하게 표현하는 데 중요한 기술을 제공한다. 즉흥무용은 종종 그룹 활동의 형태로 진행되며, 이는 학생들 사이의 사회적 상호작용과 협력을 촉진한다. 함께 춤을 추면서 학생들은 서로의 움직임에 반응하고, 그 과정에서 팀워크와 의사소통 능력을 개발한다. 이러한 활동은 학생들이 서로를 더 잘 이해하고 존중하는 데 도움을 준다. 이는 학생들에게 자신의 아이디어를 자유롭게 표현할 기회를 제공하며, 이는 자신감을 크게 향상시킬 수 있다. 새로운 움직임을 시도하고 자신의 한계를 넘어서는 경험은 학생들이 자신의 능력을 인식하고, 무엇이든 할 수 있다는 자신감을 키우는 데 기여한다.

즉흥무용은 이처럼 학생들의 창의력과 자신감을 발전시키고, 감정과 사회적 기술을 향상시키는 강력한 교육 도구로서의 역할을 한다. 이를 통해 학생들은 예술적 표현뿐만 아니라 인간으로서의 성장과 발전을 경험할 수 있다.

#직관인식

직관인식(intuitive perception)은 무용가가 춤을 추는 동안 즉각적이고 본능적으로 무언가를 인식하는 능력을 의미한다. 이는 무용가의 훈련, 경험, 감각, 감정 등이 복합적으로 작용하여 발생하는 것으로, 무용가가 몸과 마음을 통해 정보를 처리하고 반응하는 과정이다.

신체적 직관인식으로는 다음과 같다.

근육 기억: 반복적인 훈련을 통해 무용가는 특정 동작을 자연스럽게 수행할 수 있는 능력을 갖추게 된다. 이는 마치 자동 반사처럼 작용하여 무용가는 복잡한 안무를 빠르고 정확하게 수행할 수 있다.

균형과 공간 인식: 무용가는 공간에서 자신의 위치를 직관적으로 파악하고 움직일 수 있는 능력을 갖추고 있다. 이는 주위 환경과 상호작용하는 능력이다.

감각적 직관으로는 다음과 같다.

음악과의 조화: 무용가는 음악의 리듬, 멜로디, 감정을 직관적으로 느끼고 이에 맞춰 자신의 동작을 조절한다. 음악과의 조화를 통해 무용가는 더 깊은 감정 표현과 감동을 전달할 수 있다.

파트너와의 호흡: 파트너와 함께 춤을 출 때, 무용가는 상대방의 움직임을 직관적으로 감지하고 이에 맞춰 자신의 동작을 조정한다. 이는 서로의 신호를 빠르게 인식하고 반응하는 능력을 향상시킨다.

감정적 직관으로는 다음과 같다.

감정 표현: 무용가는 춤을 통해 자신의 감정을 표현하며, 이를 통해 관객과 교감한다. 이는 무용가가 자신의 내면 감정을 직관적으로 이해하고, 이를 몸짓으로 표현하는 능력이다.

관객 반응: 무용가는 관객의 반응을 직관적으로 인식하고, 이에 따라 자신의 공연을 조정할 수 있다. 이는 관객과의 상호작용을 통해 보다 깊은 무대를 만들어 나가는 과정이다.

창의적 직관은 다음과 같다.

즉흥 공연: 무용가는 때로는 사전에 계획되지 않은 동작을 즉흥적으로 만

들어낼 수 있다. 이는 순간의 영감을 바탕으로 새로운 움직임을 창조하는 과정이다.

안무 개발: 안무를 창작하는 과정에서 무용가는 직관적으로 어떤 동작이 적합할지, 어떻게 이야기를 풀어나갈지를 결정한다. 이는 무용가의 경험과 직감에 의해 이루어진다.

직관인식의 발달은 다음과 같다.

무용가의 직관인식은 지속적인 훈련과 경험을 통해 발달한다. 다양한 스타일의 춤을 배우고, 다양한 상황에서 공연을 해보며, 끊임없이 자신의 몸과 마음을 탐구하는 과정에서 무용가는 직관적 인식을 강화하게 된다. 이 과정에서 무용가는 신체적, 감각적, 감정적, 창의적 직관을 모두 통합하여 최고의 퍼포먼스를 만들어낼 수 있다.

무용가의 직관인식은 단순한 기술적 능력을 넘어선, 예술적이고 감성적인 차원에서의 이해와 표현 능력이라 할 수 있다.

#지속 가능한 무대 디자인

지속 가능한 무대 디자인은 공연 예술 분야에서 환경에 미치는 영향을 최소화하고자 하는 디자인 접근법이다. 이는 무대와 세트 제작 과정에서 재활용 가능한 자원을 사용하거나, 환경 친화적인 재료를 선택하는 것을 포함합니다. 또한, 지속 가능한 무대 디자인은 무대 설치와 철거 과정에서 발생할 수 있는 환경적 영향을 줄이는 방식으로 진행된다.
지속 가능한 디자인의 핵심은 재사용, 재활용, 그리고 재료의 지속 가능한 소싱에 초점을 맞추는 것입니다. 예를 들어, 무대 설계시에는 분해가 가능하고 재조립이 용이한 구조를 선택하여 여러 공연에 걸쳐 재사용할 수 있도록 합니다. 또한, 친환경 페인트나 LED 조명과 같은 에너지 효율이 높은 조명 기구를 사용함으로써 에너지 사용을 줄일 수 있다.
이러한 방법은 공연 예술을 더욱 지속 가능한 방향으로 이끌고, 공연 제작 과정에서 환경 보호를 실천하는 중요한 방법이 된다.
에너지 사용 최소화: 무용 공연과 투어는 무대 조명, 음향 시스템 등 대량의 에너지를 필요로 합니다. 에너지 효율이 높은 LED 조명의 사용, 태양광 패널 등 재생 가능 에너지 소스의 도입이 가능하다.
투어 최적화: 공연 일정과 경로를 효율적으로 계획하여 이동 거리와 탄소 배출을 줄일 수 있다. 지역 내 혹은 국내 투어를 우선적으로 고려하는 전략도 하나의 방법이 될 수 있다.
지속 가능한 재료 사용: 무대 디자인과 제작에 있어 재활용 가능하거나 친환경적인 재료를 사용한다. 무대 세트와 의상을 여러 공연에 걸쳐 재사용하거나, 재활용 가능한 재료로 제작할 수 있다.
디지털 기술 활용: 전통적인 공연 홍보 방식 대신 디지털 마케팅을 사용하면 종이 사용을 줄일 수 있다. 환경 보호에 대한 인식을 높이는 중요한 메시지를 전달할 수 있는 기회가 될 수 있다.

#지젤

"지젤"은 19세기 낭만주의 발레의 대표적인 작품으로, 이 시기의 특징을 여러 면에서 잘 반영하고 있다. 낭만주의 발레는 감정의 깊이, 자연과의 연결, 초자연적 요소의 포함이 특징적이며, "지젤"의 춤과 전반적인 안무에서 이러한 낭만주의적 특성을 명확하게 볼 수 있다.

1841년에 파리 오페라 발레에서 처음 공연된 발레 작품으로, 테오필 고티에와 주르노 드 생조르주가 줄거리를 쓰고, 아돌프 아담이 음악을 작곡했다. 이 작품은 발레 로망티끄의 대표적인 예로 손꼽히며, 사랑과 배신, 그리고 용서라는 주제를 다루고 있다. "지젤"은 전 세계적으로 사랑받는 클래식 발레 중 하나로, 그 감동적인 스토리와 아름다운 안무로 유명하다.

"지젤"의 이야기는 두 부분으로 나뉜다. 첫 번째 부분은 라인 지방의 한 마을에서 벌어지는 이야기로, 젊고 순진한 소녀 지젤이 등장한다. 지젤은 귀족인 알브레히트를 만나 사랑에 빠지지만, 알브레히트는 자신이 이미 약혼한 상태임을 숨긴 채 평민인 로트바르트로 가장하여 지젤과 사랑에 빠진다. 지젤은 알브레히트의 배신을 알게 되고, 이로 인해 정신을 잃고 비극적으로 죽음을 맞이한다.

두 번째 부분은 지젤의 무덤이 있는 숲에서 벌어지는 이야기다. 죽은 처녀들의 영혼인 빌리들이 등장하는데, 빌리들은 남성을 현혹해 죽음에 이르게 하는 영혼들이다. 지젤도 빌리가 되어 알브레히트를 현혹하지만, 그녀는 여전히 알브레히트를 사랑하기 때문에 그를 구해준다. 결국 지젤은 알브레히트의 생명을 구하고 영원한 안식을 찾는다.

아돌프 아담의 음악은 "지젤"의 감정적 깊이를 더하며 이야기를 생동감 있게 만든다. 음악은 각 캐릭터의 성격과 감정 상태를 반영하며, 특히 지젤의 순수함과 절망, 빌리들의 음산한 분위기를 잘 표현한다. 안무는 전통적인 발레 기법과 로맨틱 발레의 특징을 결합하여, 특히 빌리들의 군무는 발레의 대표적인 장면 중 하나로 꼽힌다. 이처럼 "지젤"의 춤은 낭만주의적 요소를 충실히 반영하며, 이를 통해 인간 내면의 감정과 초자연적 존재, 자연과의 깊은 연결을 탐구한다. 이 작품은 단순한 무용이 아니라, 낭만주의가 추구하는 아름다움과 심오함을 예술적으로 표현하는 매체로서의 중요한 작품이다.

"지젤"은 발레 로망티끄의 전형적인 예로서, 초자연적 요소와 심오한 인간 감정을 탐구하는 작품으로 평가받는다. 이 작품은 발레 무용수들에게 깊은 감정 표현과 기술적 역량을 요구하며, 발레 학생과 전문 무용수 사이에서 필수 레퍼토리로 자리 잡고 있다. 또한, "지젤"은 여러 차례 영화와 텔레비전을 통해 재해석되었으며, 발레뿐만 아니라 넓은 문화적 맥락에서도 중요한 위치를 차지하고 있다.

"지젤"은 발레의 역사 뿐만 아니라 문화사에서도 중요한 작품으로, 그 아름다움과 깊이 있는 스토리로 오랜 시간 동안 사랑받고 있다.

#참여

참여무용(Participatory Dance)은 관객이나 비전문가가 적극적으로 참여하는 무용 형태를 말한다. 이 방식은 무용수와 관객의 경계를 허물고, 모두가 함께 춤을 추는 경험을 제공하는 것이 목적이야. 관객의 적극적 참여는 참여무용에서는 관객이 단순히 보는 것을 넘어 직접 춤을 추게 된다. 이는 관객이 무대 위의 무용수들과 상호작용하고, 무용의 일부분이 되는 경험을 할 수 있게 한다. 이 무용 형태는 모든 연령대와 배경의 사람들이 참여할 수 있도록 포용성과 접근성으로 설계되어 있다. 무용 경험이 없는 사람들도 쉽게 참여할 수 있도록 간단한 동작과 지침을 제공하는 경우가 많다. 관객과의 상호작용 및 공동 창작의 측면을 연구하는 키워드로서 무용에서 '참여'라는 개념은 관객이 이러한 참여적 무용은 관객과 무용수 사이의 경계를 허물고, 더욱 직접적이고 개인적인 경험을 제공하는 것을 목표로 한다. 사회적 연결매체로 참여무용은 사람들 간의 상호작용과 연결을 촉진한다. 함께 춤을 추면서 신체적, 정서적 유대감을 형성할 수 있어 이는 공동체 의식을 강화하고, 사회적 고립감을 줄이는 데 도움이 된다. 참여무용은 참가자들이 자신의 몸을 통해 자유롭게 감정을 표현하고 창의성을 발휘할 수 있는 기회를 제공하여 이는 스트레스를 해소하고, 자기 표현의 즐거움을 경험하는 데 도움이 된다. 신체 활동을 통해 건강을 증진시키고, 정신적 스트레스를 완화할 수 있다. 춤을 추는 것은 운동 효과 뿐만 아니라, 심리적 안정감과 만족감을 제공하기 때문이다.

다양한 문화적 배경을 가진 사람들이 함께 춤을 추면서, 서로의 문화를 이해하고 존중하는 기회를 가질 수 있다. 이는 문화적 다양성을 존중하고, 상호 이해를 증진시키는 데 도움이 된다.

이러한 참여무용은 무용을 더욱 대중화하고, 무용 예술의 접근성을 높이는 데 중요한 역할이다. 동시에, 무용수와 관객 모두에게 새로운 시각과 경험을 제공하여 예술적, 사회적 가치를 높이는데 기여한다.

#창작

무용의 창작은 예술적 아이디어와 신체적 표현이 결합되어 새로운 춤을 만들어내는 과정이다. 이 과정은 안무가의 창의력, 음악, 테마, 그리고 무용수의 신체적 능력과 경험에 따라 다양하게 전개될 수 있다.
무용 창작의 첫 단계는 탐구로써 대개 아이디어나 특정 주제에서 시작된다. 이는 개인적인 경험, 역사적 사건, 문화적 요소, 자연 현상, 사회적 이슈 등에서 영감을 받을 수 있다. 안무가는 이 아이디어를 바탕으로 춤의 전체적인 구성과 메시지를 설정한다. 창작은 안무가의 개인적인 심리적 욕구와 동기에 깊이 연결되어 있다. 안무가는 자신의 내면적 갈등, 사회적 메시지 전달, 아름다움 추구 등 다양한 심리적 동기를 춤으로 표현하고자 한다. 주제 설정은 탐구 단계에서 얻은 통찰을 바탕으로 구체적인 주제가 된다. 이 주제는 무용 작품의 중심 메시지가 되며, 전체 작품의 톤과 방향을 결정짓는 핵심 요소다. 주제에 따라 작품을 표현할 대상이나 캐릭터를 선정한다. 이는 무용수 개인, 특정 집단, 또는 추상적인 개념일 수 있으며, 주제를 가장 잘 표현할 수 있는 대상의 선택이 중요하다. 실제 작품 창작에 앞서, 안무가는 관련된 움직임, 자연 현상, 사람들의 상호작용 등을 관찰한다. 이러한 관찰은 창작된 동작이 현실감 있고 진정성을 가지도록 도와준다. 즉흥은 창작 과정에서 중요한 역할을 한다. 안무가와 무용수는 주제와 관련된 음악이나 침묵 속에서 자유롭게 움직임을 탐색한다. 이 즉흥적 움직임은 종종 창작 과정에서 새로운 아이디어를 발견하는 데 기여한다. 즉흥을 통해 얻은 아이디어와 움직임은 체계적인 동작으로 구성된다. 안무가는 이 움직임을 조합하고 순서를 정하여 최종적인 안무를 만든다. 이 단계에서 음악, 리듬, 공간 활용 등이 결정되며, 작품의 완성도를 높이는 데 중점을 둔다.
안무 과정은 무용의 창작에서 가장 핵심적인 부분이다. 이 단계에서 안무가는 구체적인 움직임을 디자인하고, 이를 무용수들과 함께 연습하면서 수정하고 발전시킨다. 안무는 음악의 리듬과 멜로디에 맞춰 이루어지기도 하고, 때로는 음악 없이 순수한 움직임에 초점을 맞추기도 한다. 즉흥무용은 이러한 과정에서 중요한 역할을 할 수 있으며, 무용수의 몸이 자연스럽게 반응하는 방식을 통해 움직임을 발견하고 구체화한다. 무용 창작 과정은 예술적 탐구부터 동작 구성까지 여러 단계를 거치며, 각 단계는 무용수와 안무가의 심리적 욕구와 창의적 동기에서 비롯된다. 다음은 무용 창작 과정의 주요 단계를 구체적으로 설명한다.

이렇게 무용 창작 과정은 개인적인 탐구에서부터 구체적인 동작 구성에 이르기까지 여러 단계를 거치며, 각 단계는 서로 밀접하게 연결되어 있다. 이 과정을 통해 안무가와 무용수는 감정과 이야기를 신체적 표현으로 전환하며, 관객에게 강력한 예술적 경험을 제공한다.

창작된 무용은 무대화 과정을 통해 관객 앞에 선보인다. 이 단계에서는 의상, 무대 디자인, 조명, 음향 등이 결정되며, 이 모든 요소가 안무와 함께 조화를 이루어야 한다. 의상은 춤의 스타일과 테마를 강조하고, 무대 디자인은 춤의 분위기와 설정을 보여주는 데 중요한 역할을 한다. 무용이 관객 앞에 처음 선보인 후, 안무가와 무용수는 관객의 반응과 피드백을 바탕으로 작품을 수정하거나 재해석할 수 있다. 이 과정은 무용이 지속적으로 성장하고 발전하는 데 기여하며, 새로운 아이디어나 기술이 추가되어 더욱 풍부한 예술 작품이 될 수 있다.

무용의 창작은 이처럼 다양한 창의적 과정과 기술적 실행이 결합된 복잡한 작업이며, 이를 통해 무용수와 안무가는 자신의 예술적 비전을 표현하고 관객과 감정적, 지적으로 소통하는 경험을 할 수 있다.

#처용무

처용무는 신라 시대에 기원을 둔 전통 한국 무용 중 하나로, 처용이라는 인물에 얽힌 설화를 바탕으로 한다. 이 무용은 예로부터 액을 막고 국가의 평안을 기원하는 의식적 요소가 강하며, 이러한 배경이 예술적 가치와 더불어 문화적 보존의 중요성을 부여한다.

처용 설화는 신라 시대 헌강왕때 처용이라는 인물이 악귀를 쫓아내고 병을 치료하는 능력을 가졌다는 이야기에서 시작된다. 전설에 따르면 처용은 자신의 얼굴을 붉은 색으로 칠하고, 기이한 가면을 쓴 채 춤을 추면서 악귀를 두려움에 떨게 했다고 한다. 이 일로 인하여 나라 사람들은 처용의 얼굴을 그림으로 그려서 문 앞에 붙여 놓아도 역신들이 물러 갔다고 한다. 이 가면과 춤은 나중에 처용가면무와 처용무로 발전했으며, 이는 마을 사람들이 악귀로부터 보호받기 위해 연행하는 의식에서 중요한 역할을 했다.

처용무는 유네스코 인류 무형 문화유산로 지정되어 보존되고 있다. 이는 무용이 지닌 역사적 가치와 문화 중요성을 인정받았기 때문이다. 현대 사회에서 처용무는 전통을 이어받으면서도 새로운 해석을 추가하여 더 넓은 관객층에게 접근하고 있다. 현대 무용수들은 전통적 요소를 유지하면서도 현대적 감각을 더해 처용무를 더 독창적이고 현대적인 작품으로 재창조하고 있다.

처용 가면은 전통적으로 처용의 정신을 표현하며, 처용무 공연에서 중요한 역할을 한다. 전통적으로 처용 가면은 나무로 만들어졌으며, 주로 붉은색과 녹색으로 칠해져 있으며 수작업으로 조각되고 칠해진다. 붉은색은 주술적인 힘과 보호를 상징하며, 녹색은 청량감과 생명력을 상징한다. 처용무의 가면은 특히 그 기능과 상징성으로 인해 중요한 문화적 의미를 지닌다.

처용가면에 있는 복숭아열매와 그 가지가 벽사(辟邪), 즉 악령을 막는 힘을 가졌다고 믿어져 왔다. 이러한 믿음은 복숭아나무가 마령악귀(魔靈惡鬼)로부터 보호할 수 있는 주물(呪物), 즉 부적으로 여겨졌다는 것을 의미한다. 이런 관점에서 복숭아는 축귀구마의 영력(靈力)을 지닌 식물로 인식되어 왔으며, 고대 문헌인 《산림경제》에서도 "복숭아나무의 믿음은 악귀로부터 보호할 수 있는 주물(呪物), 즉 부적으로 여겨졌다.

복숭아열매와 관련된 의미의 특징에 대해 설명하기 위해서는, 주로 그것이 문화적이고 종교적인 의례에서 어떻게 사용되는지를 살펴볼 필요가 있다. 처용무는 단순한 무용을 넘어서서 공동체의 안녕과 건강을 기원하는 종교적, 의례적 요소를 포함한다. 이 춤은 고유의 의상, 가면, 동작이 특징적이며, 이 모든 요소가 결합되어 관객에게 신비롭고 몰입감 있는 경험을 제공한다. 예술적으로는 이러한 복합적 요소들이 처용무를 눈에 띄게 만들며, 독특한 가면과 과장된 표현은 한국 무용에서 보기 드문 시각적 스타일을 선사한다.

#최승희

최승희는 1911년에 태어나 1969년에 사망한 한국의 무용가이자 안무가로, 한국 전통 무용과 현대 무용을 결합하여 독특한 춤 스타일을 창조했다. 그녀는 한국 무용의 현대화를 주도한 인물로 평가받으며, 그녀의 작품은 한국과 일본, 그리고 중국 등지에서 큰 영향을 끼쳤다.

최승희는 일제 강점기의 서울에서 태어났다. 그녀는 어릴 때부터 춤에 재능을 보였고, 일본으로 건너가 교토에서 무용을 공부했다. 일본에서 그녀는 일본 전통 무용뿐만 아니라 서양의 발레와 현대무용을 배웠다. 귀국 후, 최승희는 한국에서 무용가로서 활동을 시작하여 자신만의 스타일을 개발했다.

1939년, 최승희는 자신의 무용단을 창단하고, '조선무용연구소'를 설립했다. 그녀는 한국의 전통 춤과 음악을 현대적 감각으로 재해석하여, 한국 무용의 새로운 가능성을 제시했다. 그녀의 대표적인 작품으로는 "춘향", "심청", "살풀이" 등이 있다.

최승희의 춤 철학은 한국 전통 무용의 정신을 현대적으로 표현하는 데 중점을 뒀다. 그녀는 전통적인 요소와 현대적 요소를 결합하여, 보다 폭넓은 관객에게 어필할 수 있는 작품을 만들고자 했다. 최승희는 무용을 통해 한국인의 아름다움과 정서를 표현하려 했으며, 그녀의 춤은 강렬하고 표현적인 동작이 특징이다.

최승희의 안무는 종종 감정적으로 강렬하고, 때로는 정치적인 메시지를 담고 있었다. 그녀는 자신의 예술을 통해 한국의 문화와 정체성을 세계에 알리는 데 큰 기여를 했다.

최승희는 한국 무용의 현대화와 국제화에 지대한 영향을 미친 인물로 기억되고 있으며, 그녀의 작품과 철학은 오늘날에도 많은 무용수와 안무가에게 영감을 주고 있다.

#카트린느 드 메디치

카트린느 드 메디치는 1519년 이탈리아 피렌체에서 태어났으며, 유력한 메디치 가문 출신이다. 그녀는 초기 르네상스 시대 유럽 정치에 중요한 영향을 미친 인물로, 1533년 프랑스 왕 앙리 2세와 결혼하여 프랑스 왕비가 되었다. 앙리 2세가 1559년에 사망한 후, 그녀는 프랑스의 실질적인 통치자 역할을 하며 왕정을 이끌었다.

메디치 가문은 이탈리아 르네상스 시대 가장 강력한 가문으로, 피렌체를 중심으로 금융과 정치, 예술에 큰 영향력을 발휘했다. 카트린느는 이러한 배경 속에서 성장하며, 권력과 예술에 대한 깊은 이해와 감각을 키웠다. 특히 메디치 가문은 예술과 문화의 후원자로서 르네상스 예술과 문화 발전에 중요한 역할을 했다.

카트린느는 결혼을 통해 프랑스로 건너가면서 이탈리아의 예술과 문화를 프랑스에 소개하는 데 중요한 역할을 했다. 그녀의 후원 하에 많은 이탈리아 예술가와 무용수들이 프랑스로 초청되었고, 이를 통해 발레가 프랑스 궁정 문화 속으로 자리 잡기 시작했다. 카트린느의 영향력은 발레의 형태와 내용에 큰 변화를 가져왔으며, 이는 곧 발레가 프랑스 국민적 예술 형태로 발전하는 기반을 마련했다.

카트린느 드 메디치는 프랑스 궁정 문화에 이탈리아의 세련된 예술적 영향을 크게 끼쳤으며, 그녀의 통치 기간 동안 발레와 극장 예술이 크게 발전했다. 특히 그녀는 발레와 극장을 정치적, 사회적 행사와 결합시켜 효과적인 통치 수단으로 활용했다.

카트린느 드 메디치의 가장 유명한 발레 작품 중 하나는 "발레 코미크 드 라 렌느" (Queen's Comic Ballet)로, 이는 1581년에 초연된 "왕비의 희극 발레"로 알려져 있다. 이 작품은 발레와 이탈리아의 코메디아 델라르테 요소가 결합된 것으로, 브론티노 브론티노가 안무를 맡았고, 작곡은 베토누 드 바오데가 했다. 이 공연은 빌헬름 공작과의 결혼을 축하하기 위해 기획되었으며, 이는 당시 가장 화려하고 복잡한 무대 장치와 효과를 사용한 대규모 프로덕션 중 하나였다.

왕비의 희극 발레는 발레와 연극, 음악이 혼합된 종합 예술 형태로, 이 공연은 무엇보다도 발레와 극장이 하나의 예술로 융합될 수 있음을 보여주었다. 작품은 명예, 사랑, 변절 등을 주제로 다루며, 카트린느 드 메디치가 후원한 다른 많은 공연들처럼 정치적인 메시지를 함축하고 있었다. 이 발레는 단순한 오락을 넘어서 정치적인 선전 도구로서의 역할을 했으며, 궁정의 위엄과 권위를 과시하는 수단으로 사용되었다.

카트린느 드 메디치가 발레에 끼친 영향은 프랑스 발레의 발전에 결정적인 전환점이 되었다. 그녀의 후원 하에 발레는 단순한 무용에서 극적인 요소와 복잡한 스토리라인을 갖춘 종합 예술 형태로 진화했다. 또한, 그녀는 발레가 국가의 문화적 정체성을 형성하는 데 중요한 역할을 하도록 했다. 발레는 카트린느의 영향으로 프랑스에서 점점 더 세련되고 체계화된 예술 형태로 발전했다.

카트린느 드 메디치와 메디치 가문의 문화적 유산은 프랑스 발레 뿐만 아니라 전반적인 프랑스 예술과 문화에 지대한 영향을 미쳤다. 그녀의 후원과 정치적 영향력은 프랑스에서의 발레 발전을 촉진하는 결정적인 역할을 했으며, 이는 프랑스를 발레의 중심지로 자리매김하는 데 기여했다.

#카포에이라

카포에이라는 브라질에서 기원한 무술이지만, 그 독특한 움직임과 음악, 춤의 요소들로 인해 종종 무용의 한 형태로도 간주된다. 카포에이라의 움직임은 유연성과 리듬에 크게 의존하며, 무용과 마찬가지로 신체적 표현과 예술적인 요소가 강조된다.

무용과 카포에이라의 연관성은 다은과 같다.

리듬과 음악: 카포에이라는 전통적으로 베림바우, 판데이로, 아타바키 등의 악기를 사용하는 음악에 맞춰 수행된다. 이 음악은 카포에이라의 움직임을 이끌며, 무용에서 음악이 동작과 감정을 유도하는 것과 유사하다.

동작의 유동성: 카포에이라의 동작은 매우 유동적이며, 댄스 무브먼트와 유사한 여러 가지 아크로바틱한 요소를 포함한다. 회전, 점프, 발차기는 무용의 다양한 기술적 요소와 겹친다.

표현과 스토리텔링: 카포에이라는 두 참가자가 마주 보고 각자의 움직임을 통해 서로의 의도와 감정을 읽는 상호 작용적인 과정이 포함된다. 이는 무용에서 볼 수 있는 감정의 표현과 이야기 전달과 유사하다.

문화적 표현: 두 분야 모두 자신들의 문화적 배경과 역사를 표현하는 수단으로 사용된다. 카포에이라는 브라질의 역사적, 사회적 맥락을 반영하며, 무용 역시 다양한 문화적 이야기와 전통을 무대 위에서 재현한다.

이러한 요소들로 인해 카포에이라는 무용과 많은 공통점을 공유하며, 두 분야 사이에는 상당한 상호 영향을 주고받는 관계가 있다. 이런 이유로 카포에이라를 무용의 한 형태로 볼 수 있는 것이다.

#캐스팅

캐스팅은 무용 공연의 성공에 매우 중요한 과정으로, 적절한 무용수를 각 역할에 맞게 선택하는 것을 의미한다. 무용에서의 캐스팅은 안무가나 무용단의 감독이 특정 작품이나 공연에 이상적인 무용수를 선발하는 과정을 포함한다. 이 과정은 다음과 같은 여러 측면에서 중요한 역할을 한다.

역할과 능력의 일치: 캐스팅은 각 무용수의 기술, 경험, 표현 능력을 고려하여 최적의 역할을 할당한다. 예를 들어, 주연 역할에는 기술적으로 숙련되고 무대에서 강한 존재감을 발휘할 수 있는 무용수가 필요하다.

공연의 품질 보장: 적절한 캐스팅은 공연의 전체적인 품질을 높이는 데 기여한다. 각 무용수가 자신의 역할에 적합하면, 공연은 더욱 조화롭고 전문적으로 보일 것이다.

단체의 조화: 무용단 내에서 각각의 무용수가 서로 잘 어울리도록 하는 것도 캐스팅의 중요한 부분이다. 이는 단체 작품에서의 조화로운 움직임과 팀워크를 보장한다.

무용수의 개발: 캐스팅은 무용수의 경력 개발에도 영향을 미친다. 새로운 도전을 할 기회를 제공하거나, 다양한 역할을 경험함으로써 무용수가 더 넓은 범위의 기술을 개발하도록 돕는다.

공연의 다양성과 혁신: 새롭고 다양한 캐스팅은 공연에 신선함과 혁신을 더할 수 있다. 다양한 배경과 스타일을 가진 무용수들을 캐스팅함으로써, 공연은 더 풍부하고 다채로운 경험을 제공한다.

결국, 캐스팅은 무용 공연의 성공을 위한 핵심 요소로, 감독이나 안무가의 전략적 선택을 통해 공연의 예술적 가치와 전문성을 결정짓는 중요한 과정이다.

#컨템포러리

"컨템포러리"라는 단어는 주로 '현대의' 또는 '동시대의'를 의미한다. 이 용어는 예술, 음악, 무용 등 다양한 분야에서 사용되며, 특히 현재 시대의 감성, 문화적 특성, 기술적 진보 등을 반영하는 창작물이나 행동에 사용된. 예술 분야에서 '컨템포러리'는 전통적인 방법이나 스타일을 벗어나 혁신적이고 실험적인 접근을 강조하는 작품을 지칭하는 데 자주 사용된다.
컨템포러리 댄스의 경우, 이는 현대적 움직임과 해석을 기반으로 하여 전통적인 무용 형식과는 구별되는 무용 스타일을 의미합니다. 여기서 컨템포러리 댄스는 자유로운 표현과 개별적인 해석, 다양한 무용 기법과 문화적 요소의 융합을 특징으로 한다.
컨템포러리 댄스는 20세기 중반부터 시작되어 다양한 무용 스타일과 기법이 혼합된 현대적 무용 형태다. 이 댄스 양식은 전통적인 발레의 엄격함을 벗어나 보다 자유롭고 실험적인 움직임에 중점을 둔다. 컨템포러리 댄스는 개인의 표현과 창의성을 극대화하며, 감정과 이야기 전달에 강한 초점을 둔다.
컨템포러리 댄스는 다양한 무용 기법과 현대 무용, 재즈, 힙합, 민족적 요소 등을 포함하는 포괄적인 스타일을 의미한다. 이 댄스 형태는 기존 무용의 경계를 허물고, 무용수의 신체적 한계와 감정적 표현의 가능성을 탐구한다. 특히 컨템포러리 댄스는 신체의 자연스러운 흐름과 중력에 대한 반응을 중요시하며, 무용수의 개인적 경험과 감정을 작품에 반영한다.
컨템포러리 댄스는 '현시대의 춤'이라고 불리기도 한다. 이 표현은 컨템포러리 댄스가 현재 시대의 문화적, 사회적, 기술적 변화를 반영하고, 다양한 무용 스타일과 예술적 요소를 통합하는 동시대적 예술 형태임을 강조한다. 컨템포러리 댄스는 현재 진행형으로, 시대의 변화와 함께 발전하고 새로운 트렌드와 영향을 받으면서 지속적으로 진화하고 있다. 이 댄스 양식은 전통적인 경계를 넘어서며, 현대 사회의 다양한 표현 방식과 주제를 쏟아내는 하는 플랫폼으로 작용한다.

#케이팝 댄스

케이팝 댄스는 한국 대중음악, 즉 케이팝에 맞춰 추는 춤으로 전 세계적으로 인기를 끌고 있다. 이 춤 스타일은 케이팝 아티스트들이 뮤직비디오나 라이브 공연에서 보여주는 독창적이고 화려한 안무에서 유래했다. 케이팝 댄스의 가장 큰 특징은 동기화된 그룹 안무와 강렬한 비주얼이며, 힙합, 재즈, 컨템포러리 댄스와 같은 다양한 댄스 스타일의 요소가 혼합되어 있다.

케이팝 댄스는 기술적으로 복잡하고, 에너지 넘치며, 감정 표현이 풍부하다. 각 노래마다 특별히 디자인된 안무가 있어 노래의 가사나 테마를 시각적으로 표현하는 데 중점을 둔다. 이러한 특성 덕분에 케이팝 댄스는 쉽게 인식할 수 있는 훅(hook) 댄스 스텝을 포함하는 경우가 많으며, 이는 팬들이 쉽게 따라 할 수 있도록 만들어진다.

케이팝 댄스가 한국 전통 무용과 결합하는 것은 현대와 전통의 독특한 융합을 보여주는 예술 형태다. 이러한 결합은 케이팝 댄스의 현대적이고 글로벌한 매력에 한국의 문화적 정체성과 깊이를 더하는 방식으로 이루어진다.

한국적인 요소들이 케이팝 댄스의 역동적이고 빠른 리듬, 강렬한 에너지와 결합될 때 새로운 시각적 매력과 예술적 깊이를 창출한다. 예를 들어, 한국의 부채춤이나 검무와 같은 전통 무용 동작이 케이팝 공연에서 현대적인 해석을 통해 통합되기도 한다.

이런 융합은 케이팝 아티스트가 무대에서 전통 의상을 입고 전통 악기의 소리를 배경 음악에 포함시키거나, 전통적인 무용 동작을 안무에 적용함으로써 이루어진다. 이 과정에서 케이팝은 한국의 전통적인 요소를 현대적인 방식으로 재해석하고, 전 세계 관객에게 보다 폭넓은 문화적 경험을 제공한다.

이러한 결합은 또한 한국 문화의 독특함과 전통을 세계 무대에 소개하는 효과적인 수단으로 작용하며, 글로벌 팬들에게 한국의 전통 예술에 대한 관심과 존중을 불러일으키는 중요한 역할을 한다. 따라서, 케이팝과 한국 전통 무용의 결합은 단순한 예술적 시도를 넘어 문화적 교류와 전통의 현대적 재해석을 가능하게 하는 중요한 문화적 현상이다.
전 세계적으로 케이팝의 인기가 높아지면서, 케이팝 댄스 역시 많은 댄스 학원이나 온라인 플랫폼에서 배울 수 있는 인기 있는 커리큘럼으로 자리 잡았다. 케이팝 댄스를 배우고 싶어하는 사람들은 유튜브와 같은 사이트에서 쉽게 접근할 수 있는 댄스 커버 비디오를 통해 스텝을 배우고 연습할 수 있다. 이런 방식으로 케이팝 댄스는 전 세계 젊은이들 사이에서 커뮤니티를 형성하고 문화적 경계를 넘어서는 중요한 역할을 하고 있다.

#코레오그래피

코레오그래피(Choreography)는 무용 작품의 동작과 패턴을 구성하고 연출하는 예술적 과정을 말한다. 이 용어는 그리스어의 '춤(choreia)'과 '쓰다(graphy)'에서 유래되었으며, 무용에서 코레오그래피는 무용수가 무대에서 표현할 모든 움직임을 기획하고 설계하는 것을 포함한다. 안무가는 음악, 이야기, 감정 또는 개념을 기반으로 동작을 창조하여 관객에게 시각적으로 그리고 감정적으로 호소하는 무용을 만든다.

코레오그래피는 무용 작품에서 중심적인 역할을 합니다. 그것은 단순한 동작의 배열을 넘어서 작품 전체의 흐름과 구조를 결정하고, 무용수들의 움직임을 통해 특정한 감정이나 이야기를 전달하는 매개체 역할을 한다. 이 과정에서 안무가는 다음과 같은 요소들이 중요하다.

음악과의 조화: 코레오그래피는 특정 음악이나 리듬에 맞추어 진행되며, 음악의 감정과 페이스를 무용으로 표현한다.

공간 사용: 무대 공간을 어떻게 사용할지도 중요한 결정 요소입니다. 안무가는 무용수들이 공간을 어떻게 이동하고, 서로 어떻게 상호작용할지를 계획한다.

동작의 창조: 기존의 동작을 변형하거나 새로운 동작을 창조하여 작품에 독창성을 더한다. 이는 무용의 시각적 매력을 증가시키는 요소이다.

이야기 전달: 많은 코레오그래피가 특정 이야기나 테마를 기반으로 하며, 이를 통해 관객에게 강력한 메시지나 감정을 전달한다.

코레오그래피의 성공은 안무가의 창의력, 무용수의 기술, 그리고 작품의 연출 방식이 어떻게 결합되어 있는지에 크게 의존한다. 잘 구성된 코레오그래피는 관객에게 강한 인상을 남기며, 무용수의 신체적 및 표현적 능력을 최대한으로 활용할 수 있다.

유명한 안무가와 그들의 작품은 무용계 전반에 걸쳐 다양하며, 다양한 스타일과 문화적 배경을 반영한다. 여기 몇 명의 현대적이고 영향력 있는 안무가들과 그들의 주요 작품을 소개한다.

마사 그라함 (Martha Graham) - 현대무용의 어머니라고 불리는 그라함은 심오한 감정 표현과 혁신적인 기술로 유명하다. 그녀의 대표적인 작품으로는 "Appalachian Spring"과 "Lamentation"이 있다. 이 작품들은 감정의 깊이와 인간의 기본적인 투쟁을 탐구한다.

피나 바우쉬 (Pina Bausch) - 독일의 피나 바우쉬는 무용극(tanztheater)의 선구자로, 극적인 요소와 현대무용을 결합했다. 그녀의 작품 "카페 뮐러(Café Müller)"와 "릴리에의 봄 (The Rite of Spring)"은 강렬한 감정과 인상적인 시각적 스타일로 유명하다.

앨빈 에일리 (Alvin Ailey): 에일리는 아프리카계 미국인의 문화와 경험을 무대에 반영한 것으로 유명하다. 그의 가장 유명한 작품 "Revelations"는 아프리카계 미국인의 영적인 경험을 무용으로 표현하며, 전 세계적으로 사랑받고 있다.

크리스탈 파이트 (Crystal Pite): 현대무용 안무가로, 그녀의 작품은 복잡한 감정과 섬세한 인간 관계를 탐구한다. 파이트의 대표작 "Betroffenheit"는 심리적 트라우마와 대처 메커니즘을 다룬다.

안느 테레사 드 케이르스마커(Anne Teresa De Keersmaeker): 벨기에의 안무가로, 그녀의 작품은 정교한 구조와 음악적 정밀성으로 유명합니다. "Rosas danst Rosas"와 "Fase"는 음악과 동작의 절묘한 조화를 선보인다.

이 안무가들은 각자의 독특한 스타일과 철학으로 무용계에 큰 영향을 끼쳤으며, 그들의 작품은 여전히 전 세계적으로 공연되고 있다. 각 작품은 무용의 표현력과 예술적 가치를 새롭게 정의하는 중요한 역할을 한다.

#코르드발레

코르드발레(corps de ballet)는 발레 회사에서 주요 솔로이스트나 주연 무용수들을 제외한 그룹 무용수들을 말한다. 이 용어는 프랑스어로 '발레단'을 의미하며, 발레 공연에서 군무를 수행하는 무용수들의 집단을 지칭하는데 사용된다. 코르드발레의 무용수들은 대규모 무대 작품에서 균일한 움직임과 정확한 조화를 이뤄내는 것이 중요하다. 이들은 작품의 배경을 형성하거나 주요 캐릭터들의 이야기를 보조하는 역할을 하면서 공연의 전체적인 분위기와 깊이를 더한다. 예를 들어, "백조의 호수"에서 백조 역을 맡은 코르드발레 무용수들은 주역들의 퍼포먼스를 돋보이게 하는 중요한 역할을 한다. 코르드발레는 발레 회사 내에서도 경력을 쌓아 나가는 기본 단계로 여겨지며, 많은 젊은 무용수들이 이 포지션을 시작으로 솔로이스트나 프린서플 댄서로 승급하는 경로를 거친다. 이들은 공연 준비와 연습 과정에서 엄격한 훈련과 많은 연습을 요구받으며, 집단으로서의 완벽한 조화를 이루기 위해 지속적으로 노력한다.

코르드에서 솔로이스트가 되기까지 걸리는 시간은 무용수의 개인적인 기술, 재능, 경력 발전 그리고 발레 회사의 정책과 기회에 따라 크게 달라질 수 있다. 일반적으로 코르드발레에서 솔로이스트로 승급하는 데 몇 년에서 십여 년까지 걸릴 수 있다.

무용수가 솔로이스트로 승급하기 위해서는 뛰어난 춤 실력과 무대에서의 표현력이 필요하다. 기술적인 숙련도와 예술적 해석 능력이 높은 무용수는 더 빨리 주목받을 수 있다.

무용수가 소속된 발레 회사의 규모와 그 회사에서 제공하는 기회의 양도 중요하다. 큰 회사일수록 경쟁이 치열하지만, 다양한 주요 역할과 솔로 기회가 많을 수 있다. 반면에 작은 회사는 기회가 제한적일 수 있지만, 빠르게 주요 역할을 맡을 기회를 얻을 수도 있다.

#크럼핑

크럼핑(Krumping)은 무용의 한 형태로, 2000년대 초 미국 로스앤젤레스에서 시작된 스트리트 댄스 스타일이다. 이 춤은 빠르고 에너지가 넘치며, 강렬한 감정 표현이 특징이다. 크럼핑은 클라운 댄싱에서 분화하여 발전했으며, 주로 아프리카계 미국인 커뮤니티 내에서 젊은이들 사이에서 인기를 얻었다.

크럼핑은 춤추는 사람들이 개인적인 감정과 사회적 문제를 표현하는 수단으로 사용되곤 한다. 이 춤은 몸을 사용한 극적인 자세, 얼굴 표정, 자유로운 팔 동작을 통해 강한 감정을 표현하는 데 초점을 맞추고 있다. 크럼핑은 개인의 창의성과 자기 표현을 중시하기 때문에, 각 무용수는 자신만의 독특한 스타일을 개발하게 된다.

또한, 크럼핑은 경쟁적인 요소도 갖고 있어, 댄서들이 서로 대결을 펼치는 '배틀' 형식에서 자주 볼 수 있다. 이런 배틀은 댄서들이 서로의 기술과 창의성을 겨루는 장이 되며, 커뮤니티 내에서 존경과 인정을 얻는 수단이기도 하다.

크럼핑은 그 강렬한 에너지와 신체적, 감정적 표현의 자유로움 때문에 전 세계적으로 주목받는 무용 형태가 되었으며, 다양한 문화와 예술 형태와의 크로스오버를 통해 계속해서 발전하고 있다.

#크로닉스

크로닉스(Chronos)는 그리스어로 '시간'을 의미하며, 무용에서 시간을 다루는 방식, 즉 무용 작품의 타이밍, 리듬, 속도 그리고 동작의 지속성을 통해 중요한 역할을 한다. 이러한 요소들은 무용수의 움직임과 공연의 전체적인 흐름을 형성하는 데 필수적이다.

무용에서 크로닉스의 역할은 타이밍과 리듬 조절로 크로닉스는 무용에서 작품의 타이밍과 리듬을 정교하게 조절하는 데 중요한 역할을 한다. 이는 공연의 템포를 결정하고, 무용수가 음악과 어떻게 상호 작용할지를 정의한다. 정확한 타이밍은 무용수들이 음악의 비트와 조화롭게 동작할 수 있도록 하며, 리듬은 무용 작품의 감정적인 깊이와 역동성을 증가시킨다. 동작의 지속성과 속도는 크로닉스는 각 동작의 지속 시간과 그 속도를 관리한다. 무용수는 느린 동작으로 명상적인 분위기를 조성하거나, 빠른 동작으로 긴장감을 불러일으킬 수 있다. 이러한 요소는 공연의 감정적인 영향을 극대화하고, 관객의 반응을 조절하는 데 중요한 역할을 한다.

작품의 구조와 형태는 크로닉스는 무용 작품의 전체 구조와 형태를 설계하는 데도 기여한다. 작품의 길이를 결정하고, 서로 다른 장면 사이의 전환을 어떻게 할지, 전체적인 흐름을 어떻게 구성할지 등이 크로닉스를 통해 정의된다. 감정 전달은 시간은 감정을 전달하는 매개체로서 작용한다. 무용수는 특정한 순간에 감정을 높이거나 줄여가며 관객에게 감정적인 여정을 제공한다. 이 과정에서 크로닉스는 감정의 강도와 그 지속 시간을 조절하는 데 중요한 역할을 한다. 크로닉스는 무용에서 단순한 '시간' 이상의 역할을 수행한다. 그것은 작품의 리듬을 조성하고, 구조를 형성하며, 감정을 조절하고, 무용수와 관객 사이의 상호 작용을 극대화하는 데 필수적인 요소다. 이러한 다차원적인 기능으로 인해, 크로닉스는 무용 작품이 풍부하고 다층적인 예술적 경험을 제공할 수 있도록 돕는다.

#크로스 오버

크로스 오버(Cross-Over)는 무용에서 서로 다른 장르 또는 예술 형태가 서로 융합하여 새로운 창작물을 만들어내는 과정을 말한다. 이 개념은 예술 간의 경계를 허물고, 서로 다른 분야의 요소를 결합하여 독창적이고 혁신적인 작품을 생산하는 데 중점을 둔다. 무용에서 크로스 오버는 특히 무용수들이 다른 예술적 표현 방식을 탐구하고, 다양한 관객에게 다가갈 수 있는 새로운 형태의 공연을 창출하는 데 유용하다.
크로스 오버의 형태는 다은과 같다.
무용과 음악: 전통적인 클래식 음악이나 현대 음악과 같은 다양한 음악 장르와 무용을 결합하는 것은 가장 흔한 형태의 크로스 오버다. 이런 융합은 무용의 동작과 음악의 리듬이 서로 상호작용하면서 각각의 예술이 갖는 감정과 메시지를 향상시킨다.
무용과 시각 예술: 무대 디자인, 비디오 아트, 설치 예술 등 시각 예술 분야와의 결합도 크로스 오버의 예로 볼 수 있다. 예를 들어, 무대 위의 인터랙티브 설치는 무용수의 움직임에 반응하여 관객에게 시각적으로 독특한 경험을 제공한다.
무용과 연극/영화: 연극적 요소나 영화 기술을 무용에 통합하는 것도 흥미로운 크로스 오버가 될 수 있다. 이는 스토리텔링, 캐릭터 개발, 드라마틱한 요소를 무용에 도입하여 더 깊이 있는 내러티브를 구성하고, 공연의 전달력을 강화한다.
혁신과 창의력 촉진: 서로 다른 예술 간의 융합은 창의적인 아이디어와 기술을 자극하며, 안무가와 무용수가 새롭고 실험적인 방식으로 작품을 접근하게 만든다.
관객층 확장: 다양한 예술적 요소를 결합함으로써 더 넓은 관객층에게 어필할 수 있다. 예를 들어, 음악이나 영화 팬들이 무용 공연에 관심을 갖게 되는 계기를 마련할 수 있다.
문화적 다양성 표현: 크로스 오버는 다양한 문화적 배경을 가진 예술 형태를 결합함으로써, 다문화적인 요소를 포용하고 존중하는 공연을 만들어

낼 수 있다. 크로스 오버는 무용을 포함한 모든 예술 분야에서 지속적으로 확장되는 경향을 보이며, 이는 예술 자체의 발전뿐만 아니라 사회적, 문화적 다양성을 반영하는 중요한 동력이 되고 있다. 이러한 통합적 접근은 예술계에서 새로운 경험과 이해를 촉진하는 방식으로 작용한다. 크로스 오버를 통해 예술가들은 전통적인 경계를 넘어서며, 서로 다른 예술 형식 간의 대화를 가능하게 하고, 그 과정에서 각 예술의 본질적인 특성과 가능성을 재발견할 수 있다. 앞으로의 크로스 오버는 기술 발전과 함께 더욱 활발하게 이루어질 전망이다. 특히 디지털 기술, 증강 현실(AR)과 가상 현실(VR)과 같은 미디어 기술이 예술에 통합되면서, 이전에는 경험할 수 없었던 새로운 형태의 예술 작품이 탄생할 것이다. 이러한 기술적 접근은 무용과 다른 예술 간의 경계를 더욱 흐리게 하며, 예술의 전달 방식을 혁신할 것이다.

무용과 다른 예술 간의 크로스 오버는 또한 교육적 측면에서도 중요한 의미를 갖는다. 예술 교육 프로그램에서 다양한 예술 분야를 통합하는 접근은 학생들에게 다차원적인 사고와 표현 능력을 기르게 하며, 예술에 대한 포괄적이고 통합적인 이해를 제공한다.

결론적으로, 크로스 오버는 무용을 포함한 모든 예술 분야에서 혁신적이고 다면적인 표현의 방법을 제공하며, 이는 관객과 예술가 모두에게 새로운 창조적 영감과 감동적인 예술 경험을 선사한다. 예술의 미래는 이러한 통합적 접근을 통해 더욱 풍부하고 다양하게 발전할 가능성을 가지고 있으며, 이 과정에서 무용은 중심적인 역할을 계속해서 수행할 것이다.

#크로스-디스플린

크로스-디스플린(Cross-Discipline) 통합은 무용과 관련하여 예술의 여러 분야를 결합하여 새로운 창작 방식과 표현을 모색하는 접근 방식을 의미한다. 이러한 통합은 무용을 단순히 몸의 움직임에 국한되지 않고 다양한 예술적 요소와의 결합을 통해 더욱 풍부하고 다면적인 작품을 창출하는 데 중점을 둔다.
기술과의 결합: 현대 무용에서 기술은 중요한 역할을 차지한다. 비디오 아트, 인터랙티브 미디어, 사운드 디자인과 같은 기술적 요소를 통합함으로써 무용수의 움직임과 상호작용하는 독특한 무대 환경을 만들어낸다. 예를 들어, 무대에 투사된 이미지가 무용수의 움직임에 반응하여 변화하는 작품은 관객에게 시각적으로 매혹적인 경험을 제공한다.
다른 예술 장르와의 협업: 음악, 드라마, 시각 예술 등 다른 예술 분야의 창작자들과 협업을 통해 무용 작품에 깊이와 다양성을 추가한다. 예를 들어, 라이브 음악이 함께하는 무용 공연은 음악가와 무용수 사이의 즉흥적인 상호작용을 통해 각 예술의 경계를 넘어선 풍부한 감정과 이야기를 전달한다.
문학적, 철학적 요소의 통합: 무용 작품에 시나 소설의 내용을 도입하거나 철학적 주제를 탐구함으로써, 작품에 더 깊은 메시지와 사상을 담을 수 있다. 이를 통해 무용은 단순한 신체의 움직임을 넘어서 관객에게 사유를 자극하는 예술로 자리매김한다.
크로스-디스플린 통합은 무용이 다양한 감각을 자극하고, 예술 간의 경계를 모호하게 함으로써 보다 실험적이고 혁신적인 작품을 창출할 수 있게 한다. 이는 무용수와 안무가에게 새로운 표현의 가능성을 열어주고, 관객에게는 예술 작품을 통한 새로운 경험을 제공한다. 이는 무용을 한층 더 독창적이고 다층적인 예술로 발전시키는 핵심 요소로서, 현대 예술계에서 계속해서 중요한 역할을 할 것이다.

#크리스탈 파이트

크리스탈 파이트는 1970년 캐나다 브리티시컬럼비아의 빅토리아에서 태어나, 어린 시절부터 무용에 매료되어 발레와 현대무용을 배우기 시작했다. 1988년에 브리티시컬럼비아 발레학교를 졸업한 후, 그녀는 곧바로 Ballet British Columbia에 합류해 무용수로서의 경력을 시작하면서 다양한 레퍼토리를 경험하고 기술적 기반을 다졌다.
1996년에는 큰 도전을 찾아 유럽으로 건너가 Nederlands Dans Theater(NDT)에 합류했으며, 여기서 국제적 명성을 쌓아가며 현대무용의 최전선에서 활동했다. NDT에서의 경험은 그녀의 예술적 비전을 확장하는 데 결정적인 역할을 했으며, 다양한 국제적인 안무가들과의 협력을 통해 자신만의 스타일을 구축했다.
2002년에는 캐나다로 돌아와 자신의 무용단인 Kidd Pivot을 설립하며, 여기서 "Dark Matters", "Lost Action", "Betroffenheit" 등과 같은 혁신적인 작품을 창작했다. 이 작품들은 국제적으로 큰 호평을 받으며 그녀의 명성을 공고히 했다.
크리스탈 파이트의 작품은 감정적 깊이와 복잡한 인간 관계를 탐구하는 것으로 유명하며, 그녀는 무용을 통해 인간의 취약성과 강인함을 탐색한다. 그녀의 안무 스타일은 물리적 강도와 정밀한 기술, 감정적 표현의 균형을 중시하며, 텍스트와 몸짓, 무대 디자인을 통합하여 복합적인 예술 경험을 창출하고, 이야기를 전달하는 데 탁월한 능력을 보여준다. 그녀의 경력은 끊임없이 자신을 재창조하고 새로운 예술적 경계를 넘어서려는 노력의 연속이며, 현대 무용계에서 가장 영향력 있는 인물 중 한 명으로 평가받고 있다.

#클래식

클래식 음악과 무용은 서로 깊은 연관성을 가지며, 특히 발레와의 결합을 통해 예술적인 완성도를 높여왔다. 클래식 음악의 정교하고 계획된 구조는 발레 안무가들에게 완벽한 음악적 틀을 제공하며, 이는 무용수들이 음악에 맞춰 움직임을 정확히 조율하고 표현할 수 있는 기반을 마련한다.
발레에서 클래식 음악은 단순한 배경이 아닌, 공연의 핵심 요소로 기능한다. 예를 들어, 차이콥스키의 "백조의 호수", "잠자는 숲 속의 미녀", "호두까기 인형"은 클래식 음악과 발레가 만나 탄생한 대표적인 작품들이다. 이 작품들에서 음악은 무용수들의 움직임과 깊은 감정을 전달하는 데 필수적이며, 각 장면의 분위기를 세밀하게 구성하는 데 큰 역할을 한다.
클래식 음악의 구조적 특성은 발레 안무의 설계에 영감을 준다. 리듬, 멜로디, 하모니가 조화롭게 어우러진 클래식 조곡들은 다양한 무용 동작과 연결되어 복잡한 감정과 이야기를 효과적으로 전달한다. 무용수들은 음악의 각 부분이 지닌 감정의 미묘함을 신체 언어로 변환하여 관객에게 보다 깊은 예술적 경험을 제공한다.
실제 공연에서 클래식 음악을 사용함으로써, 무용수들은 음악의 리듬에 맞추어 정확하고 우아한 움직임을 선보일 수 있다. 이는 특히 발레에서 두드러지며, 음악의 빠르기와 강도에 따라 무용수들의 동작도 변화한다. 클래식 음악의 다이내믹한 변화는 공연의 긴장감을 조절하고, 클라이맥스에서는 관객의 감정을 최고조로 이끌어낸다.
클래식 음악과 무용의 결합은 서로에게 완벽한 파트너가 되어 준다. 음악이 무용수에게 동작의 리듬과 감정을 제시하면, 무용은 음악에 생동감을 더하며 이 둘의 상호 작용은 관객에게 잊을 수 없는 예술적 경험을 선사한다. 이런 방식으로 클래식 음악은 무용의 깊이를 더하고, 무용은 음악의 아름다움을 시각적으로 풍부하게 만든다.

#키네틱 무브먼트

키네틱 무브먼트(Kinetic Movement)는 운동의 에너지와 흐름에 초점을 맞춘 개념으로, 물리학에서 유래한 '키네틱(운동의)'과 '무브먼트(움직임)'을 결합한 용어다. 무용에서 이 개념은 무용수의 몸이 공간을 통해 움직이면서 생성하는 에너지와 동적인 움직임을 중심으로 다룬다.
무용에서 키네틱 무브먼트는 무용수의 신체적 움직임을 통해 에너지를 생성하고 전달하는 과정을 탐구한다. 이는 다음과 같은 요소를 포함한다.
에너지의 흐름: 무용수는 다양한 신체 동작을 통해 에너지를 만들어 내며, 이 에너지는 관객에게 시각적으로 느껴지는 강렬함을 전달한다.
공간 활용: 무용수는 공간을 활용하여 움직임의 방향성과 크기를 조절함으로써 다채로운 움직임을 표현한다. 이는 무대 위에서의 위치 변화뿐만 아니라, 높이와 깊이를 포함한 입체적 공간 사용을 의미한다.
동역학적 원리: 무용수는 물리학적 원리를 적용하여 효과적으로 힘을 사용하고 관성의 법칙에 따라 움직인다. 예를 들어, 회전할 때 중심을 잡거나, 점프 후 착지하는 방식 등이 이에 해당한다.
키네틱 무브먼트는 무용 공연의 시각적 아름다움뿐만 아니라 무용수의 체력적 한계와 창의적 표현의 폭을 확장하는 데 중요한 역할을 한다. 이러한 접근 방식은 관객에게 보다 동적이고 생동감 넘치는 경험을 제공하며, 무용 작품의 해석과 감상에 깊이를 더한다.
키네틱 무브먼트를 특징으로 하는 무용 공연이나 작품은 주로 현대 무용에서 찾아볼 수 있다. 이런 움직임과 에너지 전달을 중심으로 한 작품들은 관객에게 물리적 움직임의 강렬함과 예술적 표현의 깊이를 동시에 전달한다.
이러한 공연들은 무용수의 신체적, 감정적 한계를 넘어서는 움직임을 통해 관객에게 강한 인상을 남기며, 현대 무용의 다양한 가능성을 보여준다. 이들 작품은 몸의 움직임을 통해 이야기를 전달하고, 관객이 예술적 경험을 보다 깊이 있게 느낄 수 있게 만든다.

#탈장르화

탈장르화는 다양한 예술 장르의 경계를 넘나들며 그 경계를 허무는 현상이나 접근 방식을 말한다. 이 개념은 전통적인 예술 장르 간의 구분을 무너뜨리고, 서로 다른 예술 형식을 융합하여 새로운 형태의 예술 작품을 창조하는 데 중점을 둔다. 탈장르화는 예술의 전통적인 분류를 해체하고, 더욱 포괄적이고 혁신적인 창작 활동을 가능하게 함으로써, 예술가들이 더 자유롭게 표현할 수 있는 공간을 제공한다. 이러한 접근은 예술의 다양성과 실험성을 증진시키는데 기여한다.

탈장르화는 무용에서도 중요한 역할을 하며, 전통적인 무용의 범주를 넘어서 새로운 형태와 스타일을 창조하는 데 사용된다.

탈장르 작품의 결과물은 다음과 같은 특징을 지니고 있다.

장르 간 융합: 다양한 예술 장르가 통합되어 전혀 새로운 형태의 예술을 창출한다.

혁신적 표현: 기존의 틀에 얽매이지 않고 새로운 방식으로 예술을 표현한다.

복합적 감각 경험: 시각적, 청각적 요소뿐만 아니라 때로는 촉각적 요소까지 포함하여 관객에게 다층적인 경험을 제공한다.

상호 텍스트성: 다른 예술 작품과의 참조나 대화를 통해 새로운 의미를 생성한다.

문화적 다양성: 서로 다른 문화의 요소를 결합함으로써 더 넓은 문화적 통찰력을 제공한다.

이러한 특징들은 탈장르 작품을 통해 더욱 풍부하고 다면적인 예술적 표현을 가능하게 한다.

탈장르 작품의 향후 전망은 매우 밝다. 이러한 접근 방식은 계속해서 창의적인 경계를 넓혀가며 예술가들에게 더욱 다양하고 복합적인 표현 방법을 제공할 것이다. 또한, 글로벌화와 디지털 기술의 발전으로 인해 다양한 문화와 기술이 더 쉽게 접목될 수 있게 되어 예술의 탈장르화는 더욱 가속화될 것으로 예상된다.

#탈춤

탈춤은 한국의 전통 가면극으로, 춤, 연극, 음악이 결합된 종합 예술 형태다. 탈춤은 고대부터 현대에 이르기까지 한국 문화와 사회의 다양한 변화를 반영하면서 발전해 왔으며, 각 지역의 특색에 따라 여러 다른 스타일과 전통이 존재한다. 탈춤의 기원은 구체적으로 알려져 있지 않으나, 고대 샤머니즘 의례에서 비롯된 것으로 추정된다. 초기의 탈춤은 농경 사회의 풍년과 마을의 평안을 기원하는 의식에서 수행되었다. 중세 시대로 넘어오면서 탈춤은 불교 의식과 결합하여 보다 정형화된 형태로 발전했다.

조선 시대에 이르러 탈춤은 지방의 민속 축제나 마을 공동체의 행사에서 주로 수행되었다. 이 시기 탈춤은 사회적 풍자와 해학을 담은 내용으로 발전했으며, 상류층과 권력자를 비판하는 수단으로 사용되기도 했다. 대표적인 예로 '해주 오광대', '강령 탈춤', '양주 별산대' 등이 있으며, 각각의 탈춤은 그 지역의 문화와 사회적 배경을 반영한다. 일제 강점기 동안 탈춤은 일본의 문화 탄압 정책으로 인해 큰 위기를 맞이했다. 많은 탈춤이 금지되거나 왜곡되었으나, 일부 지역에서는 비밀리에 전승되며 한국 전통 문화의 정체성을 유지하는 데 중요한 역할을 했다. 한국 전쟁 이후 탈춤은 한국 문화의 부흥과 함께 다시금 주목받기 시작했다. 1960년대부터 국가 차원에서 전통 문화의 보존과 활성화 노력이 이루어졌으며, 탈춤은 학계의 연구 대상이자 국제적인 문화 교류의 수단으로 활용되었다. 현재 탈춤은 문화제나 축제, 교육 프로그램을 통해 국내외 관객에게 소개되고 있으며, 각 지역별 탈춤 보존회 등에서는 전통을 계승하고 새로운 해석을 더해 공연을 지속적으로 선보이고 있다.

탈춤은 그 역사적 깊이와 예술적 가치로 인해 유네스코 인류무형문화유산으로 등재되기도 했으며, 한국을 대표하는 전통 예술 중 하나로 손꼽힌다. 이를 통해 한국의 역사와 문화, 그리고 사람들의 삶과 정서를 이해할 수 있는 중요한 창구 역할을 한다.

#태평무

태평무는 조선 시대 궁중에서 왕과 왕비가 주재하는 연회에서 연희된 무용 중 하나로, 평화와 번영을 기원하는 의미를 담고 있다. 이 무용은 현재 한국의 대표적인 전통 무용 중 하나로 꼽히며, 특히 이 무용을 통해 장엄하고 우아한 궁중의 분위기를 느낄 수 있다.

태평무는 느린 템포의 음악에 맞추어 정중하고 절제된 움직임으로 춤을 추는 것이 특징이다. 춤의 동작은 대체로 부드럽고 우아하며, 간결한 동작 안에서도 균형과 조화를 이루는 것이 중요하다. 춤의 구성은 한복을 입고 느리게 움직이며, 때때로 팔을 천천히 펼치거나 몸을 가볍게 돌리는 등의 동작을 포함한다.

태평무의 의상은 전통적인 한복 스타일로, 특히 화려하고 섬세한 자수가 돋보이는 원삼(궁중에서 입는 전통 복식)을 착용한다. 이 의상은 일반적으로 밝은 색상의 실크로 만들어져 있으며, 금실로 세밀한 무늬를 수놓아 고급스러움을 더한다. 머리에는 장식적인 화관을 쓰기도 하며, 이는 무용수의 움직임에 따라 우아하게 흔들리며 무용의 아름다움을 강조한다.

태평무는 그 자체로도 아름다운 예술 작품이지만, 무용을 통해 전달하는 평화와 번영의 메시지는 관객에게 더욱 깊은 의미를 전달한다. 이 무용은 한국 전통 문화의 아름다움을 보여주는 중요한 예술 형태로, 전통과 현대가 어우러지는 다양한 공연과 행사에서 여전히 중요한 위치를 차지하고 있다.

#탭댄스

탭댄스는 발바닥에 금속 탭을 부착한 신발을 착용하고 리듬을 만들어내면서 추는 춤이다. 이 춤은 미국에서 19세기에 발생하였으며 아프리카, 아일랜드, 스코틀랜드의 다양한 댄스 스타일이 혼합되어 발전했다. 탭댄스는 주로 발의 동작에 집중되어 있으며, 발끝과 발꿈치를 이용하여 다양한 소리와 리듬을 창조한다.

탭댄스의 기술은 탭 신발의 금속 부분을 활용해 바닥을 치며 리듬과 멜로디를 만드는 것에 중점을 둔다. 무용수는 음악의 비트를 정확히 맞추면서 동시에 자신만의 리듬을 창조해야 한다. 이 과정에서 스텝, 셔플, 플랩, 밸리 롤 같은 다양한 스텝 기술이 사용된다.

탭댄스는 표현의 폭이 매우 넓다. 일부 무용수는 전통적인 재즈 음악에 맞춰 클래식 스타일로 춤을 추는 반면, 다른 이들은 현대 음악이나 다른 장르의 음악에 맞춰 더 실험적이고 현대적인 스타일을 선보인다. 또한, 탭댄스는 즉흥적인 요소가 강해 무용수가 고유의 개성과 창의력을 발휘할 수 있는 기회를 제공한다.

탭댄스는 20세기 초부터 미국의 엔터테인먼트 산업에서 중요한 역할을 해왔다. 브로드웨이 쇼와 할리우드 영화에서 중요한 요소로 사용되어 왔으며, 프레드 아스테어, 진 켈리, 그레고리 하인즈와 같은 무용수들이 탭댄스를 대중에게 알렸다. 이 댄스는 또한 아프리카계 미국인 문화와 깊은 연관이 있으며, 이를 통해 사회적 메시지를 전달하는 수단으로도 사용되어 왔다. 탭댄스는 그 자체로도 매력적인 예술이지만, 리듬과 소리를 이용한 독특한 표현 방식으로 인해 다른 무용 장르와는 확연히 구분된다. 오늘날에도 많은 무용 학교와 공연에서 이 전통을 계속 이어가고 있으며, 새로운 세대의 무용수들이 이를 현대적으로 재해석하고 있다.

#탱고

탱고는 아르헨티나에서 유래한 감성적이고 열정적인 댄스로, 전 세계적으로 사랑받는 라틴 댄스 중 하나다. 19세기 말 부에노스아이레스와 몬테비데오의 이민자 커뮤니티에서 발생했다고 알려져 있다. 이 댄스는 복잡한 발단계와 밀접한 신체 접촉, 강렬한 눈맞춤을 특징으로 한다.

탱고 음악은 주로 밴도네온이라는 악기가 특징적인 소리를 내며, 멜랑콜리하고 때로는 드라마틱한 리듬과 멜로디를 만들어낸다. 음악의 리듬은 빠르기도 하고 느리기도 해서, 무용수들은 음악에 맞추어 다양한 속도와 스타일로 춤을 춘다.

클로즈 엠브레이스(Close Embrace): 탱고는 파트너와 매우 밀착하여 춤추는 것이 전통적이다. 이 밀착된 포지션은 두 사람이 마치 하나처럼 움직이게 만들어 서로의 움직임을 민감하게 느끼고 반응할 수 있게 한다.

임프로비제이션(Improvisation): 탱고는 높은 수준의 즉흥성을 요구한다. 기본 스텝 외에도 무용수들은 음악과 상호작용하면서 다양한 장식적 동작을 추가한다.

푸에블로스(Pueblos), 가초스(Ganchos), 오초스(Ochos) 등의 복잡한 발단계와 패턴이 특징적이다.

탱고는 아르헨티나와 우루과이를 넘어 전 세계적으로 확산되었으며, 다양한 문화에서 적응되고 변형되어 왔다. 탱고는 단순히 춤을 넘어서 그 지역의 정서, 역사, 사회적 상황을 반영하는 문화적 상징이기도 하다. 2009년에는 유네스코 인류 무형문화유산으로 등재되어 그 예술적 가치와 문화적 중요성이 국제적으로 인정받았다.

탱고는 감정을 교류하는 매우 감성적인 춤으로, 연인들 사이의 복잡한 감정을 표현하는 데 탁월한 예술 형태로 여겨진다. 이 춤을 통해 사람들은 서로를 더 깊이 이해하고, 강한 정서적 연결을 경험할 수 있다.

#턴

턴은 무용에서 기본적이면서도 필수적인 동작 중 하나로, 무용수가 자신의 축을 중심으로 회전하는 움직임을 말한다. 발레, 현대무용, 재즈댄스, 스트리트 댄스 등 다양한 무용 스타일에서 턴 기술을 볼 수 있다. 턴은 무용의 기술적 난이도를 높이고 시각적으로 매력적인 요소를 추가하여 공연의 아름다움과 역동성을 증폭시킨다.

턴에는 여러 종류가 있으며, 각각은 특정 스타일과 기술을 요구한다.

피루엣(Pirouette): 발레에서 가장 흔히 볼 수 있는 턴으로, 일반적으로 한 발의 발끝 또는 발바닥을 지면에 두고 다른 발을 무릎 높이에서 구부려 "파스 데 샤" 포지션을 만들며 회전한다.

샤네(Chaine Turns): 두 발을 교대로 빠르게 사용하여 연속적으로 회전하는 동작으로, 무용수는 몸을 약간 숙인 채로 두 팔을 가슴 높이에서 원을 그리며 빠르게 회전한다.

푸에테(Fouette): 한 발로 서서 다리를 안으로 또는 밖으로 킥하면서 몸을 회전시키는 복잡하고 동적인 턴으로, 발레에서 테크닉과 체력을 동시에 요구하는 동작이다.

액셀(Axel): 주로 현대무용과 재즈댄스에서 사용되며, 점프하면서 공중에서 몸을 회전시키는 동작이다.

턴을 수행할 때는 다음과 같은 기술적 요소가 중요하다.

밸런스와 균형 감각이 필수적이다. 무용수는 회전 중에도 몸의 안정성을 유지해야 한다. 스포팅(Spotting) 머리를 고정된 한 지점에 초점을 맞추고 몸이 회전하는 동안 머리는 마지막에 회전하는 기술로, 어지럼증을 줄이고 더 많은 회전을 가능하게 한다. 강한 코어 근육은 회전 동작에서 몸의 안정성과 통제력을 높인다.

턴은 무용에서 중요한 기술적 요소이며, 무용수는 이를 통해 자신의 기술적 숙련도와 예술적 표현력을 보여줄 수 있다. 연습을 통해 무용수는 보다 복잡하고 다양한 턴을 마스터할 수 있으며, 이는 공연의 전체적인 품질과 관객의 몰입도를 향상시킨다.

#턴아웃

발레에서 "턴 아웃"(turnout)은 발과 다리가 최대한 바깥쪽으로 회전되는 것을 말하며, 이는 발레의 가장 기본적이고 중요한 기술 중 하나다. 턴 아웃은 발레 무용수가 보다 안정적으로 서 있도록 돕고, 발레 특유의 미적인 아름다움을 높이며, 다양한 동작을 보다 우아하게 수행할 수 있게 한다.

턴 아웃의 기원은 발레가 시작된 초기 유럽 궁정으로 거슬러 올라간다. 귀족들은 춤을 출 때 서로 마주 보는 자세를 유지하는 것이 예의에 맞다고 여겼으며, 이로 인해 발과 다리가 바깥쪽으로 회전되는 자세가 발전하게 되었다. 오늘날 발레에서 턴 아웃은 다음과 같은 여러 목적을 가진다.

바깥쪽으로 회전된 다리는 무용수가 더 안정적으로 서 있도록 돕는다. 특히 한 발로 서 있는 동작이나 복잡한 발레 기술을 수행할 때 균형을 유지하는 데 중요하다.

턴 아웃은 무용수의 다리가 보다 넓은 범위에서 움직일 수 있게 해준다. 이로 인해 점프, 킥, 턴과 같은 동작을 더 크고 넓게 수행할 수 있다. 발레에서 턴 아웃은 다리를 더 길고 우아하게 보이게 하는 미적 효과를 가진다. 이는 발레의 전통적인 미학에 부합한다.

턴 아웃은 발목, 무릎, 그리고 가장 중요하게는 엉덩이의 회전에서 시작된다. 올바른 턴 아웃을 위해서는 엉덩이 근육, 특히 내전근과 외전근을 효과적으로 사용해야 한다. 발레 무용수는 일반적으로 어린 나이부터 체계적인 훈련을 통해 턴 아웃을 발달시킨다.

올바르지 않게 수행된 턴 아웃은 무릎이나 엉덩이에 부상을 초래할 수 있다. 발레 무용수는 자신의 신체적 한계를 인식하고, 근육을 과도하게 사용하지 않도록 주의해야 한다. 올바른 턴 아웃을 유지하면서도 안전을 지키기 위해, 발레 교육자들은 강화 운동과 스트레칭을 포함한 종합적인 신체 훈련을 강조한다. 턴 아웃은 발레의 기술적 측면 뿐만 아니라 예술적 표현의 근간을 이루는 중요한 요소이며, 발레 무용수의 전체적인 무대 정면 퍼포먼스와 도 연결되어 있다.

#테크놀로지

무용과 기술의 결합은 예술 세계에서 혁신적인 변화를 가져왔다. 이 혼합은 무용수의 표현력을 확장하고, 관객에게 전에 없던 경험을 제공한다. 기술은 무용 작품의 제작, 연습, 그리고 공연의 모든 측면에서 중요한 역할을 한다.

기술은 무용의 창작 과정을 변형시켰다. 컴퓨터와 소프트웨어를 사용하여 안무가들은 움직임을 시각화하고 시뮬레이션 할 수 있다. 이러한 도구들은 안무가가 더 복잡하고, 정교한 안무를 설계하는 데 도움을 준다. 또한, 비디오 분석 소프트웨어를 사용하여 무용수의 움직임을 세밀하게 분석하고 개선할 수 있다.

기술은 무용 연습에도 큰 변화를 가져왔다. 가상 현실(VR)과 증강 현실(AR)은 무용수들이 실제 무대 환경을 모방하는 가상 공간에서 연습할 수 있게 해준다. 이는 무용수들이 공연 전에 무대 레이아웃과 공간 감각을 익힐 수 있게 해, 실제 공연에서의 자신감과 성능을 향상시킨다.

공연 기술의 발전은 무용 공연의 경험을 풍부하게 만들었다. 인터랙티브 비디오, 라이트 쇼, 그리고 디지털 셋 디자인은 무대 위의 무용수와의 상호작용을 통해 관객에게 몰입감 있는 경험을 제공한다. 또한, 라이브 스트리밍 기술을 통해 전 세계 어디서나 무용 공연을 실시간으로 관람할 수 있다. 이는 더 많은 관객이 공연을 경험할 수 있게 해준다.

기술은 무용 교육에도 긍정적인 영향을 미쳤다. 온라인 플랫폼과 비디오 튜토리얼을 통해 무용 교육이 보다 접근하기 쉽고, 편해졌다. 사람들은 집에서 전문가의 지도를 받으며 무용을 배울 수 있고, 다양한 스타일과 기술을 보다 쉽게 탐색할 수 있다.

기술의 통합은 무용의 가능성을 확장하고 있으며, 이러한 결합은 예술의 미래를 형성하는 데 중요한 역할을 하고 있다. 기술을 통해 무용 예술은 더욱 혁신적이고 다양한 방식으로 발전할 수 있으며, 이는 예술가와 관객 모두에게 새로운 차원의 경험을 제공한다.

무용수에게 미치는 영향은 광범위하며 다양한 형태로 나타난다. 첫째, 기술은 무용수들이 기술을 개선하고 새로운 움직임을 실험하는 데 도움을 준다. 예를 들어, 모션 캡처와 비디오 분석 소프트웨어를 통해 무용수들은 자신의 움직임을 자세히 분석하고 미세 조정할 수 있어, 퍼포먼스의 정확성과 효율성을 높일 수 있다.

둘째, 가상 현실(VR)과 증강 현실(AR) 같은 기술은 무용 연습 방식을 혁신한다. 이 기술들은 실제 무대와 유사한 환경에서 연습할 수 있게 해 주어, 무용수들이 공간 인식과 무대 배치에 더 익숙해질 수 있게 한다. 또한, 원격으로 다른 무용수나 안무가와 협력할 수 있는 기회를 제공하여 지리적 제약을 뛰어넘는 협업이 가능해진다.

셋째, 인터랙티브 기술과 디지털 무대 설계는 공연 중 무용수의 표현력을 강화한다. 예를 들어, 인터랙티브 프로젝션과 라이트 쇼는 무용수의 동작에 반응하여 시각적 효과를 만들어내며, 이는 관객에게 보다 몰입감 있는 경험을 제공한다.

넷째, 기술의 발전은 무용수들이 자신의 작업을 광범위하게 공유할 수 있는 기회를 제공한다. 소셜 미디어, 라이브 스트리밍, 온라인 플랫폼은 무용수들이 전 세계의 관객에게 도달할 수 있게 해주며, 이는 예술적인 영향력을 확대하고 더 많은 기회를 만들어낸다.

이러한 기술들은 무용수들에게 더 많은 창의적 자유와 실험의 기회를 제공하며, 기술적인 한계를 넘어서 새로운 형태의 예술적 표현을 가능하게 한다. 이 모든 것은 무용수가 자신의 기술을 개발하고 예술적 비전을 확장하는 데 중요한 역할을 한다.

#통제

무용에서 '통제'는 창작 과정과 퍼포먼스 모두에서 중요한 역할을 한다. 안무가와 무용수는 신체적, 감정적, 그리고 예술적 통제를 통해 작품의 정교함과 의도를 효과적으로 전달한다. 통제는 무용 작품의 각 단계에서 발견될 수 있으며, 이는 작품의 전체적인 질과 관객에게 미치는 영향에 큰 영향을 미친다. 신체적 통제는 무용수가 자신의 몸을 정밀하게 움직이고 조절하는 능력을 말한다. 이는 기술적인 동작의 정확성뿐만 아니라, 동작의 흐름과 리듬, 공간 사용에 이르기까지 모든 것을 포함한다. 무용수는 균형, 유연성, 힘을 활용하여 복잡한 안무를 수행해야 하며, 이는 깊은 신체적 이해와 지속적인 연습을 필요로 한다. 감정적 통제는 무용수가 무대 위에서 자신의 감정을 관리하고 표현하는 능력을 가리킨다. 감정의 진정성과 표현의 정밀함은 공연의 감동적인 요소를 결정짓는다. 무용수는 자신의 내면의 감정을 탐구하고 이를 통제하여, 안무가 요구하는 감정적 범위 내에서 표현해야 한다. 이 과정에서 자기 자신의 감정을 너무 과하게 드러내지 않으면서도 충분히 감정을 전달할 수 있는 균형을 찾는 것이 중요하다.

예술적 통제는 안무가가 전체 작품을 구성하는 과정에서 나타난다. 안무가는 작품의 테마, 동작, 음악, 무대 디자인 등 모든 요소를 통합하여 일관된 예술적 비전을 제시해야 한다. 이는 상세한 계획과 조정을 통해 이루어지며, 안무가는 작품의 모든 요소가 조화롭게 작동하도록 지속적으로 통제해야 한다. 무용에서 통제는 창의성과 자유로움과의 균형을 이루며, 이는 무용수와 안무가 모두에게 중요한 도전이다. 통제된 접근 방식은 작품이 더욱 세밀하고 효과적으로 관객에게 전달될 수 있게 하며, 이를 통해 무용 작품은 예술적으로 완성도를 높일 수 있다.

#트리오

무용에서 트리오는 세 명의 무용수가 함께 추는 안무를 말한다. 이 구성은 듀엣과는 다르게 더 다양한 동적 관계와 복잡한 공간 활용을 가능하게 해서 안무가에게 풍부한 표현의 기회를 제공한다. 트리오는 각 무용수의 움직임이 서로를 보완하고 대조되면서, 감정이나 이야기를 더욱 다층적으로 풀어낼 수 있게 한다.
트리오 안무는 독특한 공간 패턴과 시간적 리듬을 만들어내는 데도 유리하다. 세 명의 무용수가 동시에 다른 움직임을 하거나, 때로는 함께 동일한 움직임을 하면서도 각기 다른 방식으로 해석할 수 있기 때문이다. 이러한 점들은 트리오가 무용에서 인기 있는 형태로 사용되는 이유 중 하나이며, 관객에게 보다 풍성하고 다면적인 무대 경험을 제공한다.
무용에서 트리오를 활용한 작품으로는 다양한 예가 있지만, 특히 현대무용에서 창의적이고 감동적인 트리오 작품들을 볼 수 있다. 예를 들어, 유명한 무용가인 크리스탈 파이트의 작품 중 하나인 "B/olero"는 세 명의 무용수가 동시에 무대를 사용하는 독창적인 트리오를 선보인다. 이 작품에서는 각 무용수가 동시에 비슷한 움직임을 하면서도 각자의 스타일과 해석을 더해, 올리비에 메시앙의 음악에 맞춰 각각 다른 감정과 에너지를 표현한다.
또 다른 예로는 포사이드의 "In the Middle, Somewhat Elevated"이 있다. 이 작품은 톰 윙클의 음악에 맞춰 진행되며, 특히 한 세그먼트에서 세 명의 무용수가 강렬하고 기술적으로 복잡한 안무를 수행한다. 이들은 서로의 움직임을 보완하고 대조적으로 표현하면서 공간 안에서의 관계와 힘의 역동성을 탐구한다.
이러한 트리오 작품들은 무용수 간의 상호 작용, 감정의 교류, 그리고 공간 활용의 복잡성을 통해 관객에게 더욱 깊은 예술적 체험을 제공한다. 세 무용수가 만들어내는 동적인 관계는 이야기를 더욱 풍부하게 하고, 무용 작품의 다층적인 해석을 가능하게 한다.

#파드되

(Pas de Deux)는 "두 사람의 춤"을 뜻하는 프랑스어로, 발레에서 두 무용수가 함께 추는 듀엣 댄스를 가리킨다. 클래식 발레에서 이 듀엣은 공연의 하이라이트로 감정적 교류와 기술적 완성도를 선보이는 중요한 부분이다. 일반적으로 남녀 한 쌍으로 구성되어 있으며, 서로 간의 조화와 균형이 매우 중요하다.

첫째, 앙트레(Entrée)에서 무용수들이 등장하여 서로의 존재를 확인하고 감정적 연결을 시작한다. 둘째, 아다지오(Adagio) 부분에서는 서로에게 다가가며, 서로의 동작을 보완하고 강조하면서 천천히 그리고 정교하게 움직인다. 이 단계는 일반적으로 감정의 깊이를 보여주며 파트너십의 힘과 유연성을 강조한다. 마지막으로, 발레 듀엣은 종종 활발한 솔로 댄스인 바리에이션으로 이어지며, 이는 각 무용수가 개별적인 기술과 스타일을 뽐내는 기회를 제공한다. 공연의 클라이맥스로 설정되며, 감정적인 고조와 물리적인 기술이 결합된 순간을 관객에게 제공한다. 무용수들은 서로의 무게를 지탱하고, 복잡한 리프트와 회전을 수행하면서 서로를 보완해야 하므로, 이 듀엣은 극도의 신뢰와 협력을 필요로 한다. 는 발레의 매력적인 부분으로서, 두 무용수가 서로의 힘과 아름다움을 통해 관객에게 깊은 감동을 주는 순간이다.

"백조의 호수"에서 오데트와 지그프리드 왕자의 는 발레에서 가장 유명하고 감동적인 장면 중 하나로 자주 언급된다. 이 듀엣은 오데트의 순수함과 취약성을 드러내는 동시에 지그프리드의 사랑과 결단력을 표현하는데 중점을 둔다. 특히 이는 기술적 완성도와 감정적 깊이의 완벽한 균형을 요구하며, 두 무용수 사이의 강한 감정적 연결이 없다면 그 진정한 아름다움을 전달하기 어렵다. 이 듀엣은 발레를 사랑하는 많은 사람들에게 강한 인상을 남기는 순간이다. 관객들은 이 장면을 통해 두 캐릭터 사이의 감정적 깊이를 느낄 수 있으며, 발레의 순수한 예술적 표현을 경험할 수 있다.

#팔관회

팔관회는 조선 시대에 궁중에서 행해진 큰 규모의 축제로서 다양한 종류의 무용, 음악, 무술 시범 등이 포함된 복합적인 예술 행사였다. 이 축제는 특히 여덟 가지 주요 공연으로 구성되었기 때문에 '팔관회'라는 이름이 붙었다. 여기에는 문무를 아우르는 다양한 예술이 포함되어 있었는데, 그 중 무용은 팔관회의 중심적인 요소 중 하나였다.
팔관회에서 선보인 무용은 궁중의식뿐만 아니라 당시 사회의 문화와 예술적 특성을 반영하는 중요한 매체였다. 이 행사에 포함된 무용은 아악(雅樂), 당악(唐樂), 향악(鄕樂) 등 다양한 음악에 맞춰 춤을 추며, 각각의 무용은 다른 스타일과 기교를 요구했다. 예를 들어, 아악 무용은 매우 정제되고 절제된 움직임을 특징으로 하며, 이는 궁중의 엄숙함과 위엄을 나타내는데 적합했다. 반면, 향악 무용은 더 자유롭고 흥겨운 움직임을 포함하며, 일반 백성들의 삶과 밀접한 관련이 있었다.
팔관회의 무용은 단순한 오락이 아니라 왕과 귀족들에게는 정치적, 사회적 메시지를 전달하는 수단이기도 했다. 이러한 공연을 통해 왕실은 자신들의 부와 권력, 문화적 우월성을 과시하고, 국내외에 강력한 이미지를 선전했다. 또한, 이러한 행사는 궁중 무용수들에게는 자신의 기술을 선보이고 왕실의 인정을 받을 기회였으며, 무용을 통한 예술적 표현의 장이기도 했다.
오늘날 팔관회에서 수행된 무용은 한국 전통 무용의 발전에 있어 중요한 역사적 맥락을 제공하며, 과거와 현재를 잇는 문화적 연속성을 이해하는데 중요한 역할을 한다. 이를 통해 현대 관객들은 조선 시대 궁중의 문화와 예술을 체험하고, 한국 전통 예술의 아름다움과 깊이를 더욱 깊이 이해할 수 있다.

#팝핑

팝핑은 1970년대 캘리포니아에서 시작된 스트리트 댄스 스타일로, 근육을 빠르게 수축시켰다가 이완하는 기술을 통해 몸이 팝(pop)하는 것처럼 보이는 효과를 만든다. 이 동작들은 로봇처럼 기계적이거나 전기에 감전된 것처럼 보이게 하며, 음악의 비트에 맞춰 추어진다.

특징과 기술은 Muscle Contractions: 팝핑의 핵심은 근육 수축 기술로, 팔, 다리, 가슴, 목 등 몸의 다양한 부분을 갑작스럽게 움직여 효과를 낸다.

Isolation: 특정 부위만 독립적으로 움직여 다른 부위는 정지한 채로 팝핑을 표현하는 기술. Robotting and Boogaloo: 로봇처럼 움직이거나 몸을 원을 그리며 움직이는 보글루 스타일도 팝핑의 일부다.

Waving: 몸이나 팔에 파동을 일으키는 웨이빙도 팝핑에서 자주 볼 수 있는 기술로, 연속적인 유동적 움직임을 만든다.

문화적 배경과 영향은 팝핑은 힙합 문화와 밀접하게 연결되어 있으며, 힙합 음악과 함께 발전했다. 1980년대부터 전 세계로 확산되면서 각지의 문화와 결합해 다양한 변형을 거쳤다. 브레이크댄스와 함께 비보이 문화의 중요한 부분을 이루며 스트리트 댄스 배틀과 대회에서 큰 역할을 한다.

팝핑은 창의적인 자기 표현의 수단으로 많은 사람들이 즐기며, 무용수들은 이를 통해 자신의 개성과 기술을 뽐낼 수 있다. 전문 무용수부터 아마추어까지 폭넓게 즐기는 스타일로, 댄스 비디오, 영화, 광고 등 다양한 미디어에서 자주 볼 수 있다.

#퍼포먼스 아트

퍼포먼스 아트는 전통적인 미술과 공연의 경계를 허무는 예술 형태로, 예술가가 자신의 몸을 사용하여 라이브로 특정 메시지나 개념을 표현하는 데 초점을 맞춘다. 이 형태의 예술은 1960년대 말부터 두드러지게 나타나기 시작했으며, 사회적 규범에 도전하고 개인의 경험을 극도로 드러내는 방식으로 전통적인 무대 예술과는 다른 접근을 제시한다.
퍼포먼스 아트의 주요 특징은 기존 미술의 맥락을 벗어나 관객과의 직접적인 상호작용을 추구한다는 점이다. 예술가들은 종종 갤러리나 공공장소 같은 비전통적 공간에서 공연을 펼치며, 때로는 관객을 작품의 일부로 만들어 반응을 이끌어내고 그 반응 자체가 작품의 일부가 되게 한다. 이러한 접근은 관객에게 더욱 몰입감 있고 개인적인 경험을 제공하며, 예술과 일상 사이의 경계를 모호하게 만든다.
퍼포먼스 아트는 또한 예술가의 신체와 행동을 통해 극도의 감정적, 정치적 메시지를 전달하는 데 사용된다. 신체를 매개체로 사용함으로써, 퍼포먼스 아티스트는 보다 직접적이고 강렬한 방식으로 자신의 사상을 표현할 수 있으며, 때로는 신체의 한계를 시험하는 과정을 통해 인간 조건에 대한 탐구를 깊게 한다. 일반적으로 갤러리나 미술관, 때로는 공공장소에서 수행되며, 공연, 무용, 시, 음악, 비디오, 사운드, 조명 및 다양한 미디어를 포함할 수 있다. 이러한 퍼포먼스는 일회성 이벤트의 성격을 갖기도 하며, 때로는 사진이나 비디오로 기록되어 작품의 일부가 된다.
퍼포먼스 아트는 전통적인 예술의 형식과 내용을 자유롭게 실험하며, 종종 사회적 규범에 도전하거나 개인적, 정치적 주제를 다룬다. 이 예술 형태는 종종 관객의 참여를 요구하거나 관객의 반응을 중요한 작품의 일부로 삼는데, 이로 인해 관객은 단순한 관람자에서 활동적인 참여자로 변모한다. 퍼포먼스 아트는 특정 시간과 공간에서만 존재하며, 이러한 일시성은 작품의 독특한
경험을 제공한다. 퍼포머는 자신의 신체, 목소리, 행동을 통해 깊은 개인적 감정이나 사상을 표현한다.

유명한 퍼포먼스 아티스트로는 마리나 아브라모비치가 있는데, 그녀는 퍼포먼스 아트의 선구자 중 한 명으로, 신체의 한계와 인내력을 탐구하는 작업으로 잘 알려져 있다. 요코 오노는 예술과 평화에 대한 메시지를 결합한 다양한 퍼포먼스를 통해 사회적, 정치적 이슈를 제기했다.

퍼포먼스 아트는 오늘날에도 많은 예술가들이 사회적, 개인적 이슈를 탐구하고 공론화하는 데 사용되며, 예술의 정의를 끊임없이 확장하고 있다.

#포스트모더즘

포스트모더니즘은 20세기 중반부터 등장한 예술과 문화의 광범위한 운동으로, 기존 규범과 전통을 부정하고 재구성하려는 특징을 지닌다. 무용에서 포스트모더니즘은 특히 미국의 현대무용에서 중요한 위치를 차지하며, 이 시기의 무용은 기존의 고전 발레와 모더니즘 무용에 대한 반응으로 볼 수 있다.

포스트모더니즘 무용은 1960년대 뉴욕, 특히 주디스 공간(Judson Dance Theater)에서 활발하게 시작되었다. 이 그룹은 예술가, 무용가, 음악가들이 모여 실험적인 작업을 했으며, 일반적인 극장 무대 대신, 일상적인 공간에서 공연을 펼치며 관객과의 경계를 허물었다. 포스트모더니즘 무용가들은 일상적인 움직임과 비전통적인 공연 방식을 탐구했다.

일상적 움직임의 예술화: 포스트모더니즘 무용은 일상에서 볼 수 있는 평범한 움직임을 무용의 소재로 삼는다. 무용가들은 걷기, 뛰기, 앉기 같은 동작을 사용하여 무대 위에서 새로운 의미를 창출했다.

구조와 형식의 해체: 전통적인 무용의 구조와 서사를 해체하고, 무작위성, 반복, 그리고 미니멀리즘을 포용했다. 이러한 접근은 무용을 보는 새로운 방식을 제시하며, 관객이 무용을 경험하는 방식에 대해 질문을 던졌다.

포스트모더니즘 무용은 무용의 개념을 확장시키고, 새로운 표현의 가능성을 탐색하며, 무용과 다른 예술 형식과의 경계를 허물었다. 현재까지도 많은 현대 무용가들이 이러한 실험적 접근 방식을 계속 발전시키며, 무용 예술의 형식과 내용에 도전하고 있다. 포스트모더니즘 무용은 또한 이후의 세대에게 예술적 자유와 실험적 사고의 중요성을 교육하는 데 크게 기여했다.

#폴 댄스

폴댄스는 매우 독특하고 다양한 형태의 피트니스와 예술적 표현을 결합한 무용의 한 형태로, 기둥 형태의 막대(폴)를 사용하여 수행되는 아크로바틱하고 테크니컬한 동작을 포함한다. 원래 서커스와 같은 공연 예술에서 유래했으며, 시간이 지남에 따라 나이트클럽과 엔터테인먼트 장소에서 흔히 볼 수 있는 형태로 발전했다. 최근에는 스포츠와 운동 형태로도 인기를 얻고 있으며, 체력, 유연성, 근력 및 민첩성을 향상시키는 효과적인 방법으로 인식되고 있다.

폴댄스는 다음과 같은 요소들로 구성된다.

테크닉: 폴댄스는 폴을 잡고 수행하는 다양한 기술을 필요로 한다. 이에는 올라가기, 내려오기, 회전하기, 거꾸로 매달리기 등이 포함되며, 이러한 동작들은 매우 힘들고 복잡하다.

표현: 폴댄스는 단순히 테크니컬한 스킬을 넘어서 개인의 감정과 이야기를 표현하는 데 사용될 수 있다. 무용수는 음악과 동작을 통해 감정적인 깊이와 예술성을 표현한다.

체력과 유연성: 폴댄스를 수행하기 위해서는 뛰어난 체력과 유연성이 필요하다. 이는 근육을 강화하고, 체형을 조절하며, 전반적인 건강을 향상시키는데 기여한다.

폴댄스는 경쟁 스포츠로도 발전하고 있으며, 전 세계적으로 폴댄스 대회가 개최되고 있다. 또한, 폴댄스는 다양한 사람들이 체력을 향상시키고 자신감을 높이며 자기 표현의 수단으로 삼을 수 있는 포괄적인 활동으로 자리 잡고 있다.

#표현주의

표현주의는 20세기 초 유럽에서 발생한 예술 운동으로, 강렬한 감정과 주관적 경험을 강조하며, 외부 세계보다는 내면 세계의 진실을 탐구하는 데 중점을 두고 있다. 무용에서의 표현주의는 이러한 원칙을 바탕으로 인간의 감정과 심리 상태를 직접적이고 원시적인 움직임을 통해 표현하는 것을 목표로 한다. 이 방식은 전통적인 발레의 정형화된 기술과 아름다움을 추구하는 접근과는 대조적으로, 더 자유롭고 실험적인 형태를 취하며 종종 사회적, 정치적 메시지를 전달하는 데 사용된다.

표현주의 무용의 발전은 주로 독일에서 이루어졌다. 가장 주목할 만한 인물은 메리 뷔그만(Mary Wigman)이다. 뷔그만은 감정의 극단적 표현, 춤의 내적 리듬과 에너지에 초점을 맞춘 작품을 창작했으며, 그녀의 작품은 종종 다크하고 신비로운 분위기를 가졌다. 뷔그만의 춤은 전통적인 발레 형식에서 벗어나, 감정과 감각의 직관적 표현을 통해 관객에게 강렬한 정서적 반응을 이끌어냈다.

표현주의 무용은 다음과 같은 몇 가지 핵심적 특징을 가진다.

내면성과 감정의 직접적 표현: 무용수는 자신의 내면 깊은 감정을 표현하는 데 집중하며, 이는 관객에게 강렬하게 전달된다.

춤과 음악의 긴밀한 결합: 음악은 단순한 배경이 아니라 무용의 감정과 동작을 강화하는 중요한 요소로 작용한다.

실험적인 움직임과 형태: 전통적인 무용 기술을 벗어난 새로운 움직임과 기법을 탐구하며, 때로는 비정형적인 몸짓과 포즈를 사용한다.

사회적, 정치적 메시지의 전달: 많은 표현주의 무용 작품들은 당대의 사회적, 정치적 이슈를 반영하고 비판한다.

표현주의 무용은 현대 무용 발전에 큰 영향을 미쳤다. 표현주의 무용가들은 개인의 감정과 경험을 중심으로 작품을 창조하는 방법을 개척함으로써, 후대의 안무가들에게 자신의 감정과 사상을 자유롭게 표현할 수 있는 길을 열어주었다. 또한, 이 운동은 무용을 단순한 미적 추구에서 벗어나 깊이 있는 예술적 표현의 수단으로 자리매김하게 하는 데 기여했다. 현대 무용에서도 이러한 표현주의적 접근은 여전히 중요한 역할을 하며, 감정과 인간 심리의 복잡성을 탐구하는 다양한 작품에서 찾아볼 수 있다.

표현주의 무용은 감정과 심리적 경험을 극적으로 표현하는 데 중점을 두며, 이 분야에서 중요한 기여를 한 안무가들과 그들의 대표작들은 다음과 같다.

메리 뷔그만 (Mary Wigman)의 대표작은 "마녀의 춤 (Witch Dance)" 이 있다. 그녀는 표현주의 무용의 선구자 중 한 명으로, 그녀의 "마녀의 춤"은 개인적 감정과 신비로운 테마를 통해 깊은 인간적 경험을 탐구한다. 이 작품은 뷔그만의 특징적인 독창적이고 강렬한 움직임을 통해 강렬한 감정을 표현하며, 관객에게 심오한 영향을 끼친다. 커트 요스 (Kurt Jooss) 대표작으로는 "녹색 테이블 (The Green Table)"을 들 수 있다. 이 작품은 1932년에 초연된 작품으로, 전쟁의 비인간성과 그로 인한 파괴적인 결과를 표현한 무용극이다. 이 작품은 전쟁의 정치적인 측면과 인간의 죽음을 알레고리적으로 묘사하며, 평화에 대한 강력한 메시지를 전달한다. 피나 바우쉬는 그녀의 대표작 "카페 뮐러 (Café Müller)"는 극도의 감정적 강도와 신체적 표현이 결합된 작품이다. 이 작품에서 무용수들은 자신들의 신체를 사용하여 복잡한 인간 관계와 내면의 고통을 드라마틱하게 탐구한다. 이들 안무가들은 각각의 작품을 통해 표현주의 무용의 핵심 요소를 반영하며, 무용을 통한 심리적, 사회적 주제의 탐구를 예술적으로 구현했다. 그들의 작품은 무용이 단순한 신체 운동을 넘어 강력한 감정적, 사회적 메시지를 전달할 수 있는 매체임을 증명한다.

#평론가

평론은 예술, 문학, 영화, 음악, 연극 등 다양한 분야에 걸쳐 평가와 분석을 제공하는 글이나 말의 형태로 나타난다. 각 분야마다 고유의 특성을 반영하면서도 일반적으로 몇 가지 주요한 유형으로 구분될 수 있다.

무용평론은 무용 작품을 다양한 관점에서 평가하고 분석하는 글이나 발표 형태로, 여러 다른 유형으로 나눌 수 있다. 각 유형은 무용 작품의 특정 측면에 초점을 맞추거나 특정 관객 층에 맞추어진다. 주요한 무용평론의 종류는 다음과 같다.

기술적 평론: 이 유형의 평론은 무용수의 기술적 능력, 안무의 복잡성, 신체적 표현의 정확성과 같은 기술적 요소에 초점을 맞춘다. 평론가는 무용수의 기술 수준과 안무가의 작품 구현 능력을 중점적으로 평가한다.

예술적 평론: 이 평론은 작품의 예술적 가치와 창의성을 강조한다. 평론가는 안무가가 전달하고자 하는 메시지, 감정 표현, 작품 전반의 미학적 아름다움을 분석한다.

문화적·사회적 평론: 무용평론가는 무용 작품이 반영하고 있는 문화적, 사회적 맥락을 분석한다. 이는 무용이 특정 사회적 이슈나 문화적 정체성을 어떻게 탐구하고 표현하는지에 대해 평가한다.

역사적 평론: 이 유형의 평론은 작품이 지닌 역사적 배경이나 전통적 무용 양식과의 연결 고리를 탐구한다. 평론가는 작품이 현대 무용에 어떤 영향을 끼치는지, 과거의 양식을 어떻게 변형시켰는지 평가한다.

비교 평론: 여러 무용 작품이나 안무가들을 비교 분석하는 방식으로 진행된다. 이 유형은 특정 안무가의 작품들 또는 서로 다른 안무 스타일과의 비교를 통해 평론가는 각 작품의 독창성과 성공 여부를 논한다.

교육적 평론: 이 유형은 교육적 관점에서 무용 작품을 평가하며, 무용 교육을 받는 학생들 또는 일반 관객에게 교육적 가치가 있는 정보를 제공하고자 한다. 평론가는 작품이 어떻게 무용 학습에 활용될 수 있는지를 설명한다. 이러한 평론들은 무용이라는 예술 형태가 가진 다양한 측면을 탐색하고 평가하는 데 중요한 역할을 한다.

#푸앙트

"푸앙트(pointe)"는 발레에서 발끝으로 서서 춤추는 기술로, 특히 여성 발레 무용수들에게 필수적인 요소다. 이 기술은 발레의 우아함과 경이로움을 극대화하는 데 중요한 역할을 한다. 푸앙트를 수행하기 위해 무용수들은 특별히 제작된 신발인 푸앙트 슈즈를 착용하는데, 이 신발의 발끝 부분에는 단단한 '박스'가 있어 무용수가 자신의 전체 체중을 발끝에 집중할 수 있게 지원한다. 토슈즈(toe shoes)와 푸앙트 슈즈(pointe shoes)는 같은 것을 지칭하는 다른 용어이다.
푸앙트 슈즈의 박스는 보통 페이퍼 마슈, 플라스틱, 또는 다른 강화 재료로 만들어져 발의 끝을 감싸고 보호한다. 슈즈의 밑창은 매우 얇고 유연해 발레 무용수가 발바닥을 완전히 펼치거나 굽힐 수 있게 해준다.
푸앙트 기술은 발레에서 균형, 힘, 그리고 기교를 필요로 한다. 무용수는 발끝으로 서서 다양한 동작을 수행하며, 이는 발, 다리, 코어 근육의 힘을 필요로 한다. 또한, 발레 무용수는 '스포팅' 기술을 사용하여 머리와 몸이 조화롭게 회전하도록 연습해야 한다. 이러한 동작들은 발레 공연의 시각적 아름다움을 높이고, 무용수의 우아함과 기술적 숙련도를 강조한다.
푸앙트 기술은 발레 무용수가 몇 년에 걸쳐 점진적으로 발달시켜야 하며, 일반적으로 젊은 나이에 시작해서 발의 힘과 유연성이 충분히 발달된 후에 본격적으로 수행된다. 푸앙트 작업은 발레 학생의 발과 다리의 힘을 강화하고, 무대 위에서 더 많은 기술적 도전을 수행할 수 있게 준비시킨다. 푸앙트 기술은 발레의 시각적 매력을 극대화하고, 공연에 마법 같은 느낌을 추가하여 관객에게 더욱 깊은 인상을 남긴다. 이러한 요소는 발레를 독특하게 만드는 중요한 부분이며, 발레 무용수의 기술적 능력과 예술적 표현의 핵심이 된다.

#프린서플 댄서

프린서플 댄서(principal dancer)는 발레 회사에서 가장 높은 등급의 무용수로, 주요 솔로 역할을 맡으며 발레 공연에서 중심적인 캐릭터를 연기한다. 이들은 발레단 내에서 기술적 능력, 표현력, 예술적 성숙도가 뛰어난 무용수로 인정받는 위치다.
이들은 발레단의 대표적인 얼굴로서, 공연뿐만 아니라 발레단을 대표하는 다양한 행사나 홍보 활동에도 참여한다. 프린서플 댄서가 되기 위해서는 수년간의 엄격한 훈련과 무대 위에서 보여주는 뛰어난 기술로 경력을 쌓아가며, 솔로이스트나 코르드 발레(corps de ballet, 발레단의 단체 무용수)에서 시작해 점차 승진하는 과정을 거친다.
프린서플 댄서는 주요 공연에서 복잡하고 요구도가 높은 동작들을 수행하며 공연의 성공을 좌우하는 역할을 맡는다. 예를 들어, "지젤", "백조의 호수", "로미오와 줄리엣" 같은 클래식 발레에서 주연을 맡는 것이 일반적이다. 이들의 무대는 감정의 깊이와 기술적 완성도를 요구하며, 각 캐릭터의 복잡한 심리 상태를 표현할 수 있는 연기 능력도 중요하다.
프린서플 댄서가 되는 것은 많은 발레 무용수들의 꿈이며, 이 위치는 발레 커리어에서의 정점으로 여겨진다. 이들은 발레단 내에서 리더십을 발휘하며 후배 무용수들에게 영감을 주고 지도하는 역할도 수행한다.
역사적으로도 현재에도 많은 유명한 프린서플 댄서들이 있으며, 그 중 몇몇은 발레를 넘어서 문화 아이콘으로 자리 잡았다. 몇 명의 유명한 발레리나를 소개하겠다.
마르고 폰테인 (Margot Fonteyn) - 영국의 전설적인 발레리나로, 20세기 중반의 가장 유명한 댄서 중 한 명이다. 그녀는 특히 로얄 발레단에서 오랜 기간 동안 활동하면서 "로미오와 줄리엣"과 "잠자는 숲속의 미녀" 같은 작품에서 뛰어난 연기를 보여주었다.
안나 파블로바 (Anna Pavlova) - 러시아 출신으로, 아마도 역사상 가장 유명한 발레리나 중 한 명이다. 그녀의 대표작 "죽음의 백조"는 그녀의 이름과 영원히 연결되어 있다. 파블로바는 전 세계를 순회하며 발레를 대중화하는 데 큰 역할을 했다.
루돌프 누레예프 (Rudolf Nureyev) - 남성 댄서이지만 그의 영향력은 발레 세계에서 매우 중요하다. 러시아에서 태어난 누레예프는 서방으로 망명한 후 국제적으로 명성을 얻었으며, 특히 기술적 능력과 강렬한 무대 매너로 유명하다.
미하일 바리시니코프 (Mikhail Baryshnikov) - 또 다른 러시아 출신의 전설적인 댄서로, 그 역시 서방으로 망명해 미국에서 활동했다. 바리시니코프는 발레뿐만 아니라 연극과 영화에서도 활동하며 폭넓은 예술적 성과를 이룩했다.
실비 길렘 (Sylvie Guillem) - 프랑스 출신으로, 1980년대와 1990년대에 국제적으로 큰 명성을 얻었다. 그녀는 발레 기술과 표현력에서 혁신적인 접근으로 유명하며, 많은 작품에서 창의적인 해석을 보여주었다.
이러한 댄서들은 각자의 방식으로 발레의 역사를 형성하고, 후세에 큰 영감을 주었다. 그들은 프린서플 댄서로서의 위치를 넘어, 발레라는 예술 형태를 새로운 차원으로 끌어올린 인물들이다.

#플라멩코

플라멩고는 스페인 안달루시아 지방에서 발생한 강렬하고 열정적인 무용 및 음악 형태로, 깊은 감정과 풍부한 문화적 유산을 담고 있다. 플라멩고는 노래(cante), 기타 연주(guitarra), 무용(baile)이 하나로 어우러져, 예술적 표현의 전체적인 경험을 제공한다. 각 요소는 서로를 보완하며, 놀라운 정서적 깊이와 기술적 복잡성을 나타낸다.

플라멩고의 핵심은 '칸테'로, 종종 슬픔, 고뇌, 기쁨, 축제 등 인간의 근원적 감정을 다룬다. 가사는 종종 스페인의 역사, 특히 로마니 사람들의 삶과 경험에서 영감을 받아 표현된다. 이러한 노래는 플라멩고 공연의 정서적 중심을 이루며, 연주자의 목소리에서 느껴지는 힘과 애절함이 청중에게 깊은 감동을 준다. 플라멩고 기타 연주는 기술적으로 매우 정교하다. 이는 리듬과 멜로디를 동시에 다루며, 노래와 무용에 완벽하게 어우러져 감정의 흐름을 조절한다. 기타리스트는 노래의 감정을 강조하고 무용수의 동작에 맞추어 리듬을 제공하면서 공연의 분위기를 조성하는 중요한 역할을 한다. 플라멩고 무용은 강렬하고 표현력이 풍부하며, 무용수의 기술, 감정 표현, 그리고 스타일이 무대 위에서 완벽하게 드러난다. 발의 탭핑과 복잡한 팔 움직임, 몸의 자세가 어우러져 강한 감정을 시각적으로 표현한다. 무용수는 때로는 격렬하게, 때로는 섬세하게 움직이며, 관객에게 감정의 직접적인 전달자가 된다.

플라멩고는 이 세 요소가 서로 긴밀하게 상호 작용하며, 각각이 다른 요소를 강화하고 강조한다. 이러한 상호작용은 플라멩고를 단순한 무용이나 음악 장르가 아닌, 극적이고 다층적인 예술적 경험으로 만든다. 플라멩고는 스페인 안달루시아의 정체성과 문화적 자부심의 상징이며, 전 세계적으로 사랑받는 유산으로 자리 잡았다.

#플레테

플레테(fouetté)는 발레에서 볼 수 있는 매우 도전적이고 인상적인 회전 동작 중 하나로, 특히 발레리나들에게 기술적인 숙련도와 우아함을 동시에 보여줄 수 있는 기회를 제공한다. "휘두르다"라는 뜻을 가진 프랑스어에서 유래된 이 동작은 발레 공연에서 매우 중요한 순간에 사용되곤 한다.

플레떼의 기본 원리는 이 동작은 주로 한 발로 지면을 지지하고 서서, 다른 발의 발목을 구부린 상태에서 발끝을 고정된 지지 발의 무릎 옆으로 빠르게 들어올린 다음, 바깥쪽으로 킥을 하면서 몸 전체를 회전시키는 형태로 수행된다. 이 과정에서 상체와 팔은 동작의 균형과 리듬을 유지하는 데 중요한 역할을 한다. 상체는 상대적으로 정적이며, 팔은 회전 중에 안정성과 속도 조절을 돕기 위해 특정 위치에 고정된다.

플레테를 수행할 때 무용수는 첫째, 탁월한 발목의 힘과 유연성이 필요하다. 둘째, 코어 근육을 통한 강력한 중심 유지가 중요하다. 셋째, 머리의 위치와 시선은 회전 중 방향 감각을 유지하도록 돕는데, 이를 '스포팅(spotting)'이라고 하며, 머리는 몸보다 나중에 회전하여 어지럼증을 최소화하고, 다음 회전을 위해 머리를 빠르게 원위치로 돌려 정확한 방향성을 유지한다.

플레테는 발레 무대에서 드라마의 정점을 장식하거나, 주요 무용수의 기술을 강조하는 순간으로 사용된다. 특히 "백조의 호수"의 오딜리아가 공연의 클라이막스에서 수행하는 연속적인 플레테는 그녀의 기술뿐만 아니라 캐릭터의 복잡성과 감정적 깊이를 표현하는 데 기여한다. 이처럼 플레테는 발레에서 시각적인 아름다움과 감정의 표현, 그리고 무용수의 기술적 능력을 모두 보여주는 중요한 동작이다.

#피나바우쉬

피나 바우쉬는 독일의 현대무용가이자 안무가로 '탄츠시어터'(Tanztheater)라고 하는 독특한 무용 형식을 창안한 인물로 유명하다. 그녀는 1940년 7월 27일에 독일의 솔링겐에서 태어났고, 2009년 6월 30일에 사망했다. 피나는 어린 시절부터 무용에 뛰어난 재능을 보였고, 에센의 폴크방 극장에서 본격적으로 무용 교육을 받기 시작했다. 이후 뉴욕의 유명한 주이어드 학교에서 무용을 공부하며 현대무용의 다양한 스타일과 기법을 습득했다.
1973년, 그녀는 독일의 비더베르 피나 바우쉬 무용단을 이끌게 되었고, 이곳에서 탄츠시어터를 창시하며 무용계에 큰 영향을 미쳤다. 피나의 작품은 전통적인 무용의 경계를 허물고 연극적 요소와 결합하여 인간의 깊은 감정과 사회적 관계를 탐구했다.
그녀의 대표적인 작품으로는 "카페 뮐러"(Café Müller, 1978), "봄의 제전"(The Rite of Spring, 1975), "넬켄"(Nelken, 1982) 등이 있다. 피나 바우쉬의 작품 '봄의제전'에서는 실제 흙을 무대에 깔아 인간의 본능적이고 원초적인 감정을 표현하는 데 사용했고, '넬켄'에서는 무대에 수많은 카네이션을 깔아놓음으로써 시각적으로도 강렬한 인상을 남겼다. 이처럼 그녀는 자연의 요소를 무대에 직접적으로 활용하여 작품의 테마와 감정을 효과적으로 전달했다. 이 작품들은 강렬한 감정 표현과 독창적인 무대 구성으로 유명하다. 특히 "카페 뮐러"는 자동적인 움직임과 반복되는 루틴을 통해 인간의 내면을 깊게 들여다보는 작품이다.
피나 바우쉬의 안무는 주로 인간의 감정과 관계의 복잡성을 탐구하는 데 중점을 둔다. 그녀의 작품은 대사보다는 몸짓과 움직임에 더 많은 의미를 부여하며, 때로는 무대 위에 식물이나 물 등을 사용하여 시각적이고 감각적인 경험을 극대화한다.
피나 바우쉬의 작품은 전 세계적으로 공연되었으며, 그녀는 현대 무용에 지대한 영향을 미친 인물로 평가받는다. 그녀의 사망 후, 그녀가 창립한 무용단은 계속해서 그녀의 작품을 공연하며 그녀의 예술적 유산을 계승하고 있다. 피나 바우쉬의 예술은 세계 각지의 안무가들에게 영감을 주었으며, 무용 예술의 경계를 넓히는 데 크게 기여했다.

피나 바우쉬의 예술적 특징은 현대 무용계에 독특한 영향을 미쳤다. 그녀의 작품은 다음과 같은 여러 가지 특징을 포함하고 있다.

피나 바우쉬는 무용수들의 신체를 통해 극도의 감정을 표현하는 방식을 선호했다. 그녀의 안무에서는 종종 고통, 사랑, 절망과 같은 극단적인 인간 감정이 몸짓과 표정을 통해 표출되곤 했지. 이러한 감정의 직접적인 표현은 관객에게 강렬한 영향을 주며, 작품의 몰입하게 만드는 효과가 있다.

피나 바우쉬의 작품들은 종종 무대 디자인이 매우 독창적이며, 무대 위에 자연 요소를 직접적으로 사용하는 것이 특징이다.

그녀의 안무는 반복적인 움직임과 갑작스러운 충돌을 포함하는 것이 특징이다. 이러한 요소들은 인간 관계의 긴장과 복잡성을 상징하며, 보는 이로 하여금 내면의 감정을 자극한다.

피나 바우쉬는 무용과 함께 말, 소리, 텍스트를 통합하여 다층적인 의미를 창출하는 데 탁월했다. 이러한 통합은 작품에 더 깊은 서사적 깊이를 부여하며, 관객에게 다양한 해석의 여지를 제공한다.

피나 바우쉬의 예술은 무용을 단순한 신체적 표현의 영역을 넘어서, 강렬한 감정적, 시각적, 철학적 탐구의 수단으로 확장시켰다. 그녀의 작품들은 전 세계적으로 영향력을 미치며 현대 무용의 발전에 크게 기여하고 있다.

#피르엣

피르엣은 발레의 아름다운 요소 중 하나로, 무용수가 한 발로 지면을 착지하고 다른 발로 회전하는 동작을 말한다. 이 우아한 회전은 마치 붓을 든 화가가 캔버스에 섬세한 선을 그리듯, 무용수는 자신의 몸을 사용하여 공간 속에 유려한 선을 그려낸다. 발레 슈즈가 무대를 가볍게 스치면서, 관객의 시선은 그 회전의 중심인 무용수의 우아한 자세와 절제된 힘에 사로잡힌다.

피르엣은 기술적으로 매우 요구되는 동작으로, 완벽한 균형과 정확한 기술이 필요하다. 무용수는 내면의 집중력과 외적인 몸의 조화를 통해 여러 번 연속으로 회전할 수 있으며, 이 과정에서 그들의 기술, 힘, 그리고 아름다움이 드러난다. 특히 발레에서 피르엣은 그 자체로 한 편의 시를 쓰는 것과 같아, 각 회전이 더해질 때마다 관객에게 더 깊은 감동을 선사한다.

이 동작은 발레의 많은 작품에서 중요한 순간에 사용되어 감정의 피크를 장식하며, 무용수가 기술적 능력뿐만 아니라 예술적 표현의 깊이를 보여주는 기회를 제공한다. 피르엣은 발레를 관람하는 즐거움 중 하나로, 그 순간 공간과 시간이 마법처럼 멈춘 듯한 착각을 일으키며, 모든 이의 호흡을 조용히 멈추게 만든다.

#한량무

한량무는 조선 시대 궁중 연회나 축제에서 선보인 남성 춤 중 하나로, 귀족적 우아함과 세련된 기품을 표현하는 전통 한국 무용이다. 이 춤은 조선 시대의 문인이나 학자들이 사교적인 모임에서 즐겨 추던 춤으로 알려져 있다. 한량무는 단아하면서도 자유로운 움직임이 특징이며, 춤사위는 섬세하고 절제된 아름다움을 드러낸다.

한량무를 추는 무용수는 전통적으로 '한복'을 입는다. 특히 한량무에 사용되는 의상은 '답호'라 불리는 넓은 소매가 있는 겉옷과, 풍성하게 떨어지는 '바지'를 착용한다. 이 의상은 무용수가 수행하는 여러 동작들이 잘 드러나도록 도와주며, 특히 회전하거나 팔을 흔드는 동작에서는 소매가 아름답게 펼쳐져 그 우아함을 더한다.

한량무에 사용되는 음악은 전통적인 한국 국악으로, 여러 가지 악기가 조화를 이룬다. 주로 '대금', '해금', '거문고'와 같은 현악기와, '장구'와 같은 타악기가 사용된다. 음악은 춤의 느낌을 살리면서도 감정의 흐름을 잘 반영하도록 구성된다. 멜로디는 우아하고 섬세하며, 리듬은 때로는 느리고 여유로워 무용수가 감정을 표현하기에 충분한 시간을 제공한다.

한량무는 그 자체로 한국의 전통적인 아름다움과 학문적인 세련미를 표현하는 예술 작품이다. 이 춤을 통해 과거 교육받은 계층의 문화적 소양과 사회적 품격이 드러나며, 오늘날에도 이러한 전통적 가치를 계승하고 보존하는 데 중요한 역할을 한다.

#한성준

한성준은 한국에서 가장 유명한 전통 무용가 중 한 명으로, 그의 예술적 기여는 한국 전통 무용과 음악 분야에서 매우 중요하게 평가된다. 1874년 서울에서 태어난 그는 어린 시절부터 장구 연주와 춤에 대한 뛰어난 재능을 보였으며, 이를 바탕으로 전통 국악을 배우고 발전시켰다.

20세기 초반, 서울에서 활동하면서 한성준은 전통 춤의 형식과 스타일에 새로운 해석을 더해 독창적이고 현대적인 표현 방식을 개발했다. 그의 창작물 중 '북춤', '장구춤', '살풀이춤' 등은 특히 잘 알려져 있으며, 이들 작품은 각각 강렬한 리듬과 역동적인 몸짓, 그리고 전통 음악과 춤의 새로운 해석을 제공한다. 특히 북춤은 그의 기술적 능력과 창의력을 집약적으로 보여주는 예로, 한국 전통 무용의 한 장르로 자리잡았다.

한성준은 또한 한국의 전통 예술을 널리 알리는 데 큰 공헌을 했다. 그는 많은 제자를 양성하며 무용과 국악 교육자로서도 활동했고, 그의 제자들은 한국 무용의 현대화와 국제화에 기여했다. 일제 강점기 동안에는 한국 전통 문화의 정체성을 유지하고 보존하는 데 중요한 역할을 했다.

오늘날에도 한성준의 예술적 유산은 계속해서 그 가치를 인정받고 있으며, 그의 이름을 딴 한성준 무용단은 한국 전통 예술의 보존과 발전을 이어가고 있다. 그의 작품과 교육 방식은 여전히 많은 예술가들에게 영감을 제공하며, 전통과 현대가 어우러지는 새로운 예술 형식을 통해 한국 전통 무용에 새로운 생명을 불어넣고 있다.

#해체주의

해체주의 무용은 20세기 후반, 특히 1980년대에 크게 부상했다. 이 시기에 예술과 철학에서 해체주의적 사고가 널리 퍼지면서 무용계에도 영향을 미쳤다. 주요 인물로는 미국의 포스트모던 무용가인 트리샤 브라운과 머스 커닝엄이 있으며, 이들은 전통적인 무용의 형식과 내러티브를 해체하여 새로운 형식과 구조를 실험했다. 이러한 작업은 관객이 무용을 보는 방식을 변화시키고, 무용이 전달할 수 있는 의미와 감정의 폭을 확장시켰다.
트리샤 브라운과 머스 커닝엄의 작품은 전통적인 무용 형식을 벗어나 실험적이고 혁신적인 요소를 많이 도입했다. 예를 들어, 트리샤 브라운의 "Set and Reset"은 불확정성과 무작위성을 포함한 안무를 통해 전통적인 무대 구성과 내러티브를 해체했다. 머스 커닝엄의 작업에서는 기술과 확률론적 방법을 사용해 안무를 만들어 무용수들이 즉흥적으로 움직이도록 했다. 이런 접근은 무용에서의 해체주의적 접근을 잘 보여주며, 관객에게 다양한 해석을 제공한다.
해체주의는 원래 문학과 철학에서 비롯된 비판적 이론으로, 특히 자크 데리다에 의해 널리 알려졌다. 이 이론은 언어와 텍스트가 갖는 고정된 의미를 해체하고, 의미가 어떻게 불안정하고 상호 의존적인지를 드러내는 데 중점을 둔다. 해체주의는 텍스트 내의 대립적인 요소와 구조를 분석하여, 의미가 다양한 해석과 문맥에 따라 어떻게 변화하는지를 조명한다. 이 접근법은 전통적인 해석을 도전하고, 의미의 불확실성과 복잡성을 강조함으로써, 문학, 철학, 예술 등 다양한 분야에 영향을 미쳤다.

#현대무용

현대무용의 탄생은 20세기 초반, 전통 발레의 형식적 제약과 클래식한 틀에 대한 반발로 시작되었다. 이는 예술가들이 더 자유로운 표현 방식을 모색하면서 새로운 무용 양식을 개발하게 된 계기가 되었다.
현대무용의 초기 주자 중 한 명은 이사도라 던컨이다. 그녀는 1900년대 초반에 자연스러운 움직임을 강조하며 발레의 엄격한 기술과 포즈에서 벗어나려 했다. 던컨은 음악에 맞춰 신체가 자연스럽게 반응하는 스타일을 선호했으며, 그녀의 무용은 감정 표현의 직접적인 방법으로 평가받았다.
독일에서는 루돌프 폰 라반과 메리 뷔그만이 현대무용의 발전에 크게 기여했다. 라반은 무용의 기술적 측면 뿐만 아니라 무용수의 내면적 감정과 정신을 중요시했으며, 이를 통해 무용수가 자신의 내면세계를 탐구할 수 있는 방법을 제시했다. 메리 뷔그만은 실험적인 움직임과 추상적인 표현을 사용하여 무용의 새로운 영역을 개척했다.
미국에서 현대무용은 마사 그라함, 도리스 험프리, 찰스 와이드먼 등에 의해 크게 발전했다. 그라함은 특히 감정의 극적인 표현과 신체의 조각적인 포즈를 통해 무용의 새로운 양식을 만들어냈다. 그녀의 기술과 작품은 강렬한 감정적 표현과 심리적 깊이를 무용에 불어넣었다. 도리스 험프리는 움직임의 동역학과 자연스러운 흐름에 초점을 맞춘 무용 철학을 개발했고, 이는 '폴 앤 리커버리' 기법을 통해 구현되었다.
20세기 중반 이후, 현대무용은 앨빈 에일리, 폴 테일러, 머스 커닝엄 등 새로운 세대의 안무가들에 의해 더욱 다양화되었다. 이들은 기술적인 혁신뿐만 아니라 멀티미디어, 비주얼 아트, 기술과의 융합을 탐구하며 현대무용을 더욱 리치하고 다양한 예술 형태로 발전시켰다.
현대무용은 지속적으로 발전하여 각기 다른 문화적 배경을 가진 무용수들과 안무가들에 의해 전 세계적으로 퍼져 나가고 있 현대무용의 동향을 살펴보면 다음과 같은 중요한 특징들을 확인할 수 있다.
다양한 움직임의 통합: 현대무용은 다양한 무용 스타일의 통합을 특징으로 한다. 브레이크댄스, 힙합, 팝핑, 로킹, 볼룸, 셔플 댄스 등 다양한 동작들이 현대무용 안에서 새로운 형태로 결합되고 있다. 이러한 통합은 현대무용을 더욱 풍부하고 다층적인 예술 형태로 발전시키고 있다.

현대무용의 개념적 확장의 연구에서는 현대무용의 안무가 단순한 움직임의 안무에서 개념의 구현으로 확장되고 있다고 지적한다. 이는 현대무용이 단지 신체 움직임을 넘어서 사상과 개념을 형상화하는 방향으로 발전하고 있음을 나타낸다.

현대무용의 문화적 영향과 정체성: 현대무용은 글로벌 문화의 영향을 받으며 다양한 문화적 배경을 반영하고 있다. 이는 현대무용이 지역적, 국가적 경계를 넘어서는 국제적인 예술 형태로 자리 잡고 있음을 의미한다.

#현대무용의 정신

현대무용 정신은 무용에서의 전통적인 형식과 기술을 벗어나 새로운 표현과 실험을 중시하는 태도를 말한다. 이는 20세기 초 현대무용의 창시자들이 발레의 엄격한 규칙과 구조에서 벗어나고자 한 움직임에서 기원한다. 현대무용은 개인의 감정과 사상을 자유롭게 표현하는 데 중점을 두며, 신체의 자연스러운 움직임과 내면의 정서를 탐구하는 것이 특징이다.
이 정신은 무용수의 신체적 한계를 실험하고, 다양한 체형과 능력을 포용하는 것을 강조한다. 또한, 전통적인 무대 구성과 의상, 음악의 사용을 재해석하거나 전혀 새로운 요소를 도입하여 무용의 경계를 확장한다. 현대무용은 감정의 직접적인 표현, 사회적이고 정치적인 주제의 탐구 등을 통해 관객과 깊은 정서적 연결을 시도한다.
또한, 현대무용은 즉흥적인 움직임을 중요시하여 무용수가 순간의 감정과 반응에 따라 움직임을 생성할 수 있게 한다. 이는 공연마다 독특하고 예측할 수 없는 경험을 제공하며, 관객과의 상호작용에 큰 중요성을 부여한다.
현대무용의 이러한 접근은 예술의 자유와 개방성을 촉진하며, 개인의 목소리와 사회적 이슈에 대한 탐구를 가능하게 한다. 이러한 정신은 무용을 단순히 아름다움을 추구하는 예술에서, 개인과 사회의 깊은 이야기를 풀어내는 강력한 매체로 변모시켰다.

#현상학

무용의 현상학은 무용을 경험적이고 체험적인 관점에서 이해하고자 하는 학문적 접근법이다. 현상학은 철학의 한 분야로서, 인간의 경험과 의식을 기본적인 출발점으로 삼는다. 무용에서는 이를 통해 관객과 무용수의 신체적 경험과 이에 대한 인식을 중심으로 연구한다.

무용의 현상학적 연구는 다음과 같은 질문을 중심으로 진행된다.

무용수의 경험: 무용수가 춤을 추는 동안 겪는 신체적 감각과 정서적 경험은 어떠한가? 이러한 경험은 어떻게 의미를 생성하는가?

관객의 경험: 관객이 춤을 보면서 느끼는 감정과 반응은 무엇인가? 관객은 어떻게 그들의 경험을 해석하며, 이는 어떠한 방식으로 무용수의 표현과 상호작용하는가?

작품의 의미: 무용 작품은 어떻게 의미를 전달하는가? 작품이 전달하려는 메시지는 무엇이며, 그것이 관객에게 어떻게 진달되는가?

현상학적 연구 방법은 무용을 단순히 기술적인 면이나 미학적인 측면에서 접근하는 것이 아니라, 무용수와 관객이 실제로 느끼고 경험하는 바를 중요하게 여긴다. 이를 통해, 무용이 단지 시각적인 예술이 아니라, 깊이 있는 인간적 경험의 전달 매체로서의 역할을 강조한다.

현상학적 접근을 통한 무용 연구는 무용수와 관객의 경험을 심층적으로 분석하여 무용의 다양한 측면을 깊이 있게 이해하려는 노력의 일환으로 진행된다. 최근 연구 동향에서 눈에 띄는 몇 가지 주요 주제는 다음과 같다. 무용수의 주관성과 현상학의 Philipa Rothfield의 연구는 무용수의 개인적 경험과 신체 감각이 무용의 표현과 어떻게 연결되는지를 탐구한다. 예를 들어, 무용수가 특정 동작을 수행할 때 경험하는 감정적 반응이나 신체적 느낌이 작품의 전체적 의미와 어떻게 연결되는지 분석하면서 무용 작품이 갖는 감정적 깊이와 심리적 영향을 조명한다.

무용과 리듬의 관계는 Torsa Talukdar와 Anushka Gupta는 무용이 음악과 리듬과 어떻게 상호 작용하는지 연구한다. 무용의 리듬적 속성이 무용수의 동작과 어떻게 조화를 이루며, 이 조화가 관객에게 어떤 심미적, 감정적 반응을 일으키는지 분석한다. 리듬이 없는 상황에서도 신체 동작 자체가 생성하는 리듬이 관객의 경험에 어떤 영향을 미치는지 탐구한다.

무용의 의미 생성은 Alejandra Toro Calonje와 Isidro López Aparicio Pérez의 연구는 무용이 어떻게 복잡한 내러티브를 형성하고 이를 통해 의미를 창조하는지 다룬다. 이들은 현대 무용이 과거의 이야기나 개인적 경험을 통합하고, 이를 통해 관객에게 전달되는 메시지가 어떻게 구성되는지 분석한다. 특히 신체적 움직임이 감정, 기억, 인식과 어떻게 결합하여 강력한 사회적, 문화적 메시지를 전달하는지에 초점을 맞춘다.

이러한 연구들은 무용이 단순한 신체적 활동을 넘어서, 인간의 경험과 감정을 깊이 있게 탐구하고 표현하는 예술 형태임을 보여준다. 무용의 현상학적 접근은 복잡한 상호작용을 이해하고 무용을 통해 인간 경험의 다양한 측면을 탐색하려는 학문적 노력을 반영하며, 상학은 무용을 이해하는데 있어서 보다 깊이 있는 해석을 제공하며, 신체의 움직임과 인간 의식 사이의 복잡한 상호작용을 탐구하는 데 유용하다. 이러한 접근은 무용 연구뿐만 아니라, 심리학, 예술치료, 교육학 등 다양한 분야에서 현상학적 접근을 통한 무용 연구는 실제로 무용수와 관객의 경험을 통해 무용의 깊이를 탐구하려는 시도로 볼 수 있다.

현상학 연구들은 무용을 신체적 차원을 넘어서 의미와 감정의 전달 매체로서 깊이 있게 이해하려는 노력의 일환으로 볼 수 있다. 이는 무용이 단순한 물리적 움직임을 넘어서 깊은 인간적 경험과 연결될 수 있음을 보여주는 것이다.

#호두까기 인형

"호두까기 인형"은 표트르 일리치 차이콥스키가 작곡하고 1892년 러시아 상트페테르부르크에서 초연된 발레 작품으로, E.T.A. 호프만의 1816년 단편 소설 "호두까기 인형과 생쥐 왕"을 바탕으로 한다. 이 작품은 크리스마스 이브에 벌어지는 매혹적인 이야기를 담고 있으며, 어린 소녀 클라라와 그녀의 호두까기 인형이 겪는 모험을 중심으로 전개된다. 클라라가 선물로 받은 호두까기 인형은 밤중에 살아 움직여 생쥐 왕과 전투를 벌이고, 승리 후 젊은 왕자로 변신하여 클라라를 환상의 세계로 이끈다.

차이콥스키의 음악은 이 발레의 또 다른 주요 특징으로, 그의 작품 중에서도 특히 "호두까기 인형"의 음악은 널리 사랑받는다. '꽃의 왈츠'를 포함한 여러 곡들이 발레 음악의 고전으로 자리잡았으며, 크리스마스 시즌에 자주 연주되어 전 세계 관객들에게 크리스마스의 마법 같은 분위기를 선사한다. "호두까기 인형" 발레는 여러 환상적인 장면들로 가득하지만, 그 중 몇 가지는 특히 인상 깊다. 발레의 시작은 크리스마스 이브에 열리는 화려한 파티로, 여기서 축제의 분위기와 활기가 생생하게 표현된다. 이 장면은 클라라와 그녀의 가족, 친구들이 모여 축하하는 모습을 보여주며, 클라라가 호두까기 인형을 선물로 받는 순간으로 절정에 달한다.

파티가 끝난 후, 클라라는 호두까기 인형을 가지고 장난감들이 있는 방으로 간다. 이때, 인형이 살아 움직이기 시작하고, 생쥐 왕과 그의 군대와의 전투가 발생한다. 이 전투 장면은 긴박감과 드라마를 제공하며, 호두까기 인형이 생쥐 왕을 물리치고 젊은 왕자로 변신하는 순간은 특히 강렬하다.

가장 화려한 장면은 호두까기 왕자와 클라라가 환상의 나라를 여행하는 동안, 다양한 춤들이 펼쳐지지만 그 중' 꽃의 왈츠'는 가장 아름답고 기억에 남는다. 이 장면에서는 수많은 무용수들이 꽃으로 분장하여 우아하게 춤을 추며, 차이콥스키의 음악은 이 순간을 더욱 돋보이게 한다.

모험의 끝에서 클라라와 왕자는 크리스마스 트리 아래로 돌아오며, 이는 꿈에서 깨어난 듯한 평화로운 장면으로 마무리된다. 이 순간은 발레 전체의 환상적인 여정을 진정시키며, 관객에게 달콤하고 평화로운 마무리를 선사한다.
이러한 장면들은 "호두까기 인형"이 단순한 발레 공연을 넘어 시각적이고 감정적인 경험을 제공하는 작품임을 보여준다.
문화적 영향 측면에서, 발란신이 1954년 뉴욕시 발레단을 위해 새롭게 안무한 "호두까기 인형" 버전은 특히 유명하다. 이 버전은 발란신의 창의적인 안무가 돋보이며 매년 뉴욕에서 공연되고 있다. 또한, 영국 왕립 발레단과 볼쇼이 발레단 등 세계 유수의 발레 단체들도 각기 다른 해석을 더해 이 발레를 공연하고 있다.
이처럼 "호두까기 인형"은 차이콥스키의 탁월한 음악과 결합된 독창적인 안무, 그리고 시간을 초월한 이야기로 인해 발레뿐만 아니라 전 세계적으로 사랑받는 공연 예술의 한 형태로 자리매김하였다. 매년 크리스마스 시즌이 되면 전 세계 많은 도시에서 상연되며, 모든 연령대의 관객들에게 크리스마스 시즌의 기쁨과 마법을 선사한다. 이 작품은 단순한 무대 공연을 넘어서 문화적 상징과 풍부한 예술적 가치를 제공하며, 관객들에게 지속적인 영감을 불어넣고 있다.

#호세리몽

호세 리몽(José Limón)은 멕시코에서 태어나 미국에서 활동한 현대무용가이자 안무가로, 현대무용의 선구자 중 한 명이다. 그는 1908년 멕시코에서 태어나 1930년대 초 미국으로 이민 왔다. 원래는 화가를 꿈꿨지만, 뉴욕에서 댄스에 대한 열정을 발견하고 무용수로서의 길을 걷기 시작했다.

리몽은 특히 도리스 험프리와 찰스 와이드먼의 영향을 받았다. 그의 무용 스타일은 험프리-와이드먼 기술을 바탕으로, 드라마틱하고 표현적인 요소가 강조된다. 그는 무용을 통해 극적인 서사를 전달하고, 인간의 감정과 심리적 갈등을 표현하는 데 중점을 뒀다.

호세 리몽은 현대무용의 선구자로, 그의 테크닉은 깊은 감정적 표현과 중력의 이용을 특징으로 한다. 멘토인 도리스 험프리의 영향을 받아 그녀의 중력과 무게 중심을 활용하는 원칙을 바탕으로 자신만의 독특한 스타일을 개발했다. 리몽의 기법은 무용을 통한 극적이고 감정적인 서사를 전달하는 데 초점을 맞추며, 이를 통해 무용수의 신체적, 정서적 표현력을 극대화한다.

리몽 테크닉의 첫 번째 주요 특징은 호흡과 움직임의 통합이다. 그는 각 움직임을 호흡과 밀접하게 연결시킴으로써, 무용수가 보다 깊이 있고 표현력 있는 동작을 수행할 수 있게 한다. 호흡은 움직임의 리듬을 결정하고, 이는 공연의 감정적 깊이를 더욱 향상시킨다. 무용수는 호흡을 통해 에너지를 조절하며, 이는 관객에게 전달되는 감정의 강도를 조절하는 데 중요한 역할을 한다.

두 번째로, 리몽은 중력과의 상호 작용을 강조한다. 이 기법은 무용수가 무대 위에서 중력을 효과적으로 활용하도록 한다. 중력과 싸우거나 중력을 활용하는 동작들은 무용수가 보다 힘있고 또한 부드럽게 움직일 수 있게 만든다. 이러한 움직임은 관객에게 시각적으로 인상적인 경험을 제공하며, 무용수의 신체적 한계를 시험하는 데 도움을 준다.

세 번째 특징은 감정적, 심리적 깊이의 탐구다. 리몽의 안무는 종종 인간의 감정적 갈등이나 심리적 고민을 드러낸다. 그의 작품은 강렬한 인간의 감정을 표현하며, 이는 무용수가 더 깊은 감정적 연결을 관객과 맺을 수 있게 한다. 각 동작과 시퀀스는 이러한 감정적 표현을 위해 정교하게 구성되어, 공연 전체의 드라마틱한 효과를 높인다.

마지막으로, 동작의 흐름과 연속성에 대한 강조는 리몽 테크닉의 핵심 요소 중 하나다. 그는 동작 사이의 자연스러운 전환을 중시하며, 이를 통해 무대 위의 움직임이 유기적으로 흐르도록 한다. 이 접근 방식은 무용수가 각 동작을 보다 자연스럽고 유연하게 이어갈 수 있게 하며, 이는 공연의 시각적 유동성을 증가시킨다.

이러한 특징들은 모두 호세 리몽이 현대무용에 끼친 영향을 보여주는 예로, 그의 기법은 오늘날에도 많은 무용 학교와 단체에서 교육되며 현대무용 발전에 중요한 기여를 하고 있다. 그의 대표작 중 하나인 "The Moor's Pavane"(1949)는 윌리엄 셰익스피어의 "오셀로"를 바탕으로 한 작품으로, 이는 리몽이 얼마나 풍부한 감정을 무용으로 표현할 수 있는지 보여주는 예시다. 또 다른 중요한 작품인 "Missa Brevis"(1958)는 제2차 세계대전 후의 유럽 재건을 주제로 하며, 인간의 회복력과 공동체 정신을 강조한다. 리몽은 그의 기술과 표현력을 통해 현대무용에 큰 영향을 미쳤으며, 그의 작품들은 여전히 전 세계의 무용 회사에서 공연되고 있다. 그는 1972년에 사망했지만, 그의 유산은 호세 리몽 댄스 재단과 댄스 컴퍼니를 통해 계속 이어지고 있다. 이 재단과 컴퍼니는 그의 예술적 비전과 교육적 가치를 계승하며 현대무용 교육과 창작에 큰 기여를 하고 있다.

#화관무

화관무(花冠舞)는 조선 시대 궁중에서 행해진 무용의 한 종류로, 궁중 여성들이 수행하는 춤이었다. 이 춤은 주로 궁중 잔치나 중요한 행사에서 공연되었으며, 화려하고 정교한 의상과 함께 아름다운 춤사위를 선보이는 것이 특징이다. 화관무는 조선 왕조의 궁중 의식에서 중요한 역할을 하며, 왕실의 번영과 권위를 상징하는 축제의 일환으로 발전했다. 이 춤은 특히 여성들의 아름다움과 우아함을 표현하는 데 중점을 두었고, 왕과 왕실의 지위를 높이는 데 기여하는 예술적 표현으로 여겨졌다.

화관무의 의상은 매우 화려하고 섬세한 장식이 특징이다. 무용수들은 보통 금실과 비단으로 만들어진 한복을 착용하며, 머리에는 화관(花冠)이라고 불리는 꽃으로 장식된 머리장식을 쓴다. 이 화관은 다양한 꽃과 장식물로 꾸며져 있으며, 춤을 추는 동안 그 화려함이 더욱 돋보이도록 설계되있다.

화관무의 춤사위는 일반적으로 부드럽고 흐르는 듯한 움직임이 특징이다. 동작은 대체로 절제되어 있으며, 우아함과 세련됨을 강조한다. 팔동작은 넓게 펼쳐지며, 발동작은 정교하고 섬세하게 이루어진다. 음악과 함께 조화롭게 움직이며, 때로는 느린 리듬으로, 때로는 더욱 빠르고 역동적인 리듬으로 변화를 준다. 서울에서는 1954년에 초연되었으며 춤과 한국예술이 열리는 곳에서는 빠지지 않는 레퍼토리가 되었다.

화관무는 조선 시대 궁중의 전통적인 춤 중 하나로, 그 예술성과 문화적 가치를 오늘날에도 여전히 인정받고 있으며, 한국 전통 무용의 중요한 부분으로 여겨진다.

참고문헌

김말복, 『몸의 철학』 경희대학교출판부, 2004.

김말복, 『무용예술의 이해』 이화자대학교출판부, 2004.

김말복, 『무용예술코드』 한길아트, 2011.

김옥동, 『탈춤의 미학』 현암사, 1994.

김운미, 『한국무용교육사』 한학문화, 1994.

김일출, 『조선 민족 탈놀이 연구』 한국문학사, 1958.

김찬정, 『춤꾼 최승희』 한국방송 출판, 2002.

김숙현, 『한국인과 문화간 커뮤니케이션』 커뮤니케이션북스, 2001.

권윤방, 『무용원리』 영운출판사, 1982.

김매자 역, 『세계무용사』 풀빛출판사,1982.

김영곤, 『무용교육』 학문사, 1984.

박외선, 『무용개론 』 보진대, 1985.

안제승, 안병주, 『무용학 개론』 신원출판사, 2022.

배소심, 김영아, 『세계무용사』 1985.

정소영, 『무용개론』, 금광출판사, 1996.

김민희 역, 『세계발레해설집』 교학연구사, 1989.

김재은, 『창의성과 무용교육』 한학출판사, 2007.

김근희, 『한국무용 개론』 현대교육출판부, 1987.

김말복, 『무용의 철학』, 예전사, 1993.

임혜자, 『춤추는 거미』 한학문학사, 1999.

남정호, 『현대무용 감상법』 대원사, 1995.

문애령, 『서양무용사』 눈빛, 2000.

배기수, 『미학, 서울대학교출판부, 1979

심정민, 『서양 무용 비평의 역사』 삼진각, 2001.

이경옥, 『안무란 무엇인가』 현대미학사, 1992.

이경태, 『무용의학』 금광, 1995.

이두현, 『탈춤의 역사』 일지사, 1987.
이숙재, 『안으부터의 움직임』 현대미학사, 1994.
정명호, 『한국의 민속춤』 산성출판사, 1991.
정은혜, 『무용창작법』 충남대학교출판부, 1999.
최상규 역, 『비평이란 무엇인가?』 정문사,1984.
송수남, 『한국무용사』 도서출판 금광, 1988.
최청자, 『무용교육의 안무의 이해』 현대미학사, 1993.
문화재연구소, 『승무, 살풀이 춤』 1990.
김매자, 『한국의 춤』 대원사, 2003.
문애령, 『대중성과 예술성의 대립의 조화』, 한국문화진흥원, 2001.
송종건, 『무용의 지평적 집평』 한학문화, 2003.
심정민, 『21세기 전화기의 우용의 변동과 가치』 현대미학사. 2007.
임영방, 『바로크』 한길아트, 1911.
한혜리, 『무용사색』 한학문학, 2011.
샐리 베인스, 박명숙 옮김, 『포스트 모던댄스』 삼신각, 1994.
N. Hesselink, 『Perspectives on Korean Dance』 2001.
Bret McCandless, 『Research Guides: Dance: Books on Dance』 2019.
L. Woznicki, 『Research Guides: Dance: E-books about Dance』 2016.
Janeanne Rockwell-Kincanon, 『Research Guides. Dance Subject Guide. Ballet』 2011.
Silvia Susana Wolff, 『CORPO TECNOLÓGICO: SOBRE AS RELAÇÕES ENTRE DANÇA, TECNOLOGIA E VIDEODANÇA』 2014.
Olga L. Devyatova and A. A. Pichueva, 『Dance Culture in the Digital Age』,2022.
Z. Gündüz, 『Digital dance』 2007.
Tara Lechnar, 『How Can Technology Be Incorporated with Dance』 2020.

#무용키워드

발 행 | 2024년 05월 17일

저 자 | 신숙경

펴낸이 | 한건희

펴낸곳 | 주식회사 부크크

표지디자인 | 어나더 레벨

출판사등록 | 2014.07.15.(제2014-16호)

주 소 | 서울특별시 금천구 가산디지털1로 119 SK트윈타워 A동 305호

전 화 | 1670-8316

이메일 | info@bookk.co.kr

ISBN | 979-11-410-8556-8

www.bookk.co.kr